١٩١٩

هذه الرواية عمل أدبي؛ والشخصيات والأحداث الواردة بها كلها تم استخدامها في إطار خيالي.

١٩١٩

أحمد مراد

تصوير الغلاف: خالد ذُهني
موديل الغلاف: تمارا خورسيدذي

الطبعـة الأولى ٢٠١٤

الطبعـة الرابعة ٢٠١٤

تصنيف الكتاب: أدب/ رواية

© دار الشروق

٨ شـارع سيبويـه المصـري
مدينة نصر ـ القاهرة ـ مصر
تليفون: ٢٤٠٢٣٣٩٩
www.shorouk.com

رقـم الإيداع ٤٨٨٩/ ٢٠١٤
ISBN 978-977-09-3292-6

أحمد مراد

١٩١٩

دار الشروق

١٩١٩

فـي الحَـادي عَشـر مـن يُوليـة مـن عَـام ١٨٨٢م قَصَف الأسـطول الإنجليزي مَدينة الإسكندريَّة تحت مَزاعِم سَحق تمرُّد الجَيش المِصري بقيادة ناظر الجهادية «أحمد عُرابي»، بسبب سُوء الحَال الذي وَصَل إليه الجيـش من ضَعف وقِلَّة[1] واضطِهـاد للمِصريين وتأخُّر ترقياتِهم عَمدًا مُقارنـة بالضبَّاط الشَراكِسـة والأتـراك المتوغلين فـي المنَاصب الأكثر تأثيرًا، وبسـبب تهاون الخديـوي «توفيق» في التدخُّل الأجنبي السَّـافر بشئون البلاد من قِبَل إنجلترا وفرنسا.

صَمدَت المُقاومة المِصرية شَـهرًا في وجه الاحتلال قبل أن تسـقُط القاهِرة في مُنتصف سِـبتمبر، اجتاح جيش الإنجليز البِلاد تثبيتًا لكُرسي الخديوي «المُسـتغيث» وتأمينًا لرَعاياها المُعرَّضيـن للخَطر «على حدِّ زعمهم»، وحِماية للشـريان المِحوري (قناة السـويس)، ذلك المشروع (المصـري الفرنسـي المشـترك) الذي اشـترت إنجلترا جزءًا كبيرًا من أسهمه فبات لها «حق الانتفاع» فيه حتى عام ١٩٥٨.

(١) كان مـن مطالب ثورة عرابـي زيادة عدد أفراد الجيش المصري من اثني عشـر ألفًا إلى ثمانية عشر ألفًا حتى يستطيع تأمين البلاد.

كان الخديـوي الأسـبق «إسـماعيل» - الذي اكتمل حفـر القناة في عهـده - قـد اضطر إلـى طرح أسـهمها للبيـع بعد الأزمـة الماليـة التي تعرضـت لها البلاد نتيجة للديون الهائلة التي اسـتدانها لبناء المشـاريع الكبيـرة - دفعـة واحـدة - مواكبة لأسـلوب المَعيشـة الأوربي.. أنشـأ بالقروض قصورًا فخمة ودارًا للأوبرا، أدخل التلغراف وطوَّر السِّـكك الحديديـة وأضاء الشـوارع بالغاز ومـدَّ أنابيب المياه، مَشروع عَصري طَمـوح سـيطَر عليـه البَـذخ والتهـاون فـي تقديـر عواقبـه، وإغـراءات المُرابيـن الأجانب بضخ الأموال «السـهلة» ليتحول الحلم بالريادة إلى مِسـمَار أخير فـي نَعش ميزانيـة الدولة واسـتقلاليتها.. تدخلت إنجلترا كمشترٍ للأسهم بحجَّة تأمين مُواصلات إمبراطوريتها مُترامية الأطراف ولضَمان تواصلها مع بقيَّة مُسـتعمراتها في آسـيا وأسـتراليا، ولتخفيف ديون مصر التي فرغت خزينتها سَـدادًا للفوائـد المُجحِفة فقط، قبل أن يضطر الإنجليز والفرنسـيون إلى فرض مُشـرفي خزانـة لمُراقبة المَالية المِصرية وتحصيل مَواردها أولًا بأول والسيطرة على مُقدَّراتها.

حَـاول إسـماعيل - متأخـرًا - التصـدي لنفـوذ الأجانـب فأجبروه علـى التخلي عـن منصبه ليَرِثَه أكبر أبنائه «توفيق»؛ شـابٌّ علاقته سـيئة بأبيـه وأضعـف خِبرة منه، مُحـاط بزمرة من الأصدقـاء الذي حرِص أن يسـتبدل بهم رجال أبيه المُخضرمين، خصص «توفيق» نصف إيرادات مِصـر لسـداد الدَّين العام فتمكـن الأجانب من السـيطرة على الماليات والتحكم فيها، مما عَجَّل بتذمر الجيش وقيام ثورة عرابي التي أسـماها البعض «هوجة» لسرعة قيامها وضعف تنظيمها.

بَعـد هزيمـة الجيش المصري نُفـي أحمد عُرابي ورِفاقـه إلى جَزيرة «سـيلان»، أُعـدِم بعض الضُبَّاط ككبش فِداء حتـى ترتدع النفوس، وتم

دَمج الجيش المِصري في جيش المُحتل! استقر العَرش بالخديوي «توفيق» وسَيطر الاحتلال عَلى مَناحي الحياة الاجتماعية في البلاد قبل أن تعلو الأصوات الجَريئة تدريجيًّا مُطالبة بخُروج الإنجليز كما دَخلوا، وهو ما واجهته الإمبراطورية العُظمى بالمراوغة وإرجاء البَت في المَسألة، مُقدِّمةً الأسباب والحجج الواهية التي تفيد بأنها باقية من أجل مَصلحة مِصر وأمنها، دافِعة بسياسة الأمر الواقِع لاثنين وثلاثين عَامًا مات خلالها الخديوي «توفيق» وتولى من بعده الخديوي «عباس الثاني» والذي عزلته بريطانيا حين اشتعلت الحَرب العُظمى سَنة ١٩١٤ بسبب عدم تعاونه معها ومشاكستها ليتولى من بعده السلطان «حسين كامل» ثم أخوه السلطان «فؤاد» من بعد وفاته.. وإذا بمِصر تجِد نفسها في وَضع لا تُحسَد عَليه؛ سُلطانها يَفرض اسمه ملك الإنجليز، مُحتلة بملايين الجنود، ومُطالبة بمُساعدة المُحتل في حَربه!!

استُنزفت البلاد لأربع سَنوات بُدِعَ فيها من الأمور العَجَب العُجاب، اشتركت الدبابات في القِتال في سَابقة هي الأولى من نَوعها، وحَملت الطائرات القذائف بَعدما كانت تُستخدم للاستطلاع فقط، رَوَّعت الناس وأشعلت الحَرائِق قبل أن يَقفز طيَّاروها إذا أُصيبت طَائراتهم بمظلات عَجيبة توصلهم سَالمين إلى الأرض، أطلقت الجيوش عَلى بَعضها الغازات السامة، ولَعبت الغواصات دُورًا مِحوريًّا بطوربيدات مُدهِشة أغرقت مئات القِطَع البَحرية.

بين الغبار والبارود عَاشت مِصر تائهة، مَجرورة مثل الجَاموسة العُشر خَلف إمبراطوريات مُتغطرسة سَعرتها الانتقامات والمَطَامع، وَضَعت المِسكينة كل مواردها تحت إمرة الإنجليز عَسى أن يُقدِّروا مُساعدتها

ويَرحلوا عنها بعد انتهاء الحرب فناءت بالأعبَاء وطفح بها الكيل، خاصة مَع إعلان الحماية عليها تضييقًا وإحكامًا منذ بدأت الحَرب، فَرض الاحتلال أحكَامَه العُرفية وباتت الرِّقابة قَاسِية على الحرِّيات، صَدرت الصُّحُف مَليئة بمساحات فارغة كَانت أخبارًا عن الحَرب قبل أن يشطُبها رقيب المطبوعات الإنجليزي، التَجمُّع في الشوارع صَار أقصى مَداه خَمسة أفراد، والسَّهر في المَقاهي ينتهي في الثامنة مساءً، الاقتصاد يسيطر عليه الإنجليز ويتولى المصريون الوظائِف والأعمال الروتينية الشاقة، عَلاوة على التنكيل بكل مَن تسول له نفسه إبداء تذمُّر أو مُلاحظة.

كل تلك القيود لم تكن مُرتبطة بظروف الحرب قدر ما كانت مُرتبطة بلمعة شاهدها الإنجليز في أعين المصريين منذ شُيِّدت جامعتهم الأولى وتكاثف إرسال بعثاتها إلى أوربا، نهضة علمية ووعي سياسي تكلل ببناء برلمان وزيادة في الأصوات المطالبة برحيل المحتل.

كان ذلك في القاهرة، أمَّا الأقاليم - الأقل حظًّا - فكان التضييق عليها أعنف وأشد وَطأة، نهش المُرابون الأجانب أصحَاب الأراضي من الفلاحين واستولوا بالفوائد المُجحفة على ممتلكاتهم، ثم سِيق الشباب الفتيُّ مِنهم قَسرًا إلى أعمَال السُّخرة خِدمة لجنود المُحتل وتنفيذًا للأعمال الدنيئة المُرهِقة التي تتطلب بأسًا وقوة جسدية، صُودرت البَهائم لصَالِح المَجهود الحَربي، وقُيِّدت الزراعَات بما يتَّفق مع حَاجة الجيش ومُنِع تصديرها، حتى وَصل الأمر لإعدَام مَن يُصدِّر غلَّته خارج القُطر دون إذن، في بَلد زراعي لم تعرف غَير تصدير مَحاصيلها، أمَّا القُطن، السِّلعة الرئيسية في مِصر فقد احتكر المُحتل شراءه وبَخس

بثمنه الأرض ليَبيعه في بُورصة لندن بأضعاف ثمنه! تشرَّد العمَّال فسَادت البطالة وتفشَّت الأمراض والأوبئة، انتشر أغنياء الحَرب من أهل البَلد والأجانب، يَصْلون الناس ألوان الغَلاء والاستغلال، وجُنود الإمبراطورية، إنجليزًا وهنودًا وأستراليين ونيوزيلنديين، يَسيحون في الشوارع والأزقَّة ببُطون جَائعة وشَهوات لا تَمتلئ، يَستنزفون الناس خيراتهم بعُشر أثمانها إذا دفعوا، ويتحرَّشون بالشعب نِساءً ورِجالًا، يَسكَرون ويَبصقون ويَضحَكون ويَركلون ثم يَخطفون ما امتدَّت إليه أيديهم، بِلا رَادع يَردعهم أو كبير يَشكُم غُرورهم، فالقانون المِصري لا يُخضعهم، ومَحَاكِم القُنصليَّات لا تُدينهم، والبوليس مُلجم عَاجز أمام عَيثهم ومِن ورائه سُلطان يكنُّ الوَلاء للتَّاج البريطَاني الذي أجلسه على عَرشه.. وثبَّته.

فبراير ١٩١٩

دَرب طِياب.. الأزبكية

بَـدت الليلة قيامة حَقيقيـة، بِلا مَلائكة ولا حِسـاب ولا مِيزان مُقام، فَقَـط العَـذاب حَاضـر تنصب عَاصِفته علـى نَافـذة الشـقَّة المُتهالكة، وتتخلَّل أمطارُه أخشـاب السَّطح المُتداعية فتتسـرَّب القَطرات بإلحاح إلى طَبَق على أرض غُرفة أضَاءها قِنديل يائِس.

رَغم صَخب الرياح كان الشَّـهيق مَسـموعًا، حَادًّا مُحشرجًا كصفَّارة نَخَرهـا الصَّدأ، شَـهيق يَأتي من فوق سَـرير حَديـدي تصطك مفصَّلاته كلَّما سَـعَلت «سـيران»؛ امرأة في العقد الرابع سُجيت فوق مَرتبة نحيلة كالخرقة المُهترئة، تُغطِّيها بَطانية من الصُّوف تشـبَّعت عَرقًا وقيئًا دمويًّا ورُطوبة لزجة، سِتَّة أيام خَلَت على الوَهن الذي دَبَّ في الأوصَال مُرخيًا حَبائله على جَسد كان يَموج فتنة وحياة، الدَّاء أغْرق الرِّئة بالدَّم فكَسَت الشـفاه مسحة زَرقاء مِن جُوع الأكسـجين، الجِلد الذَّهبي يَبس وامتقع، الشَّعر الكستنائي تلبَّد في يَأس، الأصَابع المَرسومة ارتخت على بَعضها والأورِدة الزَّرقاء بَرزت عَلى الذِّراعين تَشكو بُخل دَفقات القَلب.

سـيران! اسـم كان يومًا يَعني «الحُلوة»، جَاءت على مَتن سَـفينة مِن ميناء «صَيدا» مَع نهاية سنة ١٩١٥ فِرارًا من مَذابح الأتراك لعَشيرتها من

الأرمَن السُّوريين[1]، لتستقِر في القَاهرة مع زَوجها «سَركيس» وابنتها «فارتوهـي» ذات الأربعـة عشـر عامًا، أجَّـر الأب دُكَّانًا بَـاع فيه الزيتون والأجبان والنبيذ، واستقر حَاله وأسرته الصَّغيرة في شقَّة مُتواضعة ببناية لا تطل على شَـيء، أُسرة بَاهتة مَطموسة وَسط آلاف الأُسر التي نَزَحت إلى مِصر في سَيل لا ينقطِع هَربًا مِن نيران الحَرب.

برغـم مَـرارة الهِجرة وظُلمـة الحياة ووحشـتها، ورغـم العُزلة التي فرضها «سركيس» على أسـرته الصَّغيرة خَوفًا من عَودة الأتراك لمِصر، لَـم يَمنع ذلك «فارتوهي» مِـن أن تُصبِح قِبلة أعين الحـيِّ الفقير، نِجمة لامعة وَسـط ليل لا قَمر فيه، ناداها بـ«ورد»، ترجمة لاسـمها الأرمني، لتندمِـج فـي المُجتمع الجَديـد وتنصَهر فكبـرت وفَـارت مَالكة جَمال الأرمنيـات وفتنـة الشَّـاميات، تتهَادى بشَـعر كسـتنائي مُذهـب وعَينين فيروزيتين قُرب دُكَّان أبيها فتسـتعر النفـوس وتُحلِّق من حَولها القُلوب ببديهيـة السِّـحر علـى المَسـحورين، ورد عَرفـت ذلـك منـذ تفجَّـرت الأنوثـة فيها، وبالمَهَـارة الفِطرية التي مكَّنتها من استشـعار الأعين التي تتمشى على جلدها كانت تسطر الأقدار في رأسها وتَرسِمها، فمستقبل الإنسـان ليس إلا سَـقف أحلامه، هكذا قال وَالدها، ستُكمل تعليمها، وسَـترتبِط بمُوظف طَموح وربما ضَابط وَسيم، أو أحد نُجوم المَسارح الذيـن يُغازلونهـا حيـن تمُـر بمَقاهي عِمـاد الدِّين، سـتبتعد عـن الحَيِّ

(١) قـام الأتراك بإبادة مئـات القرى الأرمنية في محاولة لتغييـر ديموغرافية تلك المناطق، تحت مُسمّى تأمين حياة السكان المدنيين وحماية القوات المسلحة من خيانة مُحتملة مـن جانـب العناصـر الموالية لروسـيا، وكان بعـض الأرمن قـد تطوعوا فـي الجيش الروسـي الذي قتل عددًا من السكان المسـلمين في الأناضول الشرقية، ونتيجة لذلك تعرّض المرحّلون لعمليات تعذيب وقتل فيما عُرف تاريخيًّا بمذابح الأرمن.

الفقير وستُطاردها الأضواء أينما حلَّت، سيَصِير لاسمها وَزن وبَصمة تُرى بالعين المُجرَّدة، رُبَّما تُصبح مُمثلة أو مُطربة شهيرة، أو رَاقِصة في حَجم «بَديعة مَصَابني» مَلكة المَلاهي الليلية وسيِّدة الاستعراض، ستُسافر لأوربا سنويًّا، وستعيش في بيت كبير بجَاردن سيتي يتَّسع لأسرة سَعيدة، وستنجِب أبناء تسمِّيهم على اسمَي والديها وستموت في فِراشها بَعد عُمر مَديد بابتسامة راضية بين شفتيها، كابتسامة العَذراء في الكنيسة وهي تحمِل رضيعها.

لَكن القدر كان له رأي آخر!

مَا كادت الحَرب تنتهي حتَّى جَاءت مِصر سَفينةٌ تَحمل على مَتنها سيدة غَامضة، «سَيِّدة إسبانية»! وباء إنفلونزا سُمي بذلك الاسم لأن صُحُف إسبانيا كانت أوَّل من كَتب عَنه، مَوت حَصد الأرواح بمنجل فَاق حدَّة منجل الطاعون، قَتل ضِعفَي ضَحايا الحَرب، قَاصِدًا الشباب دون غيرهم، تاركًا العَجائز مَحميين بهَالات كَهَالات القدّيسين لا يَكاد يقربهم[1]! الأسبوع المَاضي أتت على «سَركيس» والد ورد، اعتصرت جَسده النَّحيل وأفرغت روحه فحَضر رجَال الحَجْر الصِّحِّي بمشاعر باردة وكمامات وسُترات بيضاء، كفَّنوه في سُرعة كفَسيخة مَسمومة بعد أن انتزعوا «سيران» من حضنه ورَشُّوا جَسده والغُرفة بمُطهِّر نفَّاذ وأحرقوا مَلابسه ومَرتبته وكل مَا لَمسته يَداه يَومًا، ثم حَملوه في صُندوق مُغلق بالمَسامير لمَقابر الصَّدقة لعَدم وجود مَقابر لأسرته.

---

(١) تقول النظريات إن سبب مناعة كبار السن ضد إنفلونزا السيدة الإسبانية يعود لتعرضهم للإنفلونزا الروسية عام ١٨٨٩، مما أكسبهم مناعة جزئية ضد الفيروس الذي قتل بين عامَي ١٩١٨ و١٩١٩ ما يقرب من ٥٠ مليون إنسان.

لـم تَبـك ورد أباها، ظلَّت وَاجمـة متمكِّنا الخَرَس مِنهـا، ترمق أهل الحَي بعينين خاليتين، فرَغم ما رأته من مَذابح على يَد الأتراك في سوريا؛ خَطفة المَوت كانت أشـدَّ وَطأة وأعمَق تَأثيرًا.. كَان ذلك قبل أن تلتفت «السيِّدة الإسـبانية» لوالدتها، سَكنت جَسـدها بَعد وفاة الأب فبَصَقت المِسـكينة نَضارتها وفقدت شَـحمها، وَهنَت عِظامهـا وكَبرت مَائة عَام فـي بضعة أيـام، حتَّى صَليبها الخَشبي الصَّغير المُعلَّق فـي صَدرها بَدا ثقيلًا يَكاد يَمنعها من التنفس! بشفاه مُتشققة تتمتم باسم المَسيح الفَادي راجيـة رَحمتـه وعَيناها لا تفارقان «ورد» القابعـة بجانبها مُلثَّمة بقماش مُشبَّع بالليمـون، تُتابع أمَّهـا بعينين مُحتقنتيـن فَرَغ منهمـا الدَّمع، تبلِّل الكمَّـادات في الطبق الذي مَلأه المَطر وتكبسـها على الوجنة الشَّـاحبة تَخفيفًـا، تترقَّب تنفُّسـها المتقطِّع وصَفيره اليَائس والنَّبض البَطيء يئن في شُريان رَقبة، تَقرأ المَصير الحَتمي ولا تَملك تغييره، هِي فقط تترقبه كصَفعة مُؤجلة من كَفِّ عِملاق ستَهوي عَلى رُوحها.. آجلًا أو عَاجلًا.

سَـاعَات ثقيلة مـرَّت قَبل أن تَخفُت العَاصفـة، وتخفُت مَعها الجَلبة بصَدر غَرق في سَـوائله بَعد حَشرجة جَافة وسُـعال خَرجت معه نثرات دَم دَاكن، تأمَّلت ورد أمَّها بريبة، تنفُّسها لَم يَعُد مَحسوسًا، صَدرها يَئس واعتزلـت شَـفتيها التمتمـة.. أمِّـي! بأنامل مُرتعشـة التقطـت كوب مَاء وقربته من الفَم المُتشـقِّق، صَبَّت القطرات فانسـابت من طَرفه المُنفرج بِلا مُقاومة لتشـربها الوسادة، هزَّت الكتِف النحيلة برِفق فلم تستجب.. أمِّي!! وَضعت أُذنًا على صَدرها فالتقطت العَدَم وبُرودة تنتشِـر، برُعب جَذبت كسرة مِرآة ووضعتها تَحت الأنف فلم تلمح للبُخار أثرًا، التفتت حَولها مُسـتغيثة بالخواء: أمِّي! أجهشـت بالبكاء لحظة ثم ركضت إلى

الدُّور الأول بسَـاقين تتخبَّطان وعَقل شُـلَّ تفكيره، أمام شـقَّة كُتب على يَافطـة خشـبية بجانبهـا «بنسـيون» وقفت مُتـردِّدة قبـل أن تَدفـع البَاب المُوارب، «بنبة» العايقة[1] كانت تدخِّن سـيجارة فوق كُرسـي لم تَظهر أطرافه تحت مُؤخرتها السـمينة، تَرتدي ثوبًا أسـود من الشـيفون كشف ثديين ترهَّلا حتَّى الخصر وكيلوتًا أحمر مُزركشًـا حَاصَر كِرشًا عَظيمة، مَا إن رأت مَلامِح وَرد حتَّى خَبطت صَدرها فترجرج كقربة مَملُوءة:

- مَالك يا حبيبتي كفى الله الشر؟!

- أمِّي! أمِّي ما بتجاوبني.

- يُوه!! فوتي قدَّامي.

أطفأت المَرأة سِيجارتها في كُوب الشَّاي والتقطت شِبشِبًا تَرجرجت فوقه خَلف وَرد على السـلَّم المُتآكل بعد أن سَـحَبت مِنديلًا رشَّـت فيه الكولونيا، اقتربت من الجَسد الهَزيل بحَذر تَستشعر عَلامات الحَياة فيه قبل أن تلمَح البول وقد انفكَّ أسـرُه أسـفل السَّـرير، اقشعرَّت مَلامحها وتَراجعت نَاظرة لورد مُحاولة السَّيطرة على انفعَالاتها:

- يا لهوي.. بقالها عَ الحال ده قد إيه؟

- لسَّة من شوية.

- دي سَابت خَالص يا حَبّة عيني!! يا حول الله يا رب.

قالتها بنبة ثم هرولت للسلَّم وانكبَّت على الدرابزين مُنادية:

- سلامة.. يا سلامة.

---

(١) العايقـة أو «البدرونة» لفظ يُطلق على القوّادة من النسـاء التي تخطّت سـنّ الخمسـين وتدير بيتًا للدعارة.

أتاها صَوت من شَقَّتها: فيه إيه؟

- اجري عَ الاسبتالية القِبطي هَات حَكيم أوام.. شَهِّل.

ثم عَادت للغُرفة المَوبوءة وقد وَضَعت المِنديل عَلى فَمها.

- ليكي حَدَّ نبعت له يا ورد؟

- مالي حد.

- يا حبِّة عيني.. البَركة فِيكي.

جزعت ورد من وقع الكلمة فانكفأت على يد أمِّها ترجوها إبداء علامة حياة، اكتفت بنبة بالصَّمت عَجزًا وفتَّحت النَّوافذ تهوية، أتى الطبيب وأكَّد الوَفاة في كَلِمة خافتة لبنبة قرأتها ورد فمَادت الأرض من حَولها، كَأن المَوت لم يَكن وَاردًا، كأن الرب لم يكن ليأخذ أمًّا من بعد أب، كَأن الشقَّة البائسة لم تكن لتخلو عليها وَحدها في تلك السِّن!

أبلغت بنبة ثُمن[1] الأزبكية فأتى رجال الحَجر الصِّحِّي كالنَّمل الأبيض ليَرفعوا السيِّدة سيران، أو ما تبقَّى منها، أحْرقوا مَلابسها ومُتعلقاتها، وقلب وَرد حتَّى لا يلتقط العَدوى، قبل أن يقرِّر الطبيب أن بقاء روح في تلك الشقَّة الموبوءة ليس بالأمر الصِّحِّي، تَركت وَرد الشقَّة ونامت ليلتها في دُكَّان أبيها رَغم إلحَاح بَنبة باستضافتها.

في الأيام التَالية تَحرَّش بِها الليل بنُجومه ومَخلوقاته قبل أن تُصَفِّي بقايا بِضاعة أبيها سَدادًا للديون، استقرت وَحيدة في شقَّتها المَنكوبة،

(١) الثُّمن: مُصطلح كان يُطلق على أقسام البوليس في القاهرة المقسّمة إلى ثمانية أقسام.. ثُمن الأزبكية.. ثُمن الجمالية... وهكذا.

مَقطوعـة الدَّمـع تعميهـا الصَّدمة ذَابلة شَـاردة تنظُر للسَّـماء الخَالية في انتظار إجابة، في انتظار مُعجزة.

كان ذلك حين قَرعَ البَاب وَجه كَسـته الأصبَـاغ وأظافر طويلة قانية، بنبـة! راصَّـة في رُسـغيها أسَـاور ذَهبيـة تنـوء الأذرع السَّـمينة بحَملها، وخُلخالين لن ينجَحا في إقناع متأمِّل بحُسن سَاقيها البَائد.

لـم تَكن بنبة سـوى قـوَّادة عَتيقـة، وُلدت قبل بـدء الرذيلـة بعَامين، عَاشـت عاهـرة مَقبولة لها اسـم يُطلب وجَسـد يُرتجى، قبـل أن يَفرمها الزَّمن وتشِـح زبائنها وينفضّوا من حَولهـا تعففًا، أخرجت ما كنزت من عَرَق وركيها لسنوات مَضَت وافتتحت شقّة للفواحش مُرخَّصة من قبل الحُكومة، وكما قال المثل: «إن تابت القَحبَة عَرَّصِت»، يُعمِّر مشروعَها الـروَّاد من أبناء البلد والإنجليز رَاغبو تذوق الصُّنوف المِصرية، قبل أن تتوسَّع بفضل تنوع بضاعتها «التي تصطفيها بعناية» لتشتري البيت كلَّه، تؤجر للسُّـكَّان شُـقق الدورين الثانـي والثالث وتَحتفظ لنفسـها بالدور الأول، تُشـرف فيـه على سِـت غُرفات تبث أنات الشـبق طـوال اليوم، مَشـروع قانوني يُديره مَعها «سَـلامة» الشـهير بـ«النِّجس»، زَوج شَديد البَأس مُتمرِّس أثقلته الحياة وشـحذته كسكِّين يشُق فيقتل، مُحترف في بث الرعب في نفوس مُسيئي التصرُّف من الزبائن الذين يَستقطبهم من ناصية الشـارع بصُـور عَارية لمومسـاته يَحملها في محفظتـه، يَعرضها مُبتسـمًا بأسـنان ذهَبيَّة يخرج من بينها الكلام المَعسـول ثـم يَحكِي عَن مُعجـزات بَناته فـي الفراش وأعاجيبهم، قبـل أن يَصحبهم للبيت مُوفرًا الحِمايـة والرَّاحة حَتّى يُفرغوا شَـهواتهم في سـلام، وسُـرعة، ليُحصِّل القُـروش والريـالات فيَدفع لزوجته نَصيبهـا، وللعاهـرات فُتاتًا يُبقيهن

نضـرات، وأحيـاء، يَأتـي لهُـنَّ بالطَّعـام والمَلبـس وأدوات التَّجميـل، ويَصحبهن في الزيَارة الأسبوعية لاسبتالية «الحَوض المَرصُود» لتوقيع الكَشف الطبِّي عليهن ضَمانًا لسَريان رُخص العَمل، ويُؤدِّب مِنهن مَن تأتي بفعل مُنافٍ للآداب أو أخْلاق المِهنة!

ذلـك كان سَـلامة النِّجِس، وتلك كانت بنبة التي جلسـت ترشُـف الشاي وتنهش بعَينيها جَسد ورد:

- إزِّيك يا ورد؟

- مرحَبا يا خالة.

- بقى يحقّ لك ولا تزوريني مرَّة من سَاعة المرحومة أمّك؟

- والله يا خالة الدُّكَّان كان آخد كل الوقت لغاية ما صفِّيت الديون.. بضاعة كتير ما عَادت تنفع بالمرَّة.

- مَعلـوم.. الجِبَـن بالـذات روحها خفيفـة.. يا حول اللـه يا رب.. وناوية على إيه يا حبَّة عيني؟

- راح أحاول أدبَّر بضاعة وارجع أقف بالمَحل.

- تقفـي!! ده كلام.. الشُّغلة دي عـاوزة راجل.. وبَعديـن البضاعة هاتيجي منين من غير نقدية؟ مَفيش حد من قرايبك بييجي مصر؟ خال؟ عم؟

- ما في!

- ولسَّة أجرة الدكَّان إحنا أول الشَّهر.. وأجرة الشقة والـ...

قاطعتهـا ورد: الله يخلِّيكـي طوّلي بالك عليَّا شـويَّة بالإيجار لأنك شايفة الظروف.

- مِش القَصد يا بِت.. أنا بَبرُمها مَعاكي بصُوت عَالي.

ارتشـفت بنبة رَشفة شَاي تَركت أحمر شـفتيها على الكوب وقامت تدق بكَعبيها الأرض الخَشَـبيَّة مُقتربة، تَخلَّلت شَعر وَرد بأصَابعها تفك ضَفائره وتُمشِّطه.

- كام سَنة عندك يا ورد؟

- سبعتاش.

- وردة بتفتَّح.

قالتهـا ولامَسَـت صَـدر ورد مُتظاهـرة بتفريـق نِهايـات خصلاتها، تَسـمَّرت الأخيـرة بعينيـن فقدتا طَرف الرمـش، ابتلعت رِيقهـا بصُعوبة حين أكملت بنبة:

- بالـك يـا بِـت.. عُـودك العِرسـي ده يتَّاقـل دَهَـب بَس لـو تفتَّحي مُخِّك.. ده شُغلي اسأليني أنا.. ما بفهمش غير في النسوان من يوم مـا وعيت عَ الدِّنيا.. الجَمال ده ما يحِق لـه غير الكتاين والحِلقان الدَّهَب.. حَرام يستنَّى الوبا لمَّا يطولوه.

- أنا مو فاهمة يا خالة!!

- الدنيـا غـدَّارة.. وإحنا يا ولـداه تحت رحمة الوعـد والمكتوب.. النهـاردة هايعدِّي.. طَب وبُكرة؟؟ ولو الحرب اتنيِّلت رجعـت.. ولَّا البُعاد الأتـراك غلبوا الإنجليـز! يختييييي عَ اللي هايعملوه.

- راح أمُـر بُكـرة عَ البَطرخانة واحكي مع أبونا يمكن يلقى لي مَكان في الكنيسة أو...

قاطعتها بنبة: تترهَّبي! يا لَهوي.. هو حد في البلد لاقي يَاكل عَشان الغلابة اللي في الكنيسة دول يَاكلوا.. هاتشحَتي وتقدِّدي زَي العِيش النَّاشف.. بَطانية ورغيفين وتموتي كُهنة ما تشوفيش ريحة راجل يقدَّرك.. الله!

سَلتت ورد شَعرها وصَدرها من بين أصَابع بنبة وألقت بنفسها بَعيدًا مُحاولة مَنع يَديها مِن الارتجاف.

- بدِّك إيه منِّي يا خالة؟

- عَاوزة مَصلحتك يا بِت.. دي أمِّك كانت حَبيبتي الله يرحَمها.

- أمِّي ما بعُمرها نزلت لَعِندك.. وما باذكر إني شوفتك طَالعة لعِندها.

- إخص عليكي! ده الحُب في القلب يا بت.. هِيَّ لمَّا وقعت منِّك لاقيتي حَد تِندهيه غيري! وأبوكي الله يرحمه.. بِقالة البيت كلها كانت من عنده.. حتَّى النبيت المَضروب كُنَّا بنشتريه.. افهَمي...

ورد مُقاطعة: يا خاله أنا ما بقدر أشتغل مَعكي.

- تشتغلي إيه؟ ده هَيبقى بيتك ومَطرحك! وبَعدين هو أنا بيت سِر؟ ده أنا مَعايا رُخصة والحُكومة مسَامحة.. أنت مش مسَامحة؟! وبَعدين هو الباشا اللي عمل الأنون ده كافر؟ ده موحِّد بالله وفاهم النفوس الضعيفة، بَدل ما الناس تتواعِد في السِّر أهو بنعملها تحت عينين الحكومة، ثم أنا غير، زبايني يُوزباشي وانتي طَالعة، والأفرنجي أدخَّله بمزاجي، واد نِضيف ابن ناس مَاشي، أسترالي ولَّا هِندي ما يعتِّبش البيت، كلهم قمل، أنا باستنضف اسألي عليَّا أم حمدي اللي قُصادنا ولَّا عِلوية اللي في عمَارة الفرن.

- يا خالة أنا...

بنبة مقاطعة: وما تشيليش هم، هاعملِّك الرُّخصة وأرسِّيكي عَ اللي ما تفهموش النسوان المتجوِّزة، أجيب لك هِدمة وأصيَّغِك، تِكسبي لِك قِرش حِلو وتنامي نومة السُّلطانة، بالك، البِت سنيَّة السودة اللي شغَّالة مَعايا، والنَّبي كانت عَبدة مِن السُّودان وتذكرة العِتق عندي شايلاها، كَعبها كَان مشقَّق يخُش فيه فَار وشَعرها مكتكت زي الليفة، ومن أول نظرة وحياتك قُلت البِت دِي فَرَسَة ولو تتليِّف وتتغندر تدوَّخ أجدعها دَكَر، تَعالي شوفي دلوقت، بتعمل لها خَمَس سِت شلنات في اليوم، شُوفي أنت ببياضك القشطة ورطانك الشامي هاتعملي إيه!! سَنة سَنتين وأجوِّزك وأزفِّك بالشَّمعدان.. هاتدعي لي.

- أنا ما بدِّي يا خالة.. كتَّر خيرك.

قالتها وفتحت باب الشقَّة في إشارة لبنبة أن ترحل من حيث أتت.. تحنجَلت الأخيرة حتى الباب وهَمَّت أن تَخرج قبل أن تَستدرك:

- على كيفك يا ورد.. دوَّري مُخِّك يا حبيبتي ومش هتلاقي أعقل م اللي قلته.. فوتِّك بعافية.

رَحلت بنبة فسَقطت وَرد على كُرسيها، سَاعات لم تَدر كيف مَرَّت، شَاردة في صَليب خشبي مُعلَّق على الحَائط، بلا مَسيح، لعُمرها لَم تكن تَحسب أن في أسبوعين فقط ستتداعى الأحلام والأماني وتنعدم الرؤى شبرًا للأمام في ضباب القدر «مَاذا سَأفعل في مِصر؟ بِلا مَال ولا سَند والناس من حَولي يَأكل بَعضهم بعضًا جُوعًا وحِرمانًا! أأسَافر؟ إلى أين والبلاد من بعد الحَرب لم تتآلف بَعد ولم تُرخِ السلاح! بجَانب أن بَلدتي

قد سَـاواها الأتراك بـالأرض إبادة ومحوًا، لن أحترق فـي الزيت المغلي مثل المسـيحيين الأوائل ولن أدخُل عَرين الأسود لأصبح قديسة.. أأترهَّب؟ لكن ويْلات الحَرب أنهكت كنيستنا، وعَشيرتي يتلقَّون الإعانات مِنها فُتاتًا لا يسد جوعًا! كما أنِّي لم أصبِر يَومًا على الخروج للشارع فكَيف لي أن أعيش وردة مُجفَّفة في قلاية[1]! عليَّ أن أسير في الشَّوارع بَحثًا عن فرصة، مَاذا عن العمل فـي صالـة أو تياترو؟ ماذا عـن التقدم لبديعـة مَصابني لتختبـر قدراتي؟ أجيد الرَّقـص وصَوتي أحسَـبه جليًّا صَادحًا، ومَاذا لو رُفضت؟ سَـيتخطَّفني الجُند لُقمة سَـائغة إن لم يُعثـر عليَّ ميِّتة من الجوع في عَطفـة مُظلِمة، أو يَقضِ عليَّ الوَباء كَما قَضَى على أبويَّ من قبلي!».

ورغم أن المَسـيح نفسـه قد هجر صَليبه على الحائِط ورحل.. بَدَت الكنيسة أرفق الحلول!

بالطبع مِن بَعد زيارة سَـريعة لشارع عِماد الدين ومُحاولة مُسـتمية للوصول إلى بَديعة مَصابني!

قامت وَرد فَجأة كَأن الكَهرباء مَسَّتها، فتحت حقيبة سَفر جَاءت مَعها مُنذ سَنوات إلى مِصر، لَملَمت مَلابسها وأوراق هويَّتها وصُورة لها بين أبيها وأمِّها عَلى مَتن البَاخرة التي ألقت بهِم على شـاطئ الإسـكندرية، انتعلـت صَندلًا وضفَّرت شَـعرًا مَفكوكًا ونظرت للشـقَّة المنكوبة نظرة أخيرة قبل أن تفتح الباب لتجد سَلامة النِّجِس قَابعًا في انتظَارها.

---

(١) قلاية: كلمة تعني حجرة أو حجيرة فى دير، لذا سمي الرهبان سكان القلالي.

التلّ الكَبير.. الإسمَاعيلية

ترَجرَجَت السَّيّارة الكروسْلي نِصف النَّقل عَلى الطَّريق المُغبَّرة المَفروشة بالحِجارة الصَّغيرة، عَجَلاتها الرَّفيعة تحفر وَراءها خَطَّين مُتعرِّجين بسُرعة ٥٠ كيلومترًا/ سَاعة، مُحركها يُزمجِر من وَطْأة الحُمولة المُغطَّاة بالضَّمُّور فوق ظَهرها، ومَاسورة عَادمها تُطلق دُخانًا أسود كَثيفًا وفَرقعات كطلقات الرَّصاص كل بِضْع ثوانٍ.. وَراء عَجلة القيادة جَلس عبد القادر «الجِن»؛ شَاب في العقد الرابع وَرث لَقبه وجَسده الخَمري المَفتول من والده شِحَاتة المُلقَّب بـ«الجِن»، فتوَّة حَي «السيَّدة زينب» لخَمسة عَشر عَامًا خَلت.. ولا يزال.

حين اقتربت السيَّارة مِن مُعسكر الإنجليز أطلق عبد القادر نفيره مُنبِّهًا، رَمقته قوّة التأمين من فوق المُدرَّعة الرابضة أمام الباب الحديدي الكبير، بحَركة روتينية وجَّهوا ناحيته فوَّهة رشَّاش «فيكرز» وبَرز من كُشك الحِراسة رَقيب أحمر الشَّعر مُلثَّم بكمامة قُماشية غطَّت نِصف وَجهه، توقَّف عبد القادر قُربه بفَرملة عَنيفة أثارت الأتربة وزحَّفت السيَّارة على الحَصَى مسافة كَادت تَرطمها بالمُدرَّعة، نَزَع شَاله من أمام فَمَه العَريض وأنفه الحَاد قبل أن يُحيِّي الرَّقيب بابتسامة عَريضة ويناوله تصريحًا كان في جيبه.

- جود مورنينج.. التموين وَصل.

نظـر الإنجليزي فـي التصريـح ثم أردف:

غيـر مُصرَّح بالدخول اليوم.

قرأ عبد القادر الرُّتب فوق كَتفيه تقييمًا لحَجمه قبل أن يُجيبه.

- ليه يا چوني[1]؟

- الإنفلونزا.

- إنفلونزا إيه يا عمِّنا أنا زي الفُل!! عبد القادر إز كلين.. أنا كنت هنا من ويك أجوو.. افتح يا جدع.

- لا دخول اليوم.

- يا عم بقول لك نضيف.. كِلين.. أنت باينَّك عاوز تتكدَّر النهاردة.. وِير إز كولونيل تريڤور؟ كلِّمه عَ التحويلة هو فَاهم.

- في عُطلته الشهرية.

- إجازة! دي داهية إيه دي؟! مَحسـوبك الجِن.. عبد القادر الجِن.. بتـاع الكانتيـن.. إيـه ما سِـمعتش عنِّي؟ تِبقـى جديـد! الكانتين.. سـيجارتس آند ألكوهول.. أنـت عاوز الظبَّـاط بتوعك تقعد من غير سَجاير أسبوع؟

أرخى الرقيب بندقيته إلى جَنبه.

- هل لديك سجائِر؟

هز عبد القادر رأسه بابتسامة عريضة وهَمَس: أبو أُمَّك.

---

(١) اسم «چوني» كان نداء يُطلق على كُل إنجليزي غير مَعروف اسمه.

ثـم فَتَح صُنـدوق «الإكراميات الإجبارية» القَابع فـي أرضِية المِقعد المجَاور، كَان مُتخمًا بكُل أنواع السَّجائِر المَحليَّة والمستوردة.

- أهُـه ده الكلام.. بـلا إنفلونزا بلا دياولو.. عبد القـادر الجِن يَعني كل حاجة تتوجِد.. كاميل وبابا تيولوجو سَمسون وإكسترا ومعدن وملوكـي.. كيريـازي وديلايتس وچناكليـس وصُوصة.. كل اللي على كيفك.. أجيب لك إيه؟

بنَهَم وريق يَسيل أشار الرقيب إلى عُلبة ديلايتس، التقطها عبد القادر وسَحَب زجاجة نَبيذ متوسِّطة الجَودة مِن تحت المِقعد وناوله:

- الإزازة دي جَدعنـة من عندي.. عَشـان «تفتكرني» أمَّا آجي المرَّة الجاية.. استبينا يا ابن الخاطية؟

سَـحَب الرقيب غنيمته دون أن يحاول تفسـير غمغمـة عبد القادر.. هَز رأسـه ثم أشـار لحُمولـة الصُّندوق الخَلفِـي فنَزل عبد القـادر وفكَّ الحَبل الغليظ مُرخيًا القُماش عَن حمولته من صَناديق السَّـجائر والنَّبيذ اليُونانـي، تفحَّصَهـا الرقيب بإهمال قبـل أن يرفع ذراعه لرجَـال البوَّابة مُطمئنًا ثم يَخبط عَلى السيَّارة بكفِّه.

رَكَـب عبد القادر سَـيارته وتَخطَّـى البَوابـة الحَديدية مُتأمـلًا الجُند الذين حَرصوا على كِماماتهم القماشية وقاية من الوَباء.

المُعسـكر من الداخـل يَحوي عنابر سَـكن الجُنـود، مَكاتب إدارية ومَخازن أسـلِحة، هَناجر للصِّيانة وسَاحات للتَّدريب وعيادة، اخترقت الكروسْـلي شَـوارعه المُعبَّدة واسـتقرت في ظِل خزَّان ميـاه كبير، رَفَع

عبد القـادر الغِطـاء الخلفي وأسنَده بعَصا ثـم وضع لافتـة مكتوبًا فيها «كانتيـن» بالإنجليزيـة، التـفَّ الجُنـود حَولـه كالنمـل حَـول صرصَـار مَيِّت، ابتاعوا سَـجائره، نَبيذه، حَلاوتـه ومخللاته، وما عَجز عنه مُورِّدو المُعسـكر السَّـابقون، مسـحوق الكوكاييـن، يبيعه بالجرام فـي لفافات ورقية صَغيرة لحَاملي كلمة السِّـر من أصدقائـه الثقات، يُنادونه بالجِنِّ، كُنيتـه التي تَناسـب قُدراته فـي الجَلـب والتحضير، يَحمي لُقمة عَيشـه بـذكاء فطـري خلـف ابتسـامة سَـاخِرة وخفَّة ظِـل ومُجامـلات للرُّتب الصغيـرة قبـل الكبيـرة، يَحمـل هَداياهـم حتَّـى مَكاتبهم، يَقُـص نِكاته الجنسـية التـي يحبونها بإنجليزية رَديئـة مُحافظًا على الـود والتواصُل، حَامدًا نِعمة اسـتئثارهم له بتوريدات المُعسـكر، شَـاكرًا لله عَمله الذي جَعل منه بين شباب الحي «برنس» يشار له بالبنان.. ثم يُنهي عبد القادر زيارته الأسـبوعية بعد أن يَجمع رَغبـات الجُند والقادة في ورقة ليَأتيهم بها في الزِّيارة التالية، ليَنهَب الأرض بَعدها نَهبًا.. إلى القاهرة.

قَطَع عبد القادر المَسَافة في ثَلاث سَاعَات ونصف قبل أن يَصِل إلى حي السـيدة زينب، غَسَـل سَـيارته بالمَاء والصابون في طقس عقائدي شـمَّر من أجله بنطلونه وكُمَّيه، لم يتركها حتَّى عكس جسـمها الشـارع من حولها والمارة، قبل أن يُغطِّيها بَعيدًا عَن مَرمى مَجلِس أبيه في ميدان الرمَّـاح بالناصريـة، دَخَل بعد ذلك ميضة المَسـجد، أنزل تُراب السَّـفر ولمَّـع حِذاءه ودَهن شَـعره بالبرلنتين ثم دَلـف الحَي يَختال في بذلَة من الصُّـوف الإنجليزي منديلها حَرير، وعشـرة جُنيهات في جيبه هي إيراد يَوم وَاحد، يَمشـي مُباعِدًا ذِراعيه عـن جَانبيه من أثر عضلاته المنتفخة، قَاطبًا جَبينه في جدية سِياسي مَهمُوم، ويَلف سِلسِلة السَّاعة على سبَّابته

بحَركة مُستمرَّة مُسترقًا النَّظرات من تَحت طَربوشه المائل لشَبابيك الحَي ومَشربياته رَاصِدًا أعين الحَريم المُتلصِّصة المُتابِعة، فمِن أجلهنَّ تجرَّع اللَّبن بالبَيض كل صباح، رَفع كوزَي الأسمنت المثبَّتين بعَصا خَشبية أمام المِرآة، ودَاعَب أطفال الحَي وهم يَلعبون الكُرة استِعراضًا، ليتلقَّف نَظرة إعجَاب تُسكره أو بَسمة وَعد تُلهب خَياله.. ورَغم ذلك تكاثرت عَلامَات الاستفهام حَول سِن عبد القادر التي تَخطَّت الحَد ولم يَتزوَّج!

وقليلون من يَعرفون الحقيقة!

فعَلاقات عبدالقادر المُتعدِّدة جَعلت إرضَاءه ضَربًا مِن المُستَحيلات، فمُنذ بَلَغ الحُلم أغدَق على نَفسه مِن رَحيق عَذارى الحَي، لم يترك نهدًا إلا وترك عليه بصماته، أما تضاريسهن والمُنحنيات فمر عليها بسيارته ولم يرحم، حَنونًا مَع المُطلَّقات عَطوفًا على الأرامل، يَسمع هراء حكاياتهن باهتمام، يتعاطف ويتوحَّد ويتنهَّد، ثم يَفرمهنَّ فرمًا قبل أن يَملَّهُنَّ سَريعًا فيَهرَع لفَتيات «الوسعة» بالأزبكية[1] ليُغيِّر طَعم فَمه، لَحمًا طريًّا لا يُكلفه سوى تحية مَساء وبَعض القروش، هذا بخلاف السيارة الكروسْلي التي كانت حَصيلة اقتنائها علاقة مع ثلاث من زوجات أصدقائه وعَدد لا بأس به ممَّن ترغبن في المُغامرة، لذا كَان عليه إذا أراد الزواج أن يَجد مَن لَم تولد بَعد، عذراء لم تقع عليها عين بشر، حُورية هَاربة من الجنَّة، هَكذا يَصفها حين تسأله أمه

---

(١) منطقة الوسعة بالأزبكية: منطقة الدعارة الأكثر شهرة في القاهرة، بجانب مناطِق باب الشعرية وباب اللوق.

عن مُواصفات العَروس المِثالية لتجلبها له، أمه التي جنَّدت الخاطبات ليأتوه بأخبار بَنات الحَي اللاتي يَرغبن في نَسَب ابن الفتوَّة وعزَّته، وكلهن في عَينيه كُنَّ ذوات عُيوب، قَصيرة، طَويلة، سَمينة، رَفيعة، قَبيحة، داعرة، قِفل صدئ، قدماها كبيرتان، مقوَّستان كلاعبي الكُرة، بِنت نَاس، بِنت كَلب، غبية، ثقيلة الدم، بلهاء!

لا أحَد يَعرف ماذا يُريد عبد القادر الجِن!

انتابت أمه الحَسْرة، ورَمَاه أبوه بالنَّجاسة قَبل أن يَزداد الطين بلَّة حين أتاه خبر تَردد عبد القادر على مُعسكر الإنجليز للعَمَل! غَضِب أبوه يَومها كما لم يَغضب من قبل، خاصة حين ذكَّره عبد القادر في زلَّة لِسان بتَاريخ تعاونه مَع الإنجليز فكَسر الرجل زجاجة قازوزة على رأسه وطرده من البيت أسبوعًا.

رَغم أنَّ شِحَاتة الجِن كان ليتَعاون مع الشيطان نَفسه يَومًا لتحقيق سطوته!

فنظام الفتوة في الأصل نَشأ في فَترات ضَعف الدولة حين اشتدَّت وَطأة المَماليك وتَوحَّشوا، فتصدَّر شجعان الأحياء للذَّود عن الأهالي ضِد بَطشهم نَظير وهبة مالية أو عَينية يدفعها الناس لهم اختياريًّا، ثم أصبحت مَع الوقت إتاوة إجبارية نَظير تَصديهم لعَسف جُند الاحتلال وغَارات اللصوص، ولحَل النزاعات فيما بينهم والاحتكام إليهم، قبل أن يَحتضن الإنجليز بعضهم حين أدركوا أنَّهم مَفاتيح الأحياء وعيونها، فباتت الصداقة بينهم مَشروعة ومَصلحة مُتبادلة، وأحيانًا بماهيَّة شهرية نَظير الولاء للاحتلال.

هكذا كان أبوه شِحَاتة الجن حين حَمل من القوَّة يومًا ما هَيأه ليقف أمام الفتوة الأسبق «خليل بَطِّيخة»، انتزع اللقب منه في مَعركة ضَارية صَرَعه فيها بضَربة سِكِّين نَفذت بين ضِلعيه لتُصَفِّي كبده على الأرض، مِن يَومها أُطلِق عَليه لَقب «الجن» تَتويجًا وتَرويعًا! ومَا لَبث أن صَنع مَجده دَبابيس مَغروسة في نبوته بعَدد المَعَارك التي خَاضها وانتَصر فيها على أنداده مِن فتوات الأحياء المُجاورة، دَشَّن سُمعتَه جُروح وعَاهات وقُبور قَبل أن تَستقر بِه أرجُل عَرش الفتوة ويَنال الرِّضَا سُكوتًا عنه وتَغاضيًا من بَعد زيارة للضابط «آرثر» وكيل حكمدار الداخلية، زيارة نَال فيها البَركة وَوَعَد بالتَعاون فاستتبَّت الدنيا له واستقرت.. يَجلس يَوميًا في بُقعة شَمْس قُرب مَدخل مَسجد الرَّمَّاح مُتابعًا بنَظره فَرشة خُضَار ضَخمة يُديرها عَنه أحَد صبيانه، لَم يُفكِّر يومًا في اعتزالها رَغم سعة دَخله، مُستقبلًا عِندها مَن له مَطلب، زَاجرًا كُل مَن تَعدَّى أو غَفل، يَفُض النزاعات ويتقدَّم مواكِب الأفراح والجنازات، ويتلقى إتاوته المَفروضة عَلى الناس فَرض الدَّين على الرقَبات.. بِلا تَهاون.

مَع تقدّم السِّن وتَوالي الحَوادث الجِسام تَسلَّلت إلى روح «شحاتة الجن» حِكمة عَجيبة، مِثل الوَبَاء، بِلا رَائحة ولا لَون، عَنوة، جُلوسه مِن الفَجر حتَّى غُروب الشَّمس صَامتًا عَلى أريكته يتأمل السَّماء وأحوال العِباد وفَقد الأحبة جَعل مِنه شَخصًا آخر، حَجَرًا جَلاه فَيض مَاء فَصار سَطحه أملس مَصقولًا، رَجلًا أقل مَيلًا للبَطش، للجَرح، وأكثر تَأثيرًا بحضوره في مُريديه، فالنَّظرة باتت تعفيه الكلمات، وإشارة من يَده تفض أعتى النِّزاعَات، صَار يَتلقَّى الإتاوات مِن أغنِياء الحَيّ فقط،

برضاهـم، لا يَبيع خُضراواته بالفَرض، لا يَضُم زوجة بالفَرض، يَسْمع أكثَر مِمَّا يتكلَّم، يَهز رَأسـه ويشـرد لدَقائق كأنَّه مَسحور يستشير أسياده، ثـم يفيـق فيُلقي قَرارًا هـو الصَّـواب بعَينه.. وقتها قـال المَـلأ إنَّ الفتوَّة ارتخى، وإن الرَّحمَة استولت عليه واللين، عَلامات كِبر السِّـن وزَوال المُلـك، رَحمَـة أغرَت فَتـى مَفتولًا مُتنمِّـرًا من فتيان الحـي أن يَختبرها مـرَّة فوَهَبه شِـحَاتة الجِن عَاهَة مُستديمة على مرأى مـن العامة قبل أن يرجِعَ إلى كَنبته بهدوء، سَـاكنًا كَجَبل عمـره الدَّهر، لَم يَعُد يهيج صَدره سـوى أبناء البَشرة الحَمراء وتابعيهم، نيوزيلانديين وأستراليين وهنود، لـم يَعُـد يتحمَّل رؤيتهـم، أدركَ ذلك متأخـرًا جدًّا، بَعـد أن ضيقوا عليه وعلـى أهـل حيِّه مَنافـذ الحَياة من بعد فـرض الحِماية، لَـم يَعودوا قَدر الـرب وقدره كما كان يقول، بَاتوا يَبطشـون بأهل المنطقة التي يَحمِيها، تفـرض حكومتهم الضَّرائـب الباهظة فوق الرءوس، ويتسكع جُندهم لَيـل نَهـار لينهبوا ما بَقي من أقوات الناس، النـاس الذين ينظرون للجِن باستغاثة ولا يَملك لهم نفعًا، مَكتوف اليدين يَتلقى الطُّعون في رُجولته فيجـز أسـنانه في غَضَب مَكتوم ويشـعر بالعجز! تَحـوَّل الجِن تَدريجيًّا من الحِرص على اسـتقرار سَـطوته الشَّـخصية في كَنـف الإنجليز، إلى غَضَب ناحيتهم لَم يشـعر بنصفه يَـوم احتلوا البلاد، وكأنه للمرة الأولى يَستوعِب مَعنى كلمة «احتلال»؛ أن تكون مَربوطًا مِن رقبتك في سَاقية مَعصُـوب العَينين ويُلقَى إليك الفُتـات، أن تُجلد لتدور في دائرة مُفرغة لتسقي أرضًا لَم تَعد تملكها، تنبت زرعًا لن تأكله.

مـع الوقت تَكونـت لَدى الجِن رَغبة مَحمومة في مُشاكَسَـتهم، بَات يَسهَر خصيصًا ليَتحرَّش بِهم مُضيِّقًا الخِناق عليهم مُنفرًا ومُخوِّفًا، بحَذر

لا يَضعه تَحت طائلة وكيل حكمدار الداخلية «آرثر» الذي امتنع عن زيارته والتواصل معه، شَاردًا يتأمَّل عُمره المُنقضي في خِدمتهم فيضيق صَدره ولا ينطِق لسانه قبل أن يُداعبه حِلم توريث اسمه لذَكَر يُكمِل مَسيرة طرد الغرباء من الحيّ، وقتها كان عبد القادر قد شبَّ وخطَّ شاربه وأراد له والده أن يَرث سِيادة المنطقة ومن عليها، فهُو العَصَب بعد أخ مَات بالكوليرا وثَلاث بَنات سيطمسهن النِّسيان حتمًا مِثل كُل أنثى، لَم يَحرم عبد القادر من التعليم، حَصَل على شَهادة الابتدائية، حَفِظ نِصف القرآن، وحَضَر صَولات أبيه وجَولاته مَحمولًا فوق عربات الكارُّو في غارات بَسْط النفوذ على الأحياء المجاورة.

افتُتن عبد القادر بسطوة أبيه لسَنوات، يَختال بها بين أقرانه ويَفخَر: «**أنا ابن الفتوة يا ولاد الكلب!! ابن الجن العفريت**».. عُومِل مُعاملة خَاصة من أهل الحي وأقرانه، حتى في اللعِب كان له الحظوة والأولوية! قَبل أن تمُر الأيّام وتَفتر حَماسته ناحية إرث أبيه، لم تعُد الفتوة تُغريه كَمَا كَانت، لم تعُد السُّلطة التي يتبعها مَال، بَاتت مَع حِكمة أبيه «المُستحدثة» سُلطة مع ضيق حَال، فَرهَدة لا تؤتي الثِّمار، أقرب لزُهد الرُّهبان في صَوامِعهم، عِبء ثقيل ومَسئولية تبرَّأ مِنها تدريجيًّا وانسَحَب، مُؤثـرًا التَعامل مَع وُجود الإنجليز ومُجاراتهم: «**وما لهم الإنجليز؟ أقوى جيش في الأرض، خبرة، ونظام، وإحنا شعب ما يمشّيناش غير الكرباج!**» تَعلم عبد القادر لُغتهم هَربًا من عَباءة الحَارة الضيِّقة إلى رَحْب البدلة الأوربية المُلهِمة! فأبوه لم يَخرج من حَارته مُنذ سَنوات، مَعذورًا بضيق أفقه مَعزولًا كسَمكة عَمياء في حَوض صَغير، مِسكين لَن

يَعـرف أن الزَّمـن قَد تَغيَّر، لن يُدرك أن الإنجليـز باتوا مُنتصري الحَرب وسَـاداتها، «لـن يرحلوا عـن مِصر» باتـت مقولتَه الشـهيرة، و«كيف لنا أن نديـر البلـد إذا رحلوا؟» باتَت ثَاني مَقولاته الشـهيرة، سَـامر جُندهم وصَاحـب ضُبَّاطهـم في بارات الأزبكيـة ومسارحها، يُداعبهم كأقران تَربَّـى بينهـم، حتـى فَاحت رائحتـه وطالت أنـف أبيه فانقبـض، قبل أن يواجهه بمـا عرف فيرتبك، اتَّهمه بالرُّعونـة فاضطرب، صَرخ فيه ومَاج واسـتعر، قبل أن يوقـف عمل أُذنـه بصَفعة ويجرح أعلـى وجنته بفصِّ خاتمه فانقطعت الأسـبَاب بَينهما، لم يَملك عبد القادر سوى الصَّمت، صَمت تَحوَّل لعِناد متَّقِد، يُريد أن يُبرئ سَـاحته، وأن يَرى الشـمس من مَكان عَال، فوق بيوت الحارات الضيِّقة المكتومة، وأن يثبت لأب جَبَّار أنّـه قد يُخطئ.. فلسـت إلهًا تُعبَد! ولا «جِنًّا» حقيقيًّـا تَملك الخَفاء، بل والحياة التي تَحياها في حيِّك الضيِّق سيدًا بلا مال...

ليسَت في الأصل حَياة!

وابتسـم الحـظ يَومًـا لعبد القـادر، كان ذلـك حيـن صَحِبـه صَديق إنجليزي إلـى كَامب التَّل الكَبير وعرَّفَه عَلى الكولونيل تريڤور، ليُصبح في أشـهر مَعـدودات أَحَد مورِّدي الكامب المَعدودين، اسـتعر سَـخط أبيـه عليه حيـن عَلِم، هو الخائـن الخارج عن الطوع، هـو الابن العَاق، بـل هو العار نفسـه يَـكاد يُخفيـه، تَتقابل أعيُنهمـا فيتسـاءل عبد القادر:

«ألم تَـر الأموال التي جرت بين يديَّ؟ البَدلة الإسـموكنج التي طالما حلمت بها، السَّـاعة الأوميجا ذات الكاتينة والأوتومبيل المَرموق الذي يصرع النساء تحت عجلاته؟

ألم يكن ذلك هَدفك منذ أصبحت فتوة الحي يا أبي؟!».

فيرد الأب بسبَّة غَضَب من عينيه وصَمت مَرير.

حيـن اقترب عبد القادر مِن بَاب مَسـجد الرمَّاح لَمح أباه مُتكئًا على كَنبته، كان يُشبهه كثيرًا لَولا شارب أشيب تخللته صُفرة المعسل وبَدانة تزداد مع السِّـن، رَافعًا سَـاقه ذات الكالُّو الدائم علـى حَجَر ومُرخيًا لي الشيشَـة التي لا تفارقه على صَدره، أسـرَع عبد القادر بخُطاه بَعيدًا اتقاءً للمُواجهـة لكن الأعيـن التقت، نَظرة لوم وهيبة باقيـة اضطرته أن يَثبت مَكانـه، ثم بخُطوات ثقيلـة أن يقترب، لَثَم اليَد وجَلـس، انقضت دَقائق ثقيلة قبل أن يُخرج أبوه من جَيب جِلبابه علبة نُشـوق، شـد لفتحتَي أنفه المَسـحوق المنعـش ثم دسَّـها في جيبه ورَجع لسـكون التأمل، شـاردًا فـي مدخل الميدان كمـن ينتظر شـيئًا، لَحظات لم يَـدر عبد القادر فيها ما يفعله فأخرج سـاعته من جيبه، ألقـى عليها نظرة ثم قَام يَحُك مُؤخرة رَأسه ضابطًا طربوشه دَافعًا للوقت أن ينقضي:

- طب بالإذن يابا عَشان وَرايا مَصلحة.

لـم يتلـق عبد القـادر إجابة فـكَاد أن ينسَـحِب حين تكلَّـم أبوه دون أن يلتفت.

- مبروك السَّاعة.. حاجة أوربا خالص.

أخرجها عبد القادر من جيبه ومد يده بها.

- والله ما هي راجعة يابا.. النبي قِبَل الهدية.

شـد شِحَاتة بَلغمًا من صَدره وبَصقه على الأرض فأرجع عبد القادر سَاعته إلي جَيبه مستوعبًا الرسالة حين أردَف أبوه:

- رايح فين؟

- رايح أزور واحد صَاحبي عيَّان وعندي كام مشوار ناحية...

قاطعـه: ابقى عدِّي على نظلة مِرات عمَّـك توفيق اللي في التالت.. شُفها عَشان بتخلَّص خلاص ومالهاش حد.

- يا حول الله.

- أنت توعى على عَمَّك توفيق؟

- كُت صغير أمَّا مات.. بس عارف إنه كان زي أخوك.

- جَـت له طلقـة في عينه وهو واقف في الشباك.. طلقـة من بندقية «لي إنفيلد».. إنجليزي.. عسـكري كان بينضف الماسـورة تحت البيت! طلعت الطلقة.. تفتِكِر...؟

هَربَ عبد القادر بعينيه إلى الحي جازًّا أسنانه: الله يرحَمه.

- لو كُت شُفت الوَاد اللي نَشه كُت هَاتعمِل فيه إيه؟

- كُنت فرمته.

- ولو كان صَاحبك؟!

باغته أبوه ولـم ينتظِر الإجابة، لاذ عبد القادر بالصَّمت وإن حدَّق في عينَي أبيه تحديًا حتى استفزَّه.

- خسـارة فيك الواحد وعشـرين أهيف بدلية(١) اللي دفعتها عشـان ما تخشِّش الجهادية.. كان زمانك طلعت راجِل.

---

(١) البدليّـة: نِظـام تـم العمل به فـي بدايات القرن العشـرين كسياسـة إنجليزيـة لإضعاف الجيش المصري عن طريق قبول رسوم محدّدة للإعفاء من الخدمة العسكرية.

ساد الصمت ثواني قبل أن يقوم عبد القادر:

- بالإذن يابا.

ابتعد بِضع خطوات قبل أن يَصيح أبوه:

- جرام البلا الأبيض اللي بتبيعه وصل كَام يا عبد القادر أفندي؟

كَبَس عبد القادر طربوشه على رأسه ومَد خُطواته كأن لم يَسمعه متمتمًا في سِرِّه:

- ديك أمَّك يابا.

الساعة ١٢:٣٠ صباحًا

بَار «كافيه إچيبسيان».. شارع وش البِركة[1].. الأزبكيَّة

لـم يَكُن «كَافيه إچيبسـيان» بَـارًا عاديًّا، حتَّى «ديراكاتوس» مُنافسـه العتيـد لم يَبلغ مَكانتـه يومًا، كَان دائمًا الأفخَـم والأعجَب والأرقى في مُسـتوى مُريديه، فقَد شهِد جلسات الأمير فؤاد أيام بَطالته قبل أن يَعتلي العَـرش ويُصبح السـلطان فؤاد، وشَـهِد أيضًا عَربدة سـليم السِّـلحدار الأرسـتقراطي المَعروف الذي دَخل البار يَومًا بحصانه مُحاطًا بحاشـية من السـود والمَغاربـة والطَّليان يَجْرون بَيـن يَديه، قلَـب المَوائد وبَعثر الجُمـوع قبل أن يَدفع ثَمن مَا أفسـده عن طيب خاطِر! كما اشـتهر البار بأنه ملتقى رجال الجَيش ومستشـاري المحاكم وكِبار الأجَانب، وحتى الخديـوي المَعزول «عبَّاس حِلمي» كان يَأبى على حَاشـيته السَّـهر في البارات عامةً.. إلا بار «كَافيه إچيبسيان».. كان دائمًا الاستثناء.

يَتَخطَّـى القـادم للبار عَربـات الـدوكار[2] الفاخرة التـي تَركها روَّاد المَكان قُرب رَصيف المَدخل ليسـتقبله حـارس المكان بصَدر عَريض وشَـارب مُنتصِـب، يتقدَّمه بحَفـاوة حتى يفتح لـه الباب الكبيـر ليتلقَّى بقشيشـه قبـل أن يُسـلِّمه إلـى حَسـناء يونانيـة أو إيطاليـة تَرتـدي بلوزة

(١) شارع «وِشّ البِركة» هو شارع نجيب الريحاني حاليًا.

(٢) الدوكار: عربة مجرورة بحصان واحد يركبها أولاد الذوات.

«ديكولتيه» سَاتانية وشَراب شَبك يُشعِل سَاقيها فوق كَعبين لَهما طَقطقات تُدغدِغ الأعصَاب، تتمايل أمامه بغنج في طُرقة طَويلة تُضيئها قَناديل على شَكل أذرُع نُحاسية خَارجة من الجُدران المَرسوم عليها نسوة فَاتنات يَرقصن رقصة «الكَان كَان»، ثم تنزل به دَرَجًا من بِضع دَرجات يُوصِّله للصَّالة الرَّئيسية، تُسلِّمه لزميلة لا تقِل عنها فِتنة لتأخذ عنه مِعطفه وتتسلَّمه ثالثة لتجِد له مَكانًا شَاغرًا وسط زحَام المُريدين.

الصَّالة كانت واسِعة، على هيئة نِصف دَائرة، في المُنتصف مَسرح اصطفَّت عَلى أطرَافه مصابيح مَسنودة على مرآة مُقعَّرة تَعكس نورها على فِرقة من خمسة أفراد تَعزف مَقطوعة لشُوبان، المَوائد رُصَّت بجانب الجُدران وباتساع الصَّالة حتى وصَل أقربها وأغلاها سِعرًا لبداية المَسرح، عَليها مَفارش مُزخرفة من الدانتيل فوقها شُموع في آنية مُستديرة ونساء تشِع من نحورهن أنوار الحُلي البراقة والماسات بجانب رجال ازدانت أصَابعهم بالخواتِم والسيجار الفاخر، أما الطرقات الخالية بين المَوائد فتملؤها فتيات فاتنات من كُل الجنسيات كالنَّحلات الشغَّالات، يَبعن سَجائر وولاعات وحَلوى فوق عُلبة خَشبية مُعلَّقة بحِزام إلى أكتافهن الناعمة، هذا بِخلاف فتيات «الفَتح» اللاتي يوفِّرن الصُّحبة الغَضَّة والأُنس، يتفرَّقن على المَوائد ليحثثن الروَّاد على فَتح المزيد من زُجاجات الخَمر على شَرف الجلوس مَعهن، وكُلَّما فتحت الفتاة عَددًا أكبر من الزجاجات كَثرت حِصَّتها من النقود، أمَّا البَار فكَان في أقصى اليسار، عَامرًا بمختلف أنواع الخمر، تَحفُّه كَراسي عَالية من الأبنوس كُسيت بالقَطيفة الأرجوانية، جَلس فَوق إحداها شَاب في منتصف الثلاثينيات يَحسبه المُحيطون من الوَسامة أميرًا

من أسـرة مَالكة، فاتِح البَشـرة أميل إلى النَّحافة، خصلاته طويلة مُهذَّبة تَصِل جبهته بمؤخرة رأسـه، عَيناه جادتان وأنفه دقيق وشـفتاه مُكتنزتان لا يُعكِّـر صَفوهما سـوى جـرح قديم على بُعـد سـنتيمترات في طرف الصّدغ، يَرتدي بَدلة سـموكنج سَوداء خُلِقت لأجله وبابيونًا مُنمَّقًا فَوق قَميص مُنتشٍ بياقة مستديرة وأكمام تضمهما أزرار برَّاقة، يَرشف كَأس نبيـذ مُداعبًا أطـراف شَـاربه الطموحة، بابتسـامة صفراء يَصُـد الفتيات اللاتـي يحُمـن حَوله يبغين صَيدًا وعَيناه لا تفارقـان الوَاردين من البَاب يَفرزهـم فـرزًا، لَحظات وفُتح السِّتار ليخرج إلى بقعـة النور رَجل أنيق بمِعطف طويل وشَـعر موَّجته الزيوت، صَفَّق مرَّتين منبِّهًا ليَسود الهدوء قبل أن يضع أمام فمه مَخروطًا مَعدنيًّا ليعلو صَوته ثم تكلَّم:

- أيهـا الجمهـور الكريم، أسـعد الله مَسـاءكم، «كافيه إچيبسـيان» يُرحِّـب بكـم ويتمنَّـى لكُـم سَـهرة سَـعيدة مـع فقراتنـا الحَافلـة بالمفاجآت المُبتكرة، سَـنلتقي بعد قليل بالرَّقص الشـرقي البَديع مـع فاتنـة الشـام ملكـة الرشـاقة «بَديعـة مَصابنـي» بصُحبـة فرقة الشـمعدانات في ثلاثة مَناظر مُبهـرة، أمَّا الآن فموعدنا مع البَهجة والسُّرور والمُونولوجست خَفيف الظِّل الذي أمتعكم من قبل في رواية كشكش بيه.. حَسَن فَاااايق.

صَفَّـق الحاضـرون فانسَـحَب مُقدّم البرنامـج ليَدخل شَـاب طَويل القَامة أصلع الرأس يَرتدي بدلة زيَّن بنطلونها شَـريط لامِع ورابطة عُنُق مُضحِكة بالكاد تخطَّت صَدره، توسَّـط المَسـرح بعَينين مندهشـتين ثم أخـذ يُشـير لِمَن فـي القاعة واحـدًا واحدًا بسـبَّابته كأنه يَعرفهـم قبل أن يُطلق ضَحكة طويلة عَجيبة أضحَكَت الجُمهور بلا مَجهود يُذكر، انتظر القاعة أن تَهدأ قبل أن يُلقي بأولى نِكاته:

- في مرَّة سألوا شمَّام عن سَبب تَسمية قَناة السُّويس بالاسم ده فقال: لأن السُّفن بتعدِّي بسويس بسويس.

ضجَّت الصَّالة بالضَّحك في اللحظة التي نَزل فيها الدَّرَك ضابط إنجليزي ببَدلة عَسكرية كَاكي وربطة عُنق زيتية وكاب مُختال، انتبه إليه الجالس على البار وقيَّمه قبل أن يَرصُده بطَرف عَينه.. أردف المونولوجست:

- شمَّام نزل من الحنطور فلقى الدنيا بتمطر قام لف ونزل من الناحية التانية.

ضجَّت الصَّالة بالضحك ثانية حين تَخلَّل الضابِط المَوائد مُقتربًا من الكَراسي الوَحيدة الشَّاغرة في الصَّالة.. كراسي البار.

- شمَّام ضيَّع أمه في السُّوق راح للشاويش قاله: ماشفتش واحدة ماشية وأنا مش مَعَاها.

الْتهى الشاب بكأسه في لامُبالاة مُصطنعة، يُراقب الإنجليزي في مِرآة البَار المُواجهة، جَلس الأخير على بُعد كُرسيين بعد أن خلع الكَاب ووَضعه على سَطح البَار فلَمَعت خصلات ذهبية وعينان زرقاوان، طلب كَأسًا ثم التفت للصالة مُتأملًا الروَّاد بَاحثًا عن صُحبة تُرافقه، فالمِزاج المُتفائل من بعد الحَرب حرر الدم المَحبوس كَمَدًا في الصدور لينصب في نِصف الجسم السفلي.

لَحظات واقتربت فَتاة من فَتيات الفَتح، يُونانية، الـ H عندها خاء، ترتدي فُستان سَهرة أسود كَشَف عن ثَديين أنوفين وعَجيزة مَغرورة، بالبروتوكول المَعهود أسندت ظَهرها للبَار ورفعت جانب شَعرها

لتكشف عن نَحر برَّاق قبل أن تسدِّد له الغنج بين عينيه وتدعوه أن يُشعل سيجارة دسَّتها بين شفتيها، رَمَاها الإنجليزي بنظرة ملل ثم أعرَض عَنها في تكبُّر فاعتدل مَيلها وانسحبت من أمامه تُبرطم بالإغريقية! دقيقة واقتربت شَقراء رائعة بسيجارة غير مُشتعلة، حامَت حوله فأشار بأصابعه أن ابتعدي وداعب الساقي: «**هل هناك أزمة كبريت في مصر تلك الأيام؟!**»، انسحبت قبل أن تشَاغل عَينيه مِنضدة عليها أنثى خمرية فَاحمة الشَّعر قوامها مدملج بجانب رَجُل ثَري الهيئة، لم يَرفع عَينيه عَنها منذ عَثر عليها، مَسح ثناياها بشَبق طَاغ شَرب من أجله كأسين إضافيين وحَملَق كَمَا الطفل يُريِّل من أجل لعبة يرغبها، فالإنجليز لا يأبهون لأشباه إناث بلادهم، يَعبدون خَلاخيل الخَمريات ذوات المِلاءات اللف، وكَان ذلك ما يعرفه الشَّاب المُراقب، دَسَّ يَده في جَيب سُترته بهدوء وأخرج صُورًا في حَجم وعَدد أوراق الكوتشينة، صُورًا لفتيات عَاريات من كُل الأجناس؛ أوربيات، شركسيات، مِصريات، قوقازيات وسُودانيات، فرَّها سَريعًا تَحت سَطح البار قبل أن يَعزل ثلاث صُور لفتيات تُشبهن في الجسم المدملجة التي أعجبته، مُؤخرات عظيمة وأثداء ترتع وبشرة صلتها الشمس، وَضَع الصُّور الثلاث في المُقدِّمة ثم دَس المَجموعة في جَيبه حين صَاح المونولوجست:

- شُفتم! كل النكت النهاردة كانت عن الشمَّامين اللي بقُم في كُل مكان، مِنغَّصين عَلينا عيشتنا ومبعزقين فلوسهم هنا وهناك، عشان كده أنا باهديهم الأغنية دي وعاوزكم تغنُّوا معايا! شم الكوكاييين.. خلاني مسكييين.. مَناخيري بتوِن وقلبي حزييين.. وعينيا في راسي رايحين جاييين.

تناغم الحَاضرون مَع المونولوج حين سَحب الشاب كأسَه واقترب من الإنجليزي الهَائم في مَلكوت اللَّحم الخمري، جلس على الكُرسي المُجاور له قبل أن يَهمس بإنجليزية لا بأس بها:

– يبدو أنها المرَّة الأولى لك هُنا!

بفتور هزَّ الضابط رأسه أن «نعم» قبل أن يشيح بوجهه قاطعًا الحديث فاستدركه الشاب:

– أعتقد أنَّك قد أتيت للمكان الخَاطئ يا صَديقي!

التفت الإنجليزي بفضول: ماذا تقصد؟

– هنا لا يقدِّمون الحُب الذي يَروقك.

نظر إليه الضابط باستغراب فابتسم الشاب ثم أشار برأسه للفتاة السَّمينة: الحُب الحَقيقي.

قالها وأخرج مـن جَيبه الصـور، وضعها بجانب كأس الإنجليزي الذي نظر إليها ببرود وبدون أن يلمسهم سأل:

– ما هذا؟

– صنف قد يغيِّر فِكرتك عن المرأة.

لَمعت عينـا الإنجليزي وإن حَافظ على لامُبالاتـه المُصطَنعة وهو يقلِّب الصور بطرف سبابته ترفعًا:

– هل هُنَّ في البار مَعنا؟

– المرأة الشرقية لا يفوح أريجها إلا في الظل.

سَكت الإنجليزي يَزِن العَرض المُغري قبل أن يَهمس:

- أين؟

- شارع قريب.. مَكان هَادئ تستطيع أن تأخذ فيه راحتك وتشرب مشروبًا يروقك.

- أهو مَكان مُرخَّص؟

- أوراق الكشف الصحِّي حاضرة ولا أنتقي إلا أرقى الزبائن.. لا مِصريين ولا هنود.

- وكم قد تُكلِّفني تلك الزيارة؟

- يكفيني أن تُصبح زبونًا دائمًا لشقَّتنا المتواضِعة.. لكن لو ألححت لقلت إن جُنيهًا سَيكون كافيًا لإكرام ليلتك.

- جُنيه!! مَبلغ ضخم من أجل صُحبة!

- لن نختلف.. وصدِّقني ستجد أن فتياتي يستحققن.. والدفع سيكون بعد تقديم الخدمة.

- هيئتك لا توحي بما تقدمه يا...

- اسمي كتكوت.. وإيصال المُتعة لمُستحقيها مَوهبة تسبق سيرتي.. ستُدهشك قُدراتي.. اسأل عني مُريدي الأزبكية.

رفع الإنجليزي كأسه على فمه، تجرَّعه دفعة واحدة ثم ابتسم:

- حسنًا يا كتكوت.. كيف سنفعلها؟

- انهي جلستك وقابلني خارج البار.

قالها كتكوت ثم قام من مَكانه فأمسك الضَّابِط رُسغه وهَمَس:

- لكني أريد تلك الفتاة بعَينها.. لن أدفع إلا لها.

وأشار بتحدٍّ طفولي للمدملجة المصريَّة التي خلبت لُبَّه.

- آه.. أنت تتحدث عن هذه الفتاة؟! لكنها الآن مع صديق آخر! علاوة على أنها ليست أفضل الفتيات، هناك من هي أكثر خبرة.. ولا أعتقد أن من المناسب سحبها من بين يدي رفيقها الآن.. لم لا...

قاطعه: إما هي أو لا اتفاق.. لقد وَعدتني أن قدراتك ستدهشني!

تأمَّل كتكوت الفتاة السَّمينة والجَالس برفقتها قبل أن يَلتفت للضابط بابتسامة:

- لم أعرِف اسمَك؟

- ميجور أليكس.

- ميجور أليكس.. لن أخيِّب رجاءك.

قالها وغمزه بعينه ثم ذهب مُتأنيًا تجاه مائدة الفتاة السمينة، قبل أن يَصِل إليها أشار لبائعة سَجائر، اقتربت بابتسامة تَعرض منابِت صَدرها وبضاعة فوق الصُّندوق المُعلَّق في رقبتها، التقط علبة سجائر وناولها عشرة صَاغ وحين همَّت برد الباقي استبقاه بين أصابِعها ومال عليها:

- خلِّي الباقي علشانك.

- افخاريستو.

- جريجية! أجدع ناس.. ليا عندك خدمة.. فيه بنت جميلة قاعدة في الترابيزة اللي وراكي.

همَّت بالالتفات فاستوقفها بابتسامة.

- من غير ما تاخُد بالها.. دي بتفتح في البار ولّا من برَّه؟

كَانت مُعتادة بطبيعة عَملها على التوصيل الجيد للحَرارة، ابتسمت ثم التفتت بخفَّة لتُلقي نَظرة قبل أن تُجيبه.

- شوشو.. هي تشتغل مَآنا هِنا في البار.

- لطيف جدًّا.

قالها وأخرج من جَيبه قلمًا وورقة، خَطَّ فيها عبارة مقتضبة.. «تمانين قرش.. عَند البَار؟» ثم طبَّقها جيدًا ودسَّها في كفِّها.

- مُمكن تديها الورقة دي؟ بينك وبينها.

- نيه نيه.. فيسيكا.

- شكرًا يا جميلة.

ذهبت فتاة السَّجائر تجاه السَّمينَة فرَجع كتكوت إلى البار بجانب الإنجليزي المُترقِّب، جَلس بجانبه دون أن يتكلَّم مُراقبًا السَّمينة التي تناولت الورقة بحِرفة وفضَّتها تَحت المائدة، قرأت فَحواها ثم طبقتها ومَسحت البار بعينيها حتَّى التقت بصَاحب العَرض السَّخي، ابتسم ورفع رأسه مُتمِّمًا عَلى صفقته فغمزت بعينها وَعدًا حين التفت لكتكوت.

- يبدو أن حَديثك عن نفسك لم يكُن مُبالغًا فيه يا كتكوت.. ههههه.. ألا تعني كتكوت فرخًا صغيرًا؟

- صغير.. لكنني جبار.

ضحك الإنجليزي: أستأتي صديقتك الآن؟

- مـن الأفضل أن نَسبقها حتى تُنهي جَلستها.. فَرفيقها البَدين لن يسعده رؤيتها بصُحبة من هو أكثر وسامة.

دَفـع الإنجليزي ثمن شـرابهما والتملُّق الفاضح ثـم خرجا من البار متَّخذيـن طريقهمـا إلى بيـت المُتعة، ثَرثَر كتكوت فـي الطريق بقصص مُبالـغ فيهـا عـن أصدقـاء مـن مُمثلـي المَسـارح ومُطربـات شـهيرات وراقصات يَذُبن فيه عِشقًا حتى قاطَع الإنجليزي استعراضه:

- ألا تجِد غَضاضَة في التعَامل مع إنجليزي؟

- لم تقول ذلك يا صديقي!

- لست أنا الذي أقول.. إنما هو ذلك الرجل.. سَعد...

- آه أنت تتحدث عن سَـعد زَغلول.. يا له من مُخرِّف نَسـي نَفسـه.. كان ناظـرًا في الـوزارة ثم ابتعد عن الأضـواء حين قامت الحرب العُظمـى فـأراد أن يَعود إليها ولَـم يَجد غير المُطالبة بالاسـتقلال حُجَّة! الاسـتقلال! يا للعجب!! الإنسان قد يَفعل أي شيء ليَطفو عَلى السَّطح ثَانيًا!

- لكن دَعواه تَجِد صَدى عِند الناس.

- أي ناس يا صديقي؟! المَجنون يُريد مُقابلة الملك إدوارد ليَعرض عليه أن تتركوا مِصـر!! وفـي بـلاده!! يا لها من بجاحة.

- الملـك إدوارد مَـات منـذ سـنين.. نحـن الآن فـي عُهـدة الملك جورج الخامس.

- فليرحمه الله ويُحسن إليه.. أبعد عِشرة ثمانين أو تسعين عامًا وأنتم ضيوفنا بحلو الحياة ومُرها.. نشرب من نيل واحد.. يأتي ليطلب الرحيل هكذا! أي جنون هذا؟! مثل هؤلاء لا يَعيشون على الأرض يا صَديقي.. حَالمون.. فقط هم يخترعون الكلمات الرنانة ونحن الشَّعب ندفع الثمن.. قد جُنَّ أحمَد عُرابي من قبله وتخطَّى أسياده فتلقَّى جزاءه.. وأين قَضى بقيَّة عُمره؟ في جزيرة الماوماو مع الهنود الحُمر.

- جزيرة سيلان.. المُفارقة أن تمرد عرابي كان السَّبب في قدومنا لِمصر.

- تلك كانت حَسنته الوحيدة إذن.. ليست كُل الأمم بقادرة على رعَاية مَصالحها.. نحن شَعب هَمَجي.. وغير ناضج.. طِفل إذا أُعطى من الغِذاء أزيد مما يلزم أُتخم.. اسألني أنا!

كانا قد اقتربا مِن ناصية زقاق ضيِّق، توقَّف كتكوت وأشار إلى بيت صَغير في نهايته.

- تفضَّل من هنا.. النافذة ذات الستائر الخضراء.. أتحب مع النبيذ بَعض الجبنة القديمة أو الترمس؟

- لقد شربت الليلة بما فيه الكفاية.

تقدَّم الضَابط كتكوت وهو يتمِّم على المُسدَّس في جَنبه، مَرَّا ببائع خضراوات عَجُوز افترش نَاصية الزقاق، تَخطَّاه الضابط قبل أن يَميل عليه كتكوت سَاحبًا من تحت خيش قفَّته مُسدَّس «ويبلي» مَاسورته مَلفوفة يَدويًّا بالمَطاط، دَسَّها في سُترته حين طلَّ العجوز على الشارع الصَّاخب وأشار بيده اليابسة إلى عربجي رَابض على الرَّصيف المُقابل،

قفـز من فَـوق حنطوره قَبـل أن ينغز مُؤخرة فَرسـه بشَـوكة نَفضَته واقفًا علـى قدميه الخَلفيتيـن صَاهلًا بألم، مُثيرًا بين المـارة مَوجة من الرُّعب أوقفت السـيارات وعَربات السـوارس[1] وقطعت الطريق فرفع صَاحبه سـوطًا غليظًا انهال به رَقعًا على بلاط الأرض المُحدَّب وهو مُستمسك باللِّجام، في مُنتصف الزُّقاق سَـمع الضابـط الضجَّة فالتفت ليَجِد فوَّهة مُسدَّس مُوجهة إليه.

- ماذا تفعل يا كتكوت؟!

- اسمي ليس كتكوت.

ودَوت طلقة تاه صَوتها بَين رَقع الكُرباج وصَخب الشَّارع، استقرَّت فـي صَـدر الإنجليزي الذي ارتد ثم سَـقط على ظهـره، اقترب كتكوت منه واستخلص المُسدَّس من يَده، تأمل الدِّماء وهي تَفور مِن الفَم عَلى صَدر البدلة العَسكرية، رجفة خروج الروح وعَينين تخبوان ثم تنطفئان، انحنى مَن كَان مُنذ دقائق بائع مُتعة وانتزع من سُترة الإنجليزي زِرًّا عليه حَفـر بـارز لبندقيتين متقاطعتيـن فوقهما تَاج مَلكي بعـد أن أغلق جفنيه بأصابعه، دَسَّـه فـي جَيبه وهُو يتأمَّل وَجـه غَريمه، كَان يؤمـن أنَّه عندما يقتل ضحية ينتقل إليه منها شيء لا يُدركه، شيء يتوغَّل في قلبه كالحبر في كـوب مَاء، يُسيطر عليه، يَصبغـه، قبائل الآزتك المكسيكية كانت تأكل قلوب أعدائها لتكتسـب قوتهم، أما هو فيأكل أرواحهم، ثم يشعر بهم يمشـون مَعه، ينامون بجانبه، يتجولون في سـقف غرفته ويكلمونه

(١) عربـة مظلّلـة من الخشـب تجرها الخيـول أو البغال تسـتعمل لنقل الأفـراد.. أول من طرحها في الأسواق كان الخواجة روفائيل سوارس.

بأعينهم، وأحيانًا يَصرخون، ليس لنا دخل بقضيتك، أو ببلدك الملعون، نحن جُند مأمورون.

أفاق من غفوته بعد لحظات فنفض وَجهه طَردًا للأصوات وانسحب مُسرعًا إلى الشَّارع الصَّاخِب بَعد أن ألقى بالمُسدَّسين في قفَّة العجوز الذي لملم فرشته وخرج وراءه بلا كلمة، كُل إلى اتجاه، أحكم الطربوش فوق رأسه ثم مَد خُطواته مُبتعدًا.

البناية كانت تطل عَلى سوق باب اللوق، عمارة ضَخمة مُزيَّنة بقبَّة ونقوش بَديعة وتَماثيل، ارتقى السَّلالم قفزًا للدور الرَّابع قبل أن يَدس مفتاحه في الباب، بحَذر نزع حِذاءه بَعد أن كَتم وَسوَسة المَفاتيح في قَبضته، تَسلل إلى غُرفته وشَرَع في خَلع مَلابسه حين سَمع النِّداء.

- أنت جيت يا أحمد؟

زَفَر ضيقًا: أيوة يا أمي.

تَحرَّك ظل المصباح على البَلاط تحت السيِّدة التي تَحمله، النَّار أضاءت أطراف شَعرها الأبيض المُتناثر فبدَت شَمسًا تسير ليلًا، دَلفت من الباب بوَجه يُعاني سَكرات النَّوم:

- يَعني من صَباحية ربنا كده ولا حِس ولا خبَر!!

- مَعلش.. النهاردة كان فيه تفتيش عَ المَعامل.

- تفتيش لنُص الليل يا أحمد؟ وببدلة سموكِن!!

خَلَع قميصه بَعدما أخفى صور الفتيات العارية تحت السُّترة.

- تفتيش مِ القَصر.. الأمير إبراهيم حِلمي زارنا النهاردة.. عَاوزاني ألبس إيه؟ وبعدين قابلت صحابي.

- في الأزبكية طبعًا، مَع المشخَّصاتية والصيِّتة والعوالم، وأنا قاعدة هنا أضرب أخماس في أسداس.

- أنا ما روحتش الأزبكية يا أمي.. كنَّا قاعدين على القهوة بنلعب طاولة.

- متاتيا تاني يا أحمد!! القهوة اللي ضيعت أبوك!

- يا أمِّي والقهوة مالها بس؟!

- هو برضه كان يقول لي كده.. والقهوة مالها يا سعدية؟! لغاية ما الصُّحبة الشؤم اتلمّت عليه.. كلهم ربنا كَرمهم وعِليت مَراكبهم وهو راح.. وأنت عاوز تحصَّله عشان تحرق قلبي.

- يا أمي...

قاطعته: محمَّد عبده وعبد الله النديم وسعد زغلول، حَد فيهم افتكر أبوك بعد ما مات؟ حد فيهم قال لي أنتِ منين يا كلبة ولّا سأل عليك حتى؟

- يا أمي!! النديم اتنفى ومات في بلاد بره.. ومحمَّد عبده نفوه بيروت.. وسَعد زغلول...

بعَصَبيَّة قاطعته: هايودِّي نفسه في ستين دَاهية إن شاء الله.

- وما بيقعدش على قهوة مَتاتيا يا أمي... ما بيقعدش عَ القهوة.

قالها واقترب منها مُتأملًا عَينين لائمتين غزتهما الدموع قبل أن يُحيط رأسها بكفَّيه تهدئة ويَلثم مفرق شعرها.

- أنا كويِّس يا أمي ما تخافيش.. الشقاوة خِلصت.. م البيت للمعمل وم المعمل للبيت.. صدقيني.

- والله ما هاستحمل أشوفك تاني في السجن يا أحمد.

ثم ابتعدت فجأة حين لاحظت نثرات دِماء على قَميصه فعَاجلها مُداعبًا:

- مَا تخافيش.. دَه دم.

- دم!!

- أنا شغال في مَعامل مَدرسة الطب يا أمي.. عاوزاني أتعاص إيه.. عِرقسوس؟!

ضحكت وهي تواري دموعها قبل أن تستطرد:

- نفسي أفرح بيك.. أشوف لك عيل قبل ما...

- ربنا يديكي الصحَّة يا أمي.

- اتعشِّيت؟

- اتعشِّيت.. خشِّي نامي بقة.

خرجت تاركة المصباح منيرًا له، زَفَر ارتياحًا ثم التقط من مَكتبته المُزدحمة علبة من الصَّاج اندسَّت بين الكُتب، عَالج قفلها الصَّغير ففتحها ثم وضع يَده في جَيبه ليُخرج زِرًّا، زِرًّا عَليه حَفر بارز لبندقيتين مُتقاطعتين فَوقهما تَاج مَلكي خضَّبته دِماء جافَّة، تأمَّله قَبل أن يَضمَّه إلى سَبعة عشر زرًّا أخرى جَمَعَها على مَر سِنين ثم أشعل سيجارة وجَلس على طَرف فِراشه يَتمعَّن في الصُّورة العَتيقة المُثبتة في باطِن

العلبة، صُورة لرَجل في لَون بَشرته وقَسماته، يَجلس مُبتسمًا واثقًا في بَدلة مُهندمة وبجانبه صَديق على مِنضدة في قَهوة اسمها نُقِش على باب زُجاجي خلفهما؛ «متاتيا»، وتحت الصورة كُتب بخط مَائل جميل:

«عبد الحي كيرة وسَعد زغلول.. يناير ١٨٨١».

وكانت لتلك الصورة قِصَّة.

عَبد الحيِّ كيرة، أب لَم يُقابله أحمد، عَاش طفولته يَستجدي المَعلومات عنه ولم يتعدَّ مَا جمَع القُصاصات، جَمَعها ونقَّحها فَصَنعت صُورة شَبح، شَبح كَان يَعمل ضَابطًا بالمدفعيَّة حين أُلقي القَبض عليه وحُوكم ليُعدم ضِمن عدد محدود جدًّا من العسكريين الذين شاركوا عُرابي في الثورة ضِد الخديوي قبل سبع وثلاثين سنة.. تَرك الأب وراءه صُورة باهتة بزي عَسكري على جِدار، وزوجة اشتعل رأسها شيبًا لَحظة أُعدِم رميًا بالرصاص، وطِفلًا، نَشأ في فقر فرضته ضَربات القَدر، حَياة مطموسة التفاصيل في بيت لا تُذكر فيه سِيرة الأب المُتمرِّد أو الإنجليز حتى لا يتخذهم الابن عَدوًّا وتستعِر فيه رَغبة الانتقام فيسير على دَرب أبيه..

انكفأ أحمد مُنذ وعى على الدراسة، وفي وقت فراغه لم يَترك مَحلًّا في الحيِّ إلا وعَمِل فيه، مُساعِد ترزي، صبي بقال، صبي عَجلاتي، صبي صَانِع طرابيش وحتَّى مساعِدًا لساحِر فرنسي في سيرك عاكف، أتقن على يَديه الفرنسية وبعض ألعاب السحر والتنكر، ثم التحق بمَدرسة الطِّب، أنهى دِراسته فيها فعُيِّن بمَعامل الكيمياء بمرتَّب بالكَاد يكفيه شَظف الحياة، مُوظَّف شَاب ليس له شأن بالسياسة، يَنكبُّ يوميًّا على قوارير مَعمله حتَّى لو خَرجَت المُظاهرات لتُنادي بسُقوط

السُّلطان الـذي قبل العرش في ظِل الاحتلال، بَل ويَملـك صَدَاقة مع أسـاتذة ومديـري مَدرسـة الطب مِن الإنجليـز، فهو ناعم القـول مُتقن للغتهم مَرح ومثقف، ويظنونه متفهِّمًا للفروق الجينية التي تُؤكِّد تفوقهم على أبناء جنسه.

والأهم.. يُجيد إخفاء ماضيه بابتسامة لبقة.

تلك كانت الشخصية الظاهرة، أما في الباطن فكانت جذوة الحَريق مُشـتعلة بين الضلوع، حَريقًا يشـم أحمد دُخانه ولا يرى له لهبًا، صُورة الأب فـي صالة البيت لم تكن الصورة الباهتـة المَائلة المُتهرئ خيطها، كانت ملونة متينة تتكلم معه ليلًا! تُناديه وتُناجيه بنظرات عَين لم تَمُت، تبثه رسالة يجاهد في فك شفرتها، رسالة استغاثة! وحين يَسأل أمَّه عمَّا حدث تُمطر سـعد زغلول ورفاقه بأقذع الشتائم وأشد اللعنات، قبل أن تصمت كبئر نَضبت.

ظـل أحمـد يبحـث عـن الإجابـة سنوات حتى جَاءه الرسـول في المَعمـل يومًا، رَجل ريفي اللكنة يرتدي بَدلـة مُهندمة وقفازًا، بكَلمات مُقتضبة أخبره برَغبة سَعد بَاشـا في مُقابلته، سَعد باشـا زغلول! أذهله الطلب وإن كتمه عن أمه لحَساسـيَّتها تِجاه كل من أحاطوا أباه يَومًا ولم يَموتـوا مَعه، فهُـم الخَونة ولا جِـدال، هُم من باعوا القضيـة وصَافحوا الإنجليـز وعَاشـوا بفضل تضحيـة زوجها، وتَضحيتها، وبالذات سـعد زغلول الـذي صَاهـر السُّلطة وترقـى فـي المناصِب وكان يشغل وقت أرسل في طلب أحمد مَنصب ناظر الحقَّانية.

ذَهَـب أحمـد إليه بَعد تـردد، مُحمَّلًا بفضول يقتلـه وزكَائب تَخوين وعَلامات استفهام لا يَعرف كيف يَطرحها، قَابله في بَيته الكَبير بمنطقة

الإنشاء بالسيدة زينب، بعيون مُقتحمة وشارب منفوش، الثراء كان باديًا على هيئته رغم تواضع نفسه وخشونة مَلامحه الريفية، صافح أحمد بحفاوة ثم سَحبه من يَده إلى غُرفة الطَّعام، أجلسَه على المائدة بجانبه ثم صَرَف الخَدم وأبقى زوجته صَفيَّة هانم، سيِّدة رزينة مُمتلئة القوام مُستديرة الوَجه أنفها طويل حَاد وفي شَعرها خصلة بَيضاء وَهبتها وقار أمومة حُرمت منها، ابتسمت تحيَّة لَه قبل أن يستفسر سَعد عن دراسته وعَمله وحَال أمه الذي أجاب عنه أحمد باقتضاب ثم سأل:

- مُمكن سعادتك تِحكي لِي عَن أبويَا؟

نظر له سعد ثواني ثم تكلَّم: والدتك أكيد حكت لك.

- أمي ما بتتكلمش عن المَاضي.. نِهائي.

وَزَن سَعد الرد قبل أن يَسحب نفسًا ويقُص عليه قِصة.

قصة الأب الذي لا يَعرفه!

- والدك كان أجرأنا الله يرحمه، كان يهاجِم الخديوي بصوت عالي في قهوة مَتاتيا، يزعَّق ويشتِم ولا يهِمه، كان أجرأنا رَغم أنه بكباشي في الجيش وعيون الخديوي في كل مطرح! وقتها كانت كُل حاجة ماشية تمام، الخديوي وافق على مَطالب عُرابي[1] لما وقف ضده في القصر، كان أول خديوي يخاف من المصريين! عُرابي صِيته بقى في السما، وكلنا واقفين حواليه، وفي يوم، حصلت حادثة مَكاري[2] مَالطة اللي اتخانق مع مَصري وقتله في

---

(١) مطالب الجيش: إسقاط الوزارة المستبدّة، تشكيل مجلس نوّاب، زيادة عدد الجيش المصري.

(٢) المكاري: مرافق لحمار النقل.

إسكندرية، قامت هُوجة راح فيها خمسين أفرنجي على مَصري، يُومها أوربا رَوجت إن رعَاياها في خَطر، بَعدها استغل الإنجليز تَرميم حُصون إسكندرية وتحججوا بأن ده تهديد لأسطولهم ووجهوا إنذار.. خبرتنا كانت قليلة في القذارة السياسية!!

قال الجملة الأخيرة بمرارة قبل أن يُردِف:

- بعد أربع وعشرين سَاعة الأسطول ضرب، دكُّوا إسكندرية، الكلام ده كَان يوم ١١ يوليو ١٨٨٢، تاريخ ما يتنسيش.. وقعنا في الفخ والفرق كان كبير، الإنجليز أقوى جِيش في العَالم، ومع ذلك استحمِلنا، شَهر، لكن الخيانات اشتغلت، مِن الخديوي ومن جوَّة الجيش، ومن «دي لِسبس»[1] الفرنساوي اللي أقنع عُرابي إن جيش الإنجليز مُستحيل يدخل من قناة السويس، ودخل الجيش! كنا متخيلين الفرنساويين ممكن يفضلونا عن الإنجليز!! مِش بقول لك خبرتنا كانت قليلة! بَعدها السُّلطان العثماني طلع بَيان بعِصيَان عُرابي واللي مَعَاه! في وسط مُقاومتهم للإنجليز! رجَّالة كتير انسحبوا، ما عَدا أبوك وشوية زُملا فِضلوا مَعاه، في مَعركة التل الكبير اتقبض عليهم، ولمّونا كلنا بعدها، إحنا طلعنا بأحكام سجن لأننا مَدنيين، وعُرابي بَعد ما اتحكم عليه بالإعدام خففوا ونفوه، قرار سياسي عشان يهدوا الجماهير.

- وابويا؟

- أبوك كان حَالم يا أحمد.. والحَالم ما يفهمش يَعني إيه خِيانة.. أعدموه.. كان لازم يكون فيه كَبش فدا.. عَشان الثورة دي ما تتكررش تاني.

---

(١) فرديناند دي لسبس: دبلوماسي فرنسي وصاحب مشروع حفر قناة السويس.

قالها وسَكَت، هَرب إلى النافذة بعينيه مُدركًا أنه للتو انتهى من خِطاب سِياسي طويل علَّ الجُمهور ييأس أو ينام، لكن عينَي أحمد لم ترمشا لحظة.

- ويوم ما مَات؟

ابتلع سَعد ريقه ومَسح فمه بمِنديل المَائدة قبل أن يَرجع لظهر الكُرسي مُتبادلًا النظرات مع زَوجته التي أغمضت عينيها في ألم.

- يوم التنفيذ وقف وسط زمايله رَاجل، رَفَض القُماشة السُّودة على عينيه، ولما عمروا البنادِق فِضل يشتم فيهم لآخر نفس: خونة.. خونة.. لغاية ما... السِّر الإلهي طِلِع.

سَاد الصَّمت إلا من صوت جزَّات أسنان أحمد.. اختلجت عيناه وإن لم تخوناه فاستجمع نفسه.

- ومَعاليك بعد كِده توافق تبقى وزير في حكومة إنجليزي!! نسيت نضالك والناس اللي ماتت؟ نسيت إن الإنجليز أعداء؟

تبادل سَعد زغلول النظرات مع زوجته فقامت مستأذنة قبل أن يستطرد:

- في الوزارة أنا قادر على النفع أكتر من خارجها، أحسن ما نسيب مناصبنا لناس أضعف، أو إنجليز يحطونا تحت رجليهم يا ابني.. هو ده الفرق ما بيني وبين أبوك.. أنا مش حالم.

سَاد الصَّمت لحظات مَسح فيها سَعد فمه وأطراف شاربه بالمنشفة ثم أردف:

- عَشان تفهم تصرُّف حد «البس جزمته» زي ما بيقول الإنجليز، إحنا كنا متوكِّلين على فرنسا تقف جنبنا في مفاوضتنا لخروج الإنجليز من البلد، لكن سنة ١٩٠٤ حَصل بينها وبين إنجلترا الاتفاق الودي، بموجبه فرنسا سكتت عن احتلال إنجلترا لينا، وإنجلترا سكتت عن احتلال فرنسا للمغرب والجزائر، في اليوم ده مصر انقسمت مُعسكرين، مُعسكر صَمم على عدم التعامل مع الإنجليز نهائيًّا، ومُعسكر قرر يدخل جواهم، يكون مُؤثر عشان يوفر فرصة أحسن للتفاوض ولخدمة أهل البلد، فترة كمون، لغاية ما نقوى، وده كان اختياري، ما دامت فرص الحرب مَعدومة.

- ومَعاليك ما افتكرتش تسأل عَن أسرة كيرة؟!

- يا ابني.. أنا قصَّرت في حقك وحق والدتك.

نطقها سَعد بندم فدسَّ أحمد وَجهه في الطبق محاولًا استيعاب النور الذي أضاء ماضي أبيه من بعد عتمة، أكملا طَعَامَهما بشرود قبل أن يقوم سَعد إلى مكتبته ويُخرج منها كرَّاسًا مَسطورًا بأبيات شِعر في حُب الوطن.

- أبوك كان بيحب الشِّعر.. كان متأثّر بالبارودي[1].

ثُم أخرج صُورة مَحشُورة بين الصفَحات لهما معًا في قهوة متاتيا، الصُّورة الملصوقة حاليًا في علبة الأزرار.

- أنا ما عنديش لأبويا غير صورة واحدة على الحيطة!

---

(١) اللواء محمود سامي البارودي: شاعر مصري ورائد مدرسة الإحياء والبعث في الشعر العربي الحديث.

- آسـف يا ابني إني تأخرت في طلبك.. لو احتجت أي حاجة أنا بيتي مفتوح.

انتهت المقابلة، صَاحبه سَعد حتى الباب وتسلَّمه خَادم ليرافقه عَبر الحديقة إلى بَاب الخروج، تمشَّى وَاجمًا قابضًا على كرَّاس أشعار أبيه والصُّورة، مَشى بضع خطوات قبل أن يجذب عينيه طيف في الحديقة، اختلس نظرة فرأى شفافة رقيقة تَرتدي فستانًا أبيض، تقف في أدب أمام صَفيَّة هانم زوجة سَعد باشا، رشيقة القد وَجهها مُشرب بحُمرة، شَعرها أسوَد مُتموِّج يَصِل إلى مُنتصف ظهرها، وشفتاها صَغيرتان مَضمومتان تحت عينين واسعتين التقت به للحظة كانت كافية لحفر بئر عميقة في صَدره قبل أن تختلج عيناها فتُلقيها بَعيدًا عنه.

- دي بنت سَعد باشا؟

سَأل الخادم فحَدجَه بضيق: سَعد باشا ما عندوش ولاد!

رَحـل أحمد، لـم يَرهـا من بَعد ذلك اليوم، استقرت في نفسـه طيفًا بـاردًا كريمًا عكَّره الدُّخان المتصاعِد من صَدره، رائحة شـواء وَطن، بُركان مُتحفز أشعله مشهد مَوت أبيه، وكلمات سَعد، لَم يَدر بنفسـه إلا وهو يَصنع قُنبلة بدائية بمعمل مَدرسـة الطب! استقى وصفتها من كتب الكيمياء وجرَّبها مَع صديق مُتحمِّس في أرض مَهجورة فانفجرت بالخطأ لتُصيبه بشـظية في صدغه وتمزق إبهام صَديقه، ازداد إصراره فَصَنع واحدة أخرى، ونَوى أن تَكون من نَصيب السُّلطان، ألقاها صَديقه مبتـور الإبهام، تحت عَجلات العَربة السُّلطانية لكنها لم تنفجر، سِيق الصَّديـق للسـجن بعدما رآه أحد الشـهود وتم القبض على أحمد كيرة

ضِمـن المُشـتبه فيهم قبل أن يخـرج لعَدم كِفاية الأدلَّـة، ولعَدم اعتراف صَديقه المُخلِص الذي حُكِم عليه بالأشغال الشاقة المؤبدة.

ولوَسَاطة خَفية من سَعد زغلول.

حيـن خـرج أحمد مـن التحقيقات أقسَـم على القرآن أمـام أمه التي ازدادت شيبًا على شيب أن لا يرتكب العَمل الوَطني ثانية فكفاها واحد من آل كيرة يُعدم.. لكن الحنث خُلِق ليُفعل!

ما هي إلا سنوات وعاد الحريق ليستعر في صدر أحمد، لكنه اكتفى تلك المرة بشراء الأسلحة من مُرتزقة الحرب أو سَرقتها لتنفيذ عمليات قتل فردي مَحدودة تترك أثرًا مُرعبًا على قوات الاحتلال، بمُساعدة من بعـض الزملاء المَوثوق فيهم مـن متاتيا.. دَومًا متاتيا! كانت يَومًا مَحطَّة أبيه.. وبَاتت بالنسبة لأحمد...

المُنطلق.

السَّبت ٨ مارس ١٩١٩.. حي الإنشاء.. المُنيرة

لم يكن سَعد مُؤمنًا بمَاكينة الحِلاقة الجَديدة ذات الشَّفرة الصَّغيرة، يُطلِق عليها «مَاكينة الأطفال»، كَان يَحترم الشَّفرة التقليدية التي تجلَّخ بالاحتكاك على القايش الجلدي قَبل أن يُمرِّرها عَلى ذقنه، ذقنه الذي لم يُطِله يومًا، كانت تُعطيه دائمًا مَظهَر المَهموم وتُضيف إليه مِن العُمر سِنين فوق السنين التي تخطَّت اليوم ستِّينًا، صَوت حَش الشُّعيرات كان يبعث راحة غريبة في نفسه، ينظر لنفسه في المرآة فيشعر أنه رَجع شَابًّا في العشرينيات، يتذكَّر وقتها الهَاجِس الغريب الذي كان يُراوده بشأن اسمه، سَعد زغلول، سَعد زغلول! يتردَّد في رأسه هَمسًا فتحاصره فِكرة مُلِحَّة، إن الأسماء بعضها خُلِق ليُطمَس ويغيب في طَي النِّسيان، وبَعضها خُلِق ليُخلَّد ويُذكر، وأخرى خُلِق ليلحقها العَار! وَقْع اسمه وسيرته يَقولان إنه لن يَخرج عن النوعين الأخيرين! فمُنذ فَشلت حَركة عُرابي والهَواجِس تكوي صَدره، لا شيء أسوأ من ثورة مَبتورة، ثور لم تُحسَن ذبحته وسيطيح بكل من أمامه، لا شيء أسوأ من انتفاضة حرِّية تُصبح بداية عبودية لا تنتهي، يَوميًّا تُهاجمه التساؤلات: «ماذا لو لم نثُر وراء عُرابي؟ مَاذا لو سَكتنا مُؤقتًا على التدخل الإنجليزي في البلاد وفَساد الخديوي؟ أما كان أفضل لنا أن يحكمنا رجل رخو فاسد مِن أن نُصبح مُحتلِّين من بلد آخر؟ كنت أظنني يومًا أعرف الإجابة الصحيحة.. لكني لم أعد مُتأكِّدًا!».

مرَّت الأيام تدفِن في طريقها الذكرى الأليمة، مَاحية أسماء رجال ودِماء خلفوها على الأرض وراءهم، تاركة عَار الهزيمة والاحتلال يَسيران بين الناس في الشوارع، هَجَر سَعد قهوة متاتيا الثائرة وانغمس في دِراسة القَانون، ثم عَمل مُحاميًا قَبل أن يتقلَّب في الأوساط العُليا ليتعرَّف بصَفيَّة ابنة رئيس الوزارة الأكثر شُهرة في عهد الاحتلال؛ مُصطفى باشا فهمي! تزوَّجا، وظن يَومها أن حياة جديدة تنتظره، وأن النسيان قد غلَّفه وأخمده، تولَّى بعد ذلك وزارة المعارف ثم الحقانية وانخرط في السياسة، وراج وقتها أن ذلك بفَضل نفوذ حَميه رئيس الوزراء، ولم يكن ذلك بَعيدًا عن الحقيقة بكثير رغم أن سَعدًا دبلوماسِي مُحنَّك وسياسي بالفِطرة! حتَّى أنه فوجئ بنفسه يومًا صَديقًا للمندوب السَّامي البريطاني!

مرَّت السنوات على سعد في إيقاع تقليدي حتَّى لاحَت بَوادر الثَّورة بدَاخله ثانيًا، طنين خافت لم يَعُد يتوقف، بقايا كرامة تتنفَّس، تشقَّقت العلاقة بينه وبين الخديوي لأنه لم يَرضَ بالنفوذ الأجنبي في الوزارة ليخرُج من مَنصبه مَدحورًا بَعد أن كان يستحق رئاسة الوزراء بحُكم أقدميته، وما لبث الخديوي أن نَحاه عن الحَياة العَامة وضَيَّق عليه سُبُل الحياة.

انزوى سَعد في بَيته مُكتئبًا يَتحاشى جَاهدًا الانغراس في رِمال اليَأس المُتراكِمة، حتَّى سَحبته رِجلاه تدريجيًّا إلى «كلوب محمد علي»؛ نادٍ اجتماعي لا يرتاده إلا الأمراء وأصحاب المَقام الرَّفيع، لَعب القمار قَتلًا للوقت فغرق فيه، أدمنه، يَسهر حتَّى مُنتصف الليل مع البرنس فؤاد وبعض الباشوات، يَكسب حِينًا، وأحيانًا تتعدَّى خسارته مائة وعشرين

جنيهًا في الليلة الواحدة! ظل على ذَلك الحال حتى بدأت انتخابات الجَمعية التشريعية، البَديل «الركيك» لمَجلس الشورى المُؤجلة إقامته بأمر الاحتلال، ونَجح سَعد نجاحًا ساحِقًا لمواقفه الحاسِمة وسُمعته النظيفة، ليتولى منصب وكيل الجَمعيّة سَنة ١٩١٣.. هَجَر الحُزن واليأس ومِنضدة القمار، سَعيدًا بالعودة للحياة مُتحمّسًا لإحياء قضية الاستقلال.

لكِن شُعلة الحَرب العُظمى ما لبثت أن اضطرمت بعد شهور قليلة!

توقفت البلاد عن التنفس وعَطَّل الإنجليز عَمل الجمعية التشريعية وأعلنوا الحِماية على مِصر والأحكام العرفية!

رَجع سَعد إلى بَيته مَغمومًا، يقضي وقته نَهارًا في مُطالعة الجَرائد مَبتورة الأخبار، وفي ليله يَنجذب كالمَسحُور عائدًا لمائدة القمار، حتى كانت ليلة خَسِر فيها ثلاثمائة جُنيه فقام مُغاضبًا نَفسه حَانقًا على حاله، تَمشَّى حتَّى بَيته يَضرب بعَصاه الأرض، تراوده فِكرة الهِجرة مِن مِصر، ليجِد زوجته صَفيَّة مُستيقظة في انتظاره، رَدَّت سَلامه ببرود لم يَعهَده ثم سَألته: «**أي طَريق تسوق نفسك؟ لقد نفد صبري وتراكمت عليّ الآلام، كفى أنني وحيدة بلا ولد، بلا سَنَد، وأين أنت؟ تضيع مني في سبيل عادة نهِمة ذميمة!! لقد كُنت مُؤمنة بِك يَومًا، لن أتحمَّل أن أراك حقيرًا في نظري**».

وامتثل سَعد لرجاء زوجته بعد أن بات ليلته ينظر لصورته في مرآة الغرفة مُحاولًا مَنع نَفسه من الانتحار.

بَعد أيام قليلة لاحَت بَوادر انتهاء الحَرب، انتعش أمَل الاستقلال في نفس سَعد ثانية، وبمَا أنه كان وكيل الجمعية التشريعية فقد بدأ في

مُخاطبة الجَانب البريطاني، طلب حُضور مؤتمر صُلح ما بعد الحرب في باريس، مُؤتمر «ڤرساي» لتقسيم التركَات الاستعمارية بين الدول الكبرى، ذَهب سَعد بصحبة رفيقيه «علي شَعراوي» و«عبد العَزيز فهمي» في وَفد لمُلاقاة المَندوب السَّامي البريطاني، يَومها كادت صَفيَّة تموت قلقًا، فالاعتقال عند الإنجليز رُوتين يَومي، ظلَّت في الحَديقة قلقة تنتظره حتَّى عاد فحَكى.

قابلهم الإنجليزي ببرود ثم صرَّح لَهُم أن مِصر لا تستطيع أن تسير وَحدها بدون راع صَالح يقودها ويَحمِيها! فرد سعد: «**وماذا ينقصنا ليكون لنا الاستقلال كباقي الأمم المُستقلة؟** فأجابه الرجل بأن «**المصريون ليس لهم رأي عَام بَعيد النَّظر، وغير مؤهلين لحُكم أنفسهم، ثم إنكم كنتم عبيدًا للأتراك! أفتكونون أحط لو أصبَحتم عَبيدًا لإنجلترا؟!**»، فرد علي شعراوي: «**إننا نريد أن نكون أصدقاء للإنجليز صَداقة الحُر للحُر، لا العَبد للحُر**».. وكان رد الإنجليزي: «**ومَن أنتم لتتحدَّثوا باسم الأمة؟**». وانتهت المقابلة!

في اليوم التالي قرر «الوفد» جَمع التوكيلات من الشَّعب لتُصبح لَهُم الشرعية «رسميًّا» في مُخاطبة الإنجليز في شَأن الاستقلال...

هنا جَرَح سَعد ذقنه، شقَّت الشفرة جلده فسَالت نُقطة دَم على رقبته قبل أن تنزلِق إلى جِدار الحوض، وَضَع قُطنة مَغمورة بالكُحول على الجرح ثم هذب أطراف شَاربه الأبيض بمقص صَغير قبل أن يُرطِّب وجهه بالكولونيا ويُسرِّح شَعره، خَرج بَعدها إلى غرفته والتقط من الدولاب بَدلة داكنة، ارتداها فوق قميص أبيض وصديري ثم نفض

طَربوشـه القَانـي من غبار بَسـيط عَلق بـه ووضَعه على رأسـه مائلًا إلى الـوراء قليلًا كما تميـل اللبدة الفلاحي ثم جلس على المَكتب العَريض المُواجه للشـبَّاك، يتابع عقرب سَـاعَته ويسـمع صوت تكتكاته تتضخم حتـى باتت كدقَّـات طبول الحـرب، دَقَّات غطت على صـوت الضجَّة في الخارج فاليوم كان يَوم التنظيف، الخَدَم يشـمرون سَواعدهم قَالبين أثاث البَيت رَأسًـا على عَقب، يلوحون بالمكانس في الأسـقُف مُزيلين خيـوط العنكبوت مـن الأركان، يريقون المَاء والصَّابون على السَّـلالم الرُّخامية بسَـخاء، ويلمِّعون أخشـاب الباركيه، أما السـجَّاد فتم تَنفيضه قُـرب الإسـطبل، بَعيدًا عَـن الحَديقـة الوارفة التي جلسـت فيها سَـيِّدة الدَّار على مِنضدة صغيرة وفي يَدها كُوب شَـاي بارد نَسـيت أن تَشربه، مَهمومة مَقبوضة النَّفس شَـاردة في حَركـة الخَدم الرَّتيبة تتأمَّلهم بعَينين امتلأتا قلقًا، أطلقت زَفرة حَارة لمَّا تطلَّعت لجَنبات بَيتها الكَبير، مَلأت عينيها مِن أركانه كأنَّها تراه لأوّل مرة، تتذكر يوم انتقالها إليه حين انتهى سعد من بنائه وتزويده بالأثاث من فرنسا وفيينا وألمانيا، بَيت يَليق بابنة بَاشـا ورئيس الوزراء، كانت تشعر بالبهجة لا بالتشاؤم التي تحسه الآن «لَن أعيش للأبد ابنة البَاشـا وزوجة الوزير المَرموق، لن أظل سـيِّدة المُجتمع والحفـلات المَحبوبـة وصَاحبة البيت الكبير، سـيَحدث شـيء مُثير، مُزلزل، بسـبب نشـاط سـعد الذي بات حديث البلاد، سـيصبح مَحبوبًـا يَصِل لمرتبة الأنبيـاء، أو أخرق مَجذوبًا لن يأتي للبلاد ولبيتـه إلا بالدمار، كَمَا فَعل عُرابي من قبله! يُواجه جيش إنجليز مُنتصِرًا، الرصاصة فيه.. لا ثمن لها».

أفاقـت صَفيَّـة من خواطِرهـا حين التقطـت أذناها جَلبـة العربة عِند مَدخل البَيت، لَحظات ولاحَت نَازلي في فُسـتان يتهادى تَحت رُكبتيها

فـي خِفة، رشـيقة كغـزال، عَقصت شَـعرها ضَفيرة سَـميكة تَدلَّت على كتفهـا قُـرب وجه تلـوح فيه الرَّوافد الفرنسـية مـن أمها؛ صَديقـة صَفيَّة العزيـزة التـي ماتـت مُنذ سـنوات بمَرض عضـال بَعد أن أوصَـت إليها برعَاية صَغيرتها.

اعتنت صَفيَّة بنازلي، حِرمانها من الإنجاب جَعل مِنها ابنة حقيقية لها ولزوجها سَـعد، تُناديهم بأبي وأمي، ولا يَـكاد يَمُر يَوم إلا وتَأتي لزيارة بيتهمـا، تفطـر مَعهما أو تلحق بهما وقت شَـاي العَصر قبـل أن تُجالس صَفيَّة في الحديقة للعب الكوتشينة، لعبتهما المفضلة، تَحكي أسرارها وأحلامها وتأخُذ برأيها في شـأن الخَاطبيـن، طَالبي الود والوصَال التي تنبذهـم لعَـدم توافقهم مَع مِزاجهـا الخَاص، فهِي فَتـاة جميلة مرغوبة، سَـليلة عائلة قوية خليط من اليونانيين والمصريين والفرنسـيين، مُدربة علـى الإتيكيـت ولا يأتيهـا راغـب إلا مـن أبنـاء الأمـراء والباشـوات، طالبـي الراحـة بلا تعب مُبـرَّر، أمَّا هـي فجوزائية مُتقلِّبة المِزاج تعشـق كَسـر القواعِـد كالبَحـر الهَائِج، تُزعجهـا التقاليد الاجتماعيـة المُتكلفة والحَفـلات الصَّاخبـة التـي تَحضرها علـى مَضَض مع والدهـا مُحافظ القاهرة، تَشـتكي دَومًـا من وَضع الإنجليز في البِـلاد، وأذناها لا تتَّزِنان إلا بآراء أبيها سَعد في السياسة.

أقبلت نازلي وابتسامة مُشرقة تعتلي وجهها:

- بونسوار مَامَا.

- بونسوار يا حبيبتي، تعالي في الضِل.

جَلَست نَازلي فأشَارت صَفيَّة لخادم اقترب:

- حَضَّر الغدا ونبِّه الباشا.

هزَّ الخادم رأسه وابتعد حين لَمَحت نازلي الشُّرود في مَلامِح صَفيَّة:

- مَالك يا ماما؟

تظاهرت صَفيَّة بابتسامة: سَلامتك يا حَبيبتي.. ماليش.

- فيه حاجة؟ بابا بخير؟

أطرقت برأسـها إلى السماء قبل أن تزفر: بخير.. كل يُوم يبعتوا اللي يحذر واللي يتوعِّد.. حتّى أقرب الناس بِعدوا.

- جبانات.

- معذورين.. اللي شافوه مش قليل.. ومين يقف قدَّام سلطان وإنجليز؟!

- أنا خايفة على بابا سعد.

- هيه.. تَعالي نتكلِّم في حاجة تانية.. احكي لي.. عملتي إيه مع العريس؟

- لو كنتِ موجودة ما كنتيش هاتصدَّقي، اسمه شوكت، ابن عبد الحليم باشا زُهدي بتاع الغربيَّة، بيشتغل مِعماري.

- تمام.

- وطوله قد كِده...

وأشارت بيدها لارتفاع مِتر ونصف فوق الأرض قبل أن تُردف: مِش مُشكِلة، أبطَّل ألبس كعب، تخين، مش مشكلة، يخِس، لكن

تخيَّلي يطلب إيه؟ عاوزني أعيش مَعاه في الهِند!! باباه بيفتح له شِركة هِناك.. مَعتوه!!

لم تكد صَفيَّة تبتسم مِن سُخرية نازلي اللاذِعة حين مَرق من باب الحَديقة صبي بدين، رَكَض بسُرعة حتى المِنضَدة التي تجلسان عليها قبل أن يَقِف لاهثًا مُحاولًا التقاط أنفاسه ليتكلم:

- فيه إيه يا حسن؟ سألته صَفيَّة بتوتر.

- الإنجليز قبضوا على محمَّد بَاشا مَحمود.. وعَربياتهم جايَّة على هنا.

- سَعد!

قامت منتفضة حين التقطت أذناها صَوت سَيارات الجيب، هَرعت مَادَّة خُطواتها لمَدخل السَّلاملِك حين اخترقت أوَّل سيارة باب المنزل، فَرملت فأثارت الأتربة ونَزل مِنها الجنود في سُرعة شاهرين بنادقهم في وَجه البَواب والجَنائني اللذَين رَفعا ذراعيهما هلعًا، التفتت صَفيَّة خلفها فتيبست رُعبًا، لَحظات وظَهرت سَيارتان إضافيتان، واحدة منهما كانت تقِل محمَّد محمود باشا، زميل سَعد ورفيقه في حَركة الوفد، تلاقت عيناهما عبر زجاج السيارة فهز الرجل رأسه مؤكدًا لها صدمتها «نَعم يا عزيزتي، سيعتقلون زوجك!».

هرعت إلى البَاب فأوقفها صَاغ إنجليزي:

- سيدتي.. لا داعي للجلبة.. أين سَعد باشا؟

- ماذا تريدون منه؟

قبل أن يُجيبها تسلل الصبي من باب السلاملك وقفز الدرج المفضي إلى غُرفة المَكتب حيث يَجلس سَعد، بدون أن يَطرق الباب فتحه وكان ذلك أمرًا جللًا، سَعد كان لا يزال جالسًا على مكتبه، التفت للفتى الذي قاوم انفعاله ولهاثه ليتحدث:

- الإنجليز هِنا.. جايين يقبضوا على معاليك.

أجابه سعد بهدوء: طيب يا حسن.. رُوح أنت إلعب.

لم يَكد يُكمِل جُملته حين ظَهر الصَّاغ الإنجليزي من خلف الصبي، أمسك رأسه الصغير وأزاحه برفق قبل أن يتقدم وهو يتفقد الغرفة بعينيه، لم يَقُم سَعد من مَكانه، تأمَّل الصَّاغ الذي وقف أمام المكتب وأدى التحية العسكرية بكسل ثم تكلَّم:

- لديَّ أمر من القائد العام بالقبض عليك وتفتيش منزلك.

أجابه سَعد بإنجليزية سليمة: لقد جِئت متأخِّرًا.. لقد انتظرتك منذ وقت طويل.

بدا على الصَّاغ عدم الفهم.

- لكن الأوامر التي عندي أن أقبض علي مَعاليك الآن.. في الخامسة مساءً.. والآن هي الخامسة!!

وقف سعد ووزن طربوشه: إذن هيَّا بِنا.

خرج من الباب هادئًا، بل وبَدا راضيًا في أعيُن مُعاونيه المُشاركين في حَملة الاستقلال والخَدم الذين تأمَّلوا سيِّدهم بجزع وهو ينزل

درجـات السـلم متـوكِّئًا على عَصـاه، ناظرًا فـي أعينهم يبـث الثقة فيهم ويَنطق بكلمة واحدة كلما مر بأحدهم: تشجعوا.

فـي البهو كانت صَفيَّة واقفة تجز أسـنانها قلقًـا، تتأمل الجنود الذين يفتشون البيت بَحثًا عن كل ورقة أو كتاب يُصادرونه، تَحُث خَادمًا على الإسـرَاع فـي غَلق حَقيبة متوسـطة فيهـا مَلابس وأدوات مَعِيشـة تكفي زوجها أيامًا، اقترب مِنها سـعد ونَظر في عينيها اللتين لمعتا بالدمع قبل أن يَضغـط على أصابعها في كفِّه مثبتًـا فؤادها: «مَا تخافيش».. ثم التفت إلـى نازلي التي أعمتهـا المُفاجأة وابتسـم في حنان ملطِّفًـا ورَبت على ذقنها، ثم هَمَس في أذن سِـكرتيره الخاص عبد الرحمن فَهمي بكَلمات مُقتضبـة قبـل أن يَخرج إلى السـيَّارة التـي ابتعدت به مُبعثـرة الانقباض فـي النفوس، تَابعه أهل البَيت حتّـى اختفى، ظلَّت صَفيَّة وَاقفة تنظر في الفـراغ حتَّـى خانتهـا قدماها فانهارت علـى مَدخل السـلاملك بجانب نازلي التي احتوتها في حُضنها.

قبل فَجر اليوم التالي.. ٩ مارس ١٩١٩

دَخَلَ مُوسَى وَهَارُونُ إِلَى فِرْعَوْنَ وفَعَلا هكَذَا كَمَا أَمَرَ الرَّبُّ، طَرَحَ هَارُونُ عَصَاهُ أَمَامَ فِرْعَوْنَ وَأَمَامَ عَبِيدِهِ فَصَارَتْ ثُعْبَانًا، فَدَعَا فِرْعَوْنُ أَيْضًا الْحُكَمَاءَ وَالسَّحَرَةَ، فَفَعَلَ عَرَّافُو مِصْرَ أَيْضًا بِسِحْرِهِمْ كَذلِكَ، طَرَحُوا كُلُّ وَاحِدٍ عَصَاهُ فَصَارَتِ الْعِصِيُّ ثَعَابِينَ، وَلكِنْ عَصَا هَارُونَ ابْتَلَعَتْ عِصِيَّهُمْ، فَاشْتَدَّ قَلْبُ فِرْعَوْنَ فَلَمْ يَسْمَعْ لَهُمَا...

اعتادت يَوميًّا أن تُردد تِلك الآية مِن سِفر «الخُروج» حين يَبدأ سَقف الغُرفة في الحركة، يشْخَص بَصرها فتُحرِّك شَفتيها هَمسًا وهِي تُراقب الثعبان الأسود الكَبير يتلوى مُتمرِّغًا في بَحر من الحَيَّات الصَّغيرة، فَارجًا فمًا عِملاقًا يَخرج مِنه لِسَان مَشقُوق يَلتقم به مَا طَال مِنها، ثم يَهرس جَسده اللَّزج اللامِع مَا لم يطُلْه!

الوَزن كان فوق الاحتمال تلك الليلة، بصُعوبة وبين لَحظات الصُّعود والهبوط فوقها كَانت تَسحب لرئتيها نفسًا يُبقيها في منطقة الوَعي، يَخور في وَجهها كالثور نافثًا بُخارًا عَطِنًا اختلط فيه الأفيون بالكُحول مع عَبق طبقات جِير في أسنان لم تَعرف الجَلي، يَلعق رقبتها ويُمَصْمِص أذنيها وينِز عَرقًا سَاخِنًا يَجري على جِلدها سَيلًا يَحرِق في طَريقه كُل ما يُقابله، قَبل أن يَحكَّها بصُوف صَدره المُتشابك فيترك خربشة حَمراء وعَلامَات! بِذرة الأفيون التي دَفنها تَحت لِسانه وسَقاها بالشَّاي كان

لها مَفعول السِّحر في تأخير ذُروته وتَمديد عَذابها تحته، ثُلث سَاعة مِن البَعثرة والعَصرِ والتَنقيب، دمَّر خلالها الحَرث والنَّسل قبل أن يَفيض نَهره وتخور أعصابه، ارتمى عَليها كالقتيل فانغرز الصَّليب الخَشبي في منابت صَدرها بألم، ثم شَخرَ! غَطَّ فوق الثدي النَّاهِد ولَم تَملك إلا أن تُغمِض عينيها وتنتظِر، دقيقتان بَدتا عَامين كَادَ قلبها فيهما أن يتوقَّف قبل أن يَقوم من فوقها، شَهِقت جُوعًا للهواء فنظر إليها كأنه يَراها لأوَّل مَرَّة، تَدارك نفسه فمَسَح خطيئته في المَلاءة ثم دَسَّ قميصه في البنطلون وتمم على المحفظة في جيبه ثم التفت إليها:

– عَسَل.

نظرت إليه ولم تُعقِّب، ضَمَّت رُكبتيها إلى صَدرها ثم استلقت كالجنيـن فانسـحب من الغرفة، أغمَضَت عَينيها مُقاوِمة التقيؤ من بقايا رائحته فيها وداهمتها أعراض الانسـحاب، بُـرودة تنتشِـر ونبضات قلـب عَنيفة مُتباعدة تهز جَسدها، مَرَّت دقائق قبل أن يَنفَتِح البَاب عن سَلامة النجس، يَرتدي سُترة بنية فوق جلباب سَمني وبُلْغة في قدميه، فَتَح الشباك تغييرًا للهواء وهو يردد أغنية خافتة، ثُم أخرَج علبة ثقاب من جَيب السيَّالة وأشعل فتيلة القنديل المُنطفِئ واقترب مِن السَّرير، تَمشى بعَينيه على الجَسد البض المَسجى بضَعف فجَرى رِيقه، انقضت لَحَظات قَبل أن يزدرد لُعابه ويَتَمالك نَفسه ويُناديها:

– ورد.. ورد.. قومي يا بِت.

تمتمت بكلمات لا معنى لها فألقى نظرة على البَاب مُطمئنًّا لعَدم وجـود أحـد قبـل أن يَمـد يَـده ويُلامس صَـدرًا عَاجيًّا متـورِّدًا نائمًا فوق

أخيه، لَم يَند عَنها ما يُشير أنها شَعَرت بلمساته، كانت غائبة فتَمادى بشبق حتَّى ارتعش، لم تكن مرَّته الأولى في تحصيل ضرائبه الخاصة من عاهراته، تشعر به وَرد أحيانًا ولا تجسر على الشكوى، وأحيانًا لا تُدرِك إلا أثره المُتبقي.

التقطت أذنا سلامة وقع قبقاب خشبي فنَفَض يَده عن الَّلحم الطَّري وسوَّى جلبابه حين لاحَ ظِل عَظيم عِند البَاب تبعته بَنبة، بَدَت للتو مُستيقظة تجُر شَحمَها في ثَوب انحَسَر عن فخذين من الضَأن، رَمَقت سَلامة بريبة فتوقفت:

- بتعمِل إيه عَندك؟

- هاكون بعمل إيه يعني! بنضَّف الأوضة.. البِت نايمة مِش عَاوزة تقوم.

اقتربت بنبة من السرير وألقت نظرة على جَسَد ورد والعَلامات الحَمراء على جِلدها.

- البت دي مين اللي كان معاها؟

أجابها بتردد: سَعيد بتاع كُوبانية الميَّة.

- يا ابن القارحة!! أنا مش قُلت مِيت مرَّة الشَّحط ده ما يخشش عندي غير على بَهيَّة القعر.. ده بيبلبع ودي طرية ما تستحملوش.

- مِش عاوز هو بَهيَّة القعر.. زِهق.. أعمل إيه؟ شَافها شِبط.. ودَفَع.. نقول لأ في الأيام المأندِلة اللي إحنا فيها دي؟ أنتِ مش شايفة البلد عاملة إزَّاي؟!

جزَّت على أسنانها ورمقته باشمئزاز: دَفع كَام؟

- ريالين.. وطفح بيرة بتلاتين فَضَّة.

- ماشي.

قالتها ثم وضعت يَدها على جَبهة ورد البَاردة:

- البت دي بلبعت آخر مرَّة إمتى؟

- إمبارح.. مخستكة.. هاتموت.

- ما تفوِّلش إلهي تتسخِط.. اظبطها بعد ما أحميها عَشان تفوق.. لسَّه الليل طويل وعندي اتنين عطلانين.

دَس سَلامة ذراعه خَلف ظهر وَرد وأجلسها مُترنِّحة قبل أن ينحَني ويَحملها، خَرج بِها إلى الطُّرقة تتبعهما بنبة حتى دَخلوا الحَمَّام، أجلسا ورد فوق كُرسي خَشبي صَغير وأسندا رأسَها على الحَائِط فحَدجته بوَهن بين غيبتها ويقظتها.. تمتمت: وبَا يِقشَّك.

ابتسم لها بأسنانه الذهبية ثم قال لبنبة:

- هاجيب لَها حَاجة حَادقة عشان تفوق.

تركهما سَلامة فالتقطت بنبة كوزًا مَلأته من بستلَّة فوق بابور جاز مُشتعل ثم صبَّت على رأس ورد الماء الدافئ فشهقت.

- اسم الله.. اسم الله.. فوقي يا ورد؟

- بدِّي أروح...

بالكاد خَرَجَت الحروف من بين شفتيها فعاجلتها بنبة:

- فورِّيرة سَلامَة هَايعشيكي وينعنشك.. إحنا عندنا كام ورد.

التقطت أذناها اسم سَلامة فاقشعر جِلدها، قاومت زيغ عينيها بصُعوبة فأكملت بنبة غَسلها وإزالة ما عَلق بها من الثور الهائِج الذي هَتَك وجَرى، انتهت فألبستها قَميصًا من السَّاتان فتحة صَدره لم تخفِ ثَدييها، خَضَّبت الشفتين ثم مشَّطت شَعرها بعِناية وعطَّرتها قبل أن تسندها إلى غُرفة المَعيشة.

كَنبتان إسطنبوليَّتان رَقدت عليهما عَاهِرتان مُحترفتان أتخمت وجهيهما الأصباغ، وفي المُنتصف مِنضدة عليها زُجاجات نَبيذ وبيرة وكونياك بجَانب طبقَي تِرمس وجِبنة قديمة وثلاث شيشات مَحشوَّة بالمَعسِّل.. قُرب البَاب المَفتوح ارتمت بنبة على كرسيها الأثير، فارجة سَاقيها كبوابتين عظيمتين لمدينة بائِدة، وفوق رأسها يَافطة صغيرة كُتِب فيها بخط ديواني «تنازلت عن كِبريائي إرضاءً للطلبة».. على الكَنبة رقدت ورد في إعياء، اقترب منها سَلامة وبَسط يَده بقطعة أفيون صغيرة، بِلا مُقاومة التقطتها ورد ووضَعتها تحت لسانها، رمقتها صاحبتاها بحِقد حتى ألقت برأسها إلى الوراء تنتظر المفعول أن يسري في عروقها، فأطرقت بَعينيها إلى السَّقف في استرخاء، دَسَّ سلامة في يدها نِصف رَغيف فيه جبن ومخلل ثم نزل إلى الشارع يَرمي شباكه عَلى المَارة يبتغي رِزقًا.. قَضمت ورد قضمة جَاهدت لتبتلعها حين تنهَّدت سَنيَّة؛ سَمراء واسِعة العينين عَظيمة العَجيزة، مسحت بشرة ورد العَاجيَّة:

- هو كِده ياختي.. أوِّله دلع وآخره وَجَع.

ألقت كَلمتها كحجَرَي النَّرد وانتظرت الرَّد فالتفتت إليها بنبة: اتلمِّي يا سَنية.

- يُوه يا أبلة! وأنا قلت حَاجة؟ البِت صَعبانة عَليَّا.. مَا تستحملش العَجين اللي بنعجِنه ده.

- مـا كنتـي زيها يـا روح أمِّك يوم مـا جيتي.. وكنتـي بتأوَّئي لي كل يوم.. إيه؟ غَيرانة؟

- أغير من إيه إن شاء الله؟! رُفعي رُفع البوصة ولّا بيضة زي اللفت اللي يشوفها يقول قِرفت؟!

ثم خَبطت بكفِّها مُؤخرتها الهَائِلة فصَنعت مَوجة.. أردفت: الأبريق المليان ما يقَّلقلش يا أبلة.

حَدجتها بنبة بحدة قبل أن تَشحذ لِسانها:

- قال بعد سنة وسِت أُشهر جَت المِعدة تشخُر.. أنتِ نسيتي نفسك يا بِت؟ أنت لُولا الظُّروف كان زَمانك عبدة عَندها.

أخرسـتها سِـيرة العبودية فزمَّت شـفتيها وبَرطمت بالسّـباب هَمسًا وهـي تميز غيظًـا، لَـم تكُـن تَجرؤ على خَـوض مَعركة مَع بَنبـة وديونها ثقيلة لا يَكاد دَخلها الشَّـهري يَكفي سَـدادها، علاوة على أنها سَـلَّمت شَـهادة العِتـق لبنبـة يـوم عمِلت عِندهـا، ضَمانة لسَـداد حـق المَلابس والذهَب ومَصَاريف رُخصَة مُمارسـة العمل، بدون تلك الورقة ستعود كما جَاءت.. مَملوكة لا سِعر لها.

سـكتت سـنيَّة فعقَّبت بَهيَّة القَعر؛ سَمَّاها زبائنها بذلك الاسم لشهرة نِصفها السُّفلي الذي يُشبه ثمرة كُمِّثرى متطرِّفة الأبعاد:

- الرجَّالة زي الجزارين يا أبلة، ما يحبوش إلا السِّمينة، ودِي هفتانة هاتسـورق وهتجيب لنا نِصيبة هِنا، والصراحة مِن سَـاعة ما عتِّبت السنيورة الأفيون والزباين اتقسِّموا علينا، خَدِت نَصيبنا.

- اللـي مِـش عاجِبهـا تسـدِّد اللـي عليهـا وتشـتري بفلوسـها مـن الأجزخانة[1] يا إمَّا تتكل، الباب يفوِّت مِيت جَمل.

عم السُّكوت بعدما نزلت كلمات العدل، كُل وَاحِـدة مِنهنَّ غَابت في مَلكوتها قَبل أن يَتراءى لسَمع بنبة وَقع أقدام وصَوت سَلامة يُرحِّب بزبـون، عَدَلـت من جلسـتها وحدجـت الفتيـات بغَضـب فاضطجعن بميوعة كشـفت عـن بضاعتهن، عَدا ورد، لم تنزل رأسـها من السـماء، لَحظات ودخل سَلامة ومن وَرائه شَاب خَمري قَوي البنية:

- اتفضَّل يا عبد القادر أفندي.. البيت نوَّر.

قَامـت بنبة حيـن رأته واقتربت بغنج أثار في نَفسـه الاشـمئزاز لكنَّه ابتسم، ينظر إليها ولا يَكاد يُصدِّق أنّه وَطأ هذا الجسد يَومًا قبل أن تعتزِل.

- قال بَعد نومك مع الجِديان بقى لك مَطل عَ الجِيران! فينك يا سِي عبد القادر؟ شهر لا حِس ولا خبر!!

- مَشاغِل يا بنبة.. مَشاغِل.

قالها ودَار بعَينيه في الجالسـات، غَمز بعَينه بَهيَّة وحيًّا سنية بابتسامة قبل أن تمُر عَيناه بوَرد التي نظرت له نظرة خَالية من المَعاني.

- مَال سُوقك شاحِح النهاردة؟! سأل بنبة.

- عندي اتنين عليهم الحُرمانية.. بيرة؟

- لا.. هَاتي لي إزازة كونياك وكوبَّاية نضيفة.

---

(١) كان الأفيون يباع في الصيدليات حتى سنة ١٩٢٢.

فـي الغُرفة الرطبـة التـي يُفضِّلها اسـترخى عبد القادر على السَّـرير بَعدما خَلع قَميصه والحِذاء، لـم يكن ذلك المكان بيت فاحشـة بالنسـبة لـه، كان بيتـه الثاني، فبنبـة تولَّته مُنذ كان طالبًا في المدرسـة، تَعلم على يَديها وفخذيها مَسـالك التعامل مع جَسد الأنثى، وفقد في نفس الوقت احترامـه، وها هـي الآن تنظر إليه كمُعلِّمة فَخورة بطالب رَبَّته حتى صَار له شأن، صبَّت كأسه وتأملت وجهه المَهموم.

- مَالك مَرخِي كِده؟

- ماليش.. قرفان.

- أبوك؟

زفر بضيق: افتكري حاجة عِدلة!!

- إيه اللي حصل له الراجِل! دَه كَان صَاحِب مَزاج ونسوان الأزبكيَّة يشهدوا.. اتطس باين له عين ولَّا اتسحر له عمل.

- اتطس بقة ماطَّسش!! هو حُر.. أنا هابيِّت عندِك النهاردة.

- يَا خَراشي.. بيتك ومَطرحك يا عبد القادر.. أجيب لك مين؟

- بهيَّة.

ثم استدركها قبل أن تصِل الباب.

- ولَّا أقولك.. هَاتي لي البت الجديدة.. السفيِّفة الشقرا دي.

- مِش عوايدك الرفنتعين!

- تغيير.

اختفت بنبة فأخرج عبد القادر من جيبه قنينة في حَجم إبهام، مَكتوبًا عليهـا كَلمة «نفروطون» المدهـش، فَتحها وتَجرّع مِنها جرعتين قبل أن يُعيدها لجَيبه حين دخلت بَنبة ومعها وَرد تسير بين يَديها مسلوبة الإرادة، أجلستها على السَّرير وابتسمت لعبد القادر قبل أن تُغلِق عليهما الباب، اعتـدل عبد القـادر فتأمل جَسـدها الشَّـمْعي وعَينيها الذاهلتيـن قبل أن يلحظ الصَّليب الخشبي المُتدلي على صَدرها وثلاث حَسَنات استوين على خَط واحد في رقبتها، مَد راحته ولامسهن.

- أنـتِ لو دافعة فلوس عشـان تترسـم لـك الحسـنات بالمنظر ده؛ ما كانوش هايبقوا كده!!

قاومت زَيغ عَينيها ولم تعقِّب فأردف: اسمك إيه؟

أجَابته بوهن: ورد.

- اسم الصليب حارس صاحبته وصاينها.. اقلعي يا ورد.

بعد ساعات

٦:١٥ صَباحًا

بَدَت مَنطقة الإنشاء خَالية مَهجورة، كأن لَم تُغن بالأمس، أشجارها أشباح ومَبانيها أطلال وبَلاط أرضها المُحدَّب كَساه النَّدى فعَكس مَا تبقَّى من شُعلات غَاز الاستصباح الواهِنة في الأعمِدة.. بيت سعد زغلول للقَادم مِن ميدان السيِّدة زينب كَان يَقع على اليَسار، يُشبه مَخلوقًا ضَخمًا شَاخ فَجأة فمَات مَكانه، أظلم السلاملِك وغُلِّقت البوابات وعَمَّ السُّكون الحَديقة والأسوَار، قَبع الخَدم في الطرقات والمَطبخ أَرِقين على مُستقبل سيدهم، يَخدمُون زَوجات المُعتقلين والصَّديقات المُتعاطِفات اللائي افترشن الغُرفات متَّشِحات بالسَّواد في مَأتم بدون ميِّت، أما بَقايا أعضاء الوفد فناموا فوق كَنبات الصالون والأرض بعد أن أنهكتهُم مُناقشات رُدود الأفعال المُقترحة وصِياغة خطابات الاستهجان والشجب ضِد الاعتقال، أما صَفيَّة، فجَلَست قُرب نَافذة تطل على آخِر مَوضِع شوهِد فيه سَعد، كَان يَرمقها من وراء زُجاج سَيارة الجيش وعلى وَجهه ابتسامة غريبة أصابتها بالحيرة، لِم ابتسم؟ سَألت نفسها: هل فقد عَقله؟ هل سَأراه ثانية أم أن مَصير عُرابي يَنتظره نفيًا وتَشريدًا؟ تَعرف أن الجَرائد لَن تتناول خَبر الاعتقال، وتَعرف

أنها إن استغاثت فَلا مُجيب، فغَضبَة السلطان والإنجليز لا راد لها، مَع كُل ثانية يتحرك فيها بندول الساعة الكبيرة تتأكد صَفيَّة أنَّ مَا ظنته يومًا هَواجِس حَول مَصيرها.. صَار وَاقعًا.

لم يقطع أفكارها سوى الدُّوكار الذي توقَّف أمام الباب، نزل منه عَبد الرَّحمن فَهمي سِكرتير الوفد فقَامت وتَمَّمت بعَجَل عَلى الحجاب ثُم غَطَّت نازلي النَّائمة على مقعد حِين أتى خَادم وأخبَرها برغبة الرَّجل في مُقابلتها، لَحظات والتقطت صَوت خُطواته على السلَّم وسعلة تنبيه مُفتعلة قبل أن يدلف إلى الغُرفة، كَان مُمتلئ الوَجه شَركسي المَلامِح يَعلو شَفتيه شَارب مُهذَّب كبير، خَلع طَربوشه تحية للسيدة قبل أن يَجلسا.. من التوتر لم تسأله فعاجلها:

- سعد باشا والمُرافقين باتوا في ثكنات قَصر النِّيل.. هايركبوا قَطر الساعة حداشر لبورسعيد.. فيه بَاخرة بتتحَضَّر.. عَندي معلومة إنها رايحة مَالطا.

تملَّكها دوار فتهدَّج نفسها ورَجَعَت بظَهرها إلى الكُرسي قَبل أن تُردف:

- فيه أي تصريح من المَندوب؟

- المندوب السَّامي كان عَامل حَفلة في قَصر الدُّوبارة.. بيحتفل بالاعتقال!

- الكلاب!!! هايعملوا فيه زي ما عَملوا مع عُرابي.

- مش هايقدروا.. الناس مش هاتسكت.

قالها بثقة فأزاحت ستائر النافذة وأشارت إلى الشارع الساكِن المبتل بندى الصباح:

- الشـارع فاضـي من إمبَـارح.. كأن ما حَصَلش حاجـة.. والجرايد مش هاتكتب.. والسُّلطان راضي.

- إحنا عَاملين حسـابنا لـكل ده.. والنهاردة بالليـل هانعمل اجتماع في بيت علي باشا شعراوي عشان ننسق...

قاطعته بحدة: الاجتماع يتم هِنا.. في بيت سَـعد.. بيت الأمَّة.. سَعد ما ماتش يا عبد الرحمن بيه.. بلَّغ الوفد من فضلك.

شـعرت أن نبرتها خانتها وعلت فاستدركت: سَعد ما كانش بيثق في حد قدَّك يا عبد الرحمن بيه.

- إن شاء الله قد الثقة يا هانِم.

قالها وهو يراقب شَابًّا عَلى الرَّصيف المُقابل للبيت، يُدخن سيجارة ويرمق نوافذ البَيت باستطلاع، تابعه للحَظات ثم قام مُستأذنًا:

- هارجع لحَضرتك تاني.. بعد إذنك.

هـزَّت رأسـها وقامَـت احترامًا فانسَـحَب الرَّجـل، خَرج مـن البَهو إلـى البوَّابـة ووَقف يتأمّل الشَّـاب، التقت نَظراتهما وطَالـت حتى تأكَّد عبد الرحمن أن الزائِر يَحمِل في صَدره شَيئًا، هَز رأسَه لسائس الدُّوكار الـذي يَنتَظِـره مُطمئنًا علـى يَقظته قبـل أن يَرفع يَده تحيَّة للشـاب الذي هَرَس سِيجَارته في الرَّصيف احترامًا ثم عَبَر إليه.

- صَبَاح الخِير.. مِين الأفندي؟

- هو صَحيح.. سَعد بَاشا اعتُقِل؟

- سَألتك يا حضرة أنت مين؟

- أصلُه كان صَديق لوالدي الله يرحمه.

- بَرضه ما عرفتش أنت مين وإيه اللي موقَّفك هِنا الساعة دي!!

قاطعه الشَّاب: أحمد عبد الحي كيرة.

أخذ الاسم من الرجل لَحَظات ليستوعِبه قبل أن ينجلي وجهه: أنت ابن عبد الحي كيرة؟!

- أيوة.

- والدك كان صديقي الله يرحمه.

- الله يرحمه.. مش هاخد من وقت حضرتك كتير.. أنا جَاي أعرِض خدمة.

قالها أحمد وانتظر رد فِعل الرجُل الذي أشعل سيجارة ثم أردف: خدمة؟!

- الإنجليز لازِم يِعرفوا إن خَطفهم لسَعد باشا مش هايعدِّي بالساهل.. لازِم نرُد.. العين بالعين.. والدم بالدم.

- دم؟! دم إيه؟

- الدم اللي هايحصل...

قاطعه عبد الرحمن: حيلك حيلك.. إيه اللي بتقوله ده؟!

- الإنجليـز مش بتبـص لنا على إننا بنـي آدمين زيهم.. إحنا شـعب مالوش ديـة.. هايضربوا.. ولازِم نِضرب فيهـم.. ضَرب يوجع.. أنا عَندي الإمكانية.. ومَعايا رِجَّالة.

- يا ابني أي عُنف دِلوقت هايُنسب للوفـد.. يِضعِف مَوقفنا ويهيِّج الإنجليـز.. إحنا وفد ومَعَاه تَوكيلات مِـن النَّاس.. مِش بلطجية.. وبَعدين مين قال لك إن الناس هاتسكُت؟ الناس هاتتحرَّك ودول العالم كلها هاتعرف.. اتحرك مَعَاهم.. وسطهم.

- الناس هاتتحرَّك.. والإنجليز هايصدَّروا البنادق.. الناس هاتصمد قد إيه؟ شهر؟ اتنين؟

- وإيه خطة مَعاليك؟

- أهداف تِعمل لهم أزمة وتسمَّع في البلاد كلها.

- الكلام ده ما يلزمش الوفد في الوقت الحالي.

- سعد باشا في يوم من الأيام اعتُقِل بسبب انتمائه لجمعية «الانتقام» بَعد فشل ثورة عرابي...

قاطعـه عبد الرحمن: ومن سـاعتها اتخلى عن الفكـرة.. كان طيش شـباب.. يـا ابنـي الضغط ع الإنجليـز بحركة الشَّـعب أقـوى بكتير من عَمليات فدائية.. ووضع سَـعد باشـا لسَّـة ما اتحدِّدش.. أنا هاقدَّر إنّك ما قلتليش حَاجة النهاردة عشان خاطِر الوالد الله يرحمه.

- الناس ما تقدرش تسيب لقمة عيشها فترة طويلة يا عبد الرحمن بيه.

- وجهة نظرك وصلت.. اتفضَّل بقة مِن غير مَطرود.

همَّ الرجُل أن ينسحِب فأمسك أحمد بيَده وهَمَس: أنا كنت من اللي نفِّذوا اغتيال السلطان حسين كامل.. وعندي استعداد...

– ولمَّا أنت عَندك استعداد جَاي لي ليه؟

– عشان لازِم ننسَّق مع سَعد بَاشا.. سَعد باشا هو الأمَّة دلوقتي.

– يا ابني أرجوك سيبك من كلام الإنشا ده.. اتفضَّل.

أخرج أحمد من جَيبه قُصاصة وَرقية فيها عنوانه ودسَّها في كفِّ الرجل.

– عُمومًا ده عنواني.. لو غيَّرت رأيك.

هزَّ رَأسه بابتسامة ورَحل ففتح عبد الرحمن الورقة وقرأ العنوان.. قبل أن يُكوِّرها ويُلقيها.

بعد ثلاث ساعات

٩:١٥ صَباحًا

قُوم يَا مَصري، مَصْر دَايمًا بتناديك.. إضراب طَلبة الحُقوق.. طَلبة الطب.. تَجمعات في الطُّرق والميادين.. مَسيرات سِلمية.. هتافات: سعد سعد يَحيا سعد.. تسقط الحماية.. يَسقط الاحتلال.. خُد بنصري نَصرى دين وَاجب عليك.. كَمائن.. صِدام.. غضَبْ.. الاستقلال التام أو المَوت الزُؤام.. إغلاق المَحلات.. يُوم ما سَعدي راح هَدَر قدَّام عينيك.. إضراب طَلبة المدارس.. طوارئ.. حِصَار.. غَليان.. بنادق.. رصاص.. أول شهيد.. انفجار.. مُظاهرات غير سِلمية.. قتلى.. نيران.. عُد لي مَجدي اللي ضيعته بإيديك.. اعتقالات.. شوف جدودك في قبورهم ليل نهار.. قلب الترامات.. إيه نَصارى ومُسلمين قال إيه ويَهود.. يَحيا الهِلال مَع الصَّليب.. بِلادي بِلادي.. لَكِي حُبي وفؤادي.. إضراب الأزهر.. مَصر جنة طول ما فيها أنت يا نيل.. عُمر ابنك لم يعيش أبدًا ذليل.. المَزيد من الشُّهداء.. تَحطيم مَحال الأجانب.. حَرائق.. حَظر تجول.. إطفاء النور.. شلل تام...

يقولون إن كُل شيء بدأ في حَي السَّيدة زينب.

لَم تكُن حَركة ميدان الرمَّاح تُوحي أن الأمر جلل، النسوة في ملاءاتهن السَّوداء ينتقين الخضراوات والفاكهة، الرِّجال قَابعون في

مَحلاتِهم وأمام العَربات يَنتظرون رِزقًا، والأطفال الصِّغار يَلهون بالبلي والنحلات الخشبيَّة بَعيدًا عَن مَرمَى عَين الفتوَّة الجَاثم على كنبته يَحرِق المَعسِّل تحت ظِل شَّجرة، شَاردًا في جَسَد صرصار مَحمول على أعناق النَّمل إلى قريتهم، لَحظات والتقطت أُذناه جَلبة قادمة من نَاحية ميدان السيدة ثم لَمَح بَعض الشبَّان يَجرون إلى نقطة لم يتبيَّنها فقام سَاحبًا نبُّوتًا عَظيمًا من تَحت كَنبته ليفُض خناقة مُحتَملة أو شجارًا، مَشَى تجاه الزحام قبل أن يُمسِك بعَضد أحد الصبية مُستوقفًا:

- فيه إيه ياض؟

- مُظاهرات يا معلِّم.. تلامذة مدارس «الخديوية» و«الخديوي إسماعين» في المِيدان.. بيقولوا قبضوا على سَعد باشا إمبارح.

قالها الصَّبي وجَرى فاندفع شِحَاتة وَراءه ولاحَقه الأتباع ذَودًا بالقبضَات الحَديدية ورَقبَات الزجاجات.

حِين وَصَل الميدان وَجده يَعُج بالطلبة، بَحر يَموج بالطرابيش الحَمراء فوق وُجوه نَضرة غَارقة بعَرَق الحماس، يَرفعون أعلامًا حَمراء عليها هِلال يَحتضِن نجمة، ولافِتات بالفرنسية والإنجليزية تُنادي برُوح سَعد والاستقلال، عَلى رَأس كل مَجموعة شَاب اعتلى كَتفًا، يُلهِب الحَشد بهتَاف لَه وقع يمَزِّق الحَناجر من وَرائه ثم يتأجَّج حين يقترب مِن سُور مَدرسة «السَّنيَّة» للبنات، عَاش سَعد، صَرَخ بها الشَّباب وهُم يَختلسون النظرات للطالبات المُتَّشحَات بالحِجاب في شُرفات الفُصول فأشرن بأعلامهن تحيَّة للمظاهرة وكشف بعضهن الوجوه فالتهب الحَماس.

تَوقف شِـحَاتة الجِن أمَام المَشـهد المَهيب مَدهوشًا مُتيبسًا، الهتاف زلزل صَدره فشـدَّد قبضته غَريزيًّا على النبُّوت وتلاحقت أنفاسه تحفزًا وإن لـم يَجـرؤ لِسـانه علـى الترديـد أو عقلـه علـى الاسـتيعاب، يتأمل الجُموع برَهبة لم تنتَبْه حين داهَم فتوات أشدَّاء في أعقار ديارهم، وَجَد نفسـه لاإراديًا ينجَرف إلى قلـب المَوجة الثائرة، تَائهًـا لاهيًا عن أتباعه كغُصن سَـقَط في نَهر هائِج، سَـحبوه بينهم مِن ميدان السـيِّدة إلى شَارع المُبتديان فَحي الإنشـاء حيث لاح بيت «سَـعد» أمامهم، قبل أن يتوقَّف الهتاف فَجأة لمَّا اندفع الجُند الإنجليز مِن شَارع جَانبي إلى نهر الطريق يقطعونه ومن ورائهم على حصَان أسود الضابط «آرثر» وكيل حكمدار القاهـرة، وصديقـه القديم! تـراص الجنـود بينهما في صَفَّيـن مُحتمين بالخوذات البيضاء شَاهرين البَنَادِق في وَجـه المتظاهرين يُنذرونهم سوء الاقتراب، تقدَّم الطلبة يَصرخون في وَجه العَسـكَر: «وسَّـعوا الطريق»، «المُظاهـرة سِـلمية!» فعَمَّـر الجُند بنادِقهـم بأمر مِن الجنـرال وصوَّبوا الفوهات، مرَّت لَحظات من الترقُّب قبل أن يتقدَّم شَاب جَريء مُحاولًا السـير بَيـن الإنجليز كَاسـرًا الرهبة في قلـب زملائه المتظاهريـن فرَفَع جُنـدي كَعْب بندقيته وهَشَّـم وَجهـه بضربة دفعـت الجمـوع نَحو الجُند مُشتبكين، تِلك كانت الَّلحظة التي رَجع فيها شِحَاتة الجِن من غيبته، لم يَدر بنفسه إلا وهو يزيح الطلبة من أمامه كعرائِس القماش ويَزِن النبُّوت في قبضته ويَرفعه ليَهوي به على رَأس الجُندي، وَقْع الارتطام بَدا مُريعًا، مُريحًـا فـي أذنيه، مِثـل صَـوت بَطيخة بَاردة تتهشـم، انبعجـت الخوذة وسَـقط الجندي أرضًا فرفعه الجِن من يَاقته وصَاح: بسـتِّين فضَّة يا لَحم انجليـزي.. ثم ألقاه بين قدميه وطوَّح نبُّوتـه في رءوس وصُدور ورقاب قبـل أن تلتقي عَيناه بآرثر فوق حصانه، نظـر إليه وهو لا يُصدِّق ما يراه،

لم يكن ذلك هو «شِهاتا الجني» الذي ربَّاه كلبًا مُطيعًا يُلقي إليه بفتات الطعام فينبح تبجيلًا، كان قِطارًا خَرَج عن قُضبانه تمردًا وانطلق تجاهَه، صَرخ الجنرال في جُنده: «Fire»، أطلقوا النيران الحيَّة، فتناثرت الدِّماء والأشلاء وتفرقت الجُموع، وَسط هَرَج الفرار ومُحاولات الاحتماء اندفع الجِن تجاه صديقه القديم، مُحاطًا بتابعَيْن من أتباعه أفسحا له الطريق بَعدما مزقا وُجوه جُنديين بأمواسهما في لَحظة تَعمير الذخيرة، مرَّ الجِن من بينهم وبَات على بُعد مِترين من حصان آرثر حين تلاقت أعينهما، بلا تردد سدَّد الجنرال مُسدَّسه وأطلق، تلقَّى الجِن الرصاصة في ذراعه ولم يَعبأ، طوَّح نبُّوته في رأس الحصان فاستقرت بين عينيه، بَرك على قائمتيه الأماميتين فسقط الجنرال أرضًا، اقترب منه الجِن ورفع نبُّوته عَاليًا حين سَدَّد الإنجليزي وأطلق، تلك المرَّة «أصَاب مقتل»، اخترقت الرصاصة صَدر الفتوَّة فتوقف، رَمشت عيناه وخفتت الأصوات من حوله بغتة حين تلقى واحدة أخرى أركعته على رُكبتيه، ثم تلقى ضَربة مِن كَعب بُندقية فَسَجد على الأرض، قبل أن ينطرح على ظَهره بعد ركلة في وجهه، تأمَّل السَّماء الصَّافية من بين أغصان شجرة، قبل أن يُميِّز فوَّهة مُسدَّس ومن خلفها وَجه صديقه الإنجليزي.

عُد لي مَجدي اللي ضيعته بإيديك.

بعد ساعة

استنزف عبد القادر جُهده مُحَاولًا الاتزان فوق «بنبة»، مُقاومًا أرطَال شحم مَركومَة في عَجيزتها وفَخذين فَقدتا ليونتهما فتشعَّبَت فيهما أورِدة الدوالي الخَضراء، ألم المجهود يتَخلَّل خَصْره وسَاقيه وذراعيه الذي استند عليهما، يَسيل عَرقه فوقها ولَا تُبالي، تَعض قُماش الملاءة مُصطنِعة غنجًا بشِبعًا نادت فيه اسمه بِضع مرات مَسبوق بـ «يا لَهوي عَليًّا».. عَلى سَبيل التمجيد، كان ذلك قبل أن ينتبه عبد القادر لسَلامة، مَتى جَاء هَذا الخِنزير إلى السَّرير؟! كيف جَرُؤ؟!! كان مُضطجعًا بجانب «بنبة» عَلى الوسادة واضِعًا ذراعيه خلف رأسه يتأمَّلهم مُبتسمًا، اشتعل غَضَب عبد القادر فصَاح:

- قوم يا ابن المَرة.

فصَرخ سَلامة في وجهه: «سَعد سَعد.. يَحيا سَعد».

استنزف عبد القادر جُهده مُحَاولًا فتح عَينيه، استغرق لَحظات ليُدرِك أنّه عَانى كَابُوسًا قَبل أن يَستعيذ بالله مِن هَيئة بَنبة فيه، صَوت سَلامة ما زال يَتردَّد في أذنيه: «سَعد سَعد.. يَحيا سَعد»!! بصُعوبة تبيَّن وَرد، كانت جاثية تحته مُستسلمة وخصلات شَعرها في قَبضَته يُمسكها كلجام فَرس، نَظَر شماله فلَمَح زُجاجة الكونياك التي نَفدت وبجانبها

قنينة «النفروطون» فأدرك لِمَ لا يَشعُر بنصفه السُّفلي الذي تخدَّر وفقد الإحساس، استعاد ليلة انقضت فلم يتذكَّر سوى استسلام ورد وصَمتها، غلقها عَينيها وتَركه يَعبث بمُحتوياتها! لَحظَات وانسلخ مِنها، تَركَها ترتخي بجانبه وتتكوَّم حين عَلا الهتاف في أذنيه: «سَعد سَعد.. يَحيا سَعد»، سَب الدِّين وبنبة وهو يرُج رأسَه ليتَخلص مِن هتاف سَلامة النجس الذي تردد في أذنيه قبل أن يتبين أن الصَّوت آت مِن النافذة، قَام مُترنحًا ونَظر مِن بين خصاص الشبَّاك فرأى الجُموع تسير وتَهتِف «سَعد سَعد.. يَحيا سَعد»، فتح الشيش بهَلع وحَدق غير مُصدِّق الأعداد قبل أن يَلمَح صَديقًا له يَجري مَسعورًا عَكس اتجاه الناس، مُزيحًا الأكتاف بيَديه يلوِّح إلى عبد القادر ثم وَضع كفَّيه حول فَمَه وصَاح بكلمَات تاهت في صَوت الهتافات فناداه عبد القادر:

- فيه إيه ياض.. مش سَامعك؟

أشار له الصَّديق أن يَنزل على عَجَل، ارتدى عبد القادر بنطلونه وسَحب قميصه قبل أن يقفز السَّلالِم وثبًا:

- إيه اللي جابك هِنا؟!

- عم الجِن.. انضرب بالنار.

في حَديقة بيت سَعد تمدَّد شِحَاتة الجِن على النجيل بجانب شَاب آخر هُما حصيلة المُظاهرة قرب بيت سَعد، بخشوع سترهما الطَّلبة بالأعلام التي رَفعوها مُنذ دقائق ووَضَعُوا طربوشيهما كلًّا على صَدره

وتُرِك نبُّوت الجِن بجانب ذراعه، تكتَّلت الجموع حول البيت فانسحب الإنجليز ونَزلت صَفيَّة هَانِم من شُرفتها مُستندة على نَازلي الشاحبة، حيَّتهم بالدَّمْعِ مَكلومة فطَلب مِنها عَبد الرَّحمن فَهمي الرُّجوع إلى المنزِل لخُطورة الموقِف، أبت وانكفأت عَلى جُثمان الشَّاب الذي لَم يَتعدَّ الخَامسة عَشرة، قبَّلت يَده الباردة في ألم وانتحبت بحُرقة، كَان ذلك فوق احتمال نَازلي، هَوت أرضًا كورقة خريف، اندفع نحوها عَبد الرَّحمن فهمي وأشار إلى شاب قريب منه ليسعِفه بمُساعدة:

- شِيل مَعايا.

قالها عبد الرَّحمَن قبل أن يرمُق وجه الشاب الذي طلب منه المساعدة فوجده أحمَد عبد الحي، لَم يَملك تَرف الجَدَل:

- دخَّلها مَعايا جوَّة.

حَملاها بَين أيديهما ورَكَضَا بِها إلى داخِل المَنزِل، أسجَياها فوق كَنبة قَبل أن يَأتي خَادِم بقطن مُشبع بالكولونيا، وَضَعه عبد الرحمن تَحت أنفها فأفاقت لترمقه والشاب الواقِف بجانبه في تشتت.

- أنت كويِّسة يا بنتي؟ سألها عبد الرحمن.

- دايخة شوية.

لم تطُل اللحظة كثيرًا.. قَطعها صياح آت مِن الحَديقة فخَرَج أحمَد مُسرعًا ومن ورائه عبد الرحمن فهمي.. لَمَحَاه يَختَرق بَوابة البَيت.. يُطوِّح قَبضته في رِجال حَاولوا مَنعه مِن الدخول فيسقطهم يمينًا ويسارًا كالزجاجات.. قبل أن يَركُض كالثور مُزيحًا الوَاقفين حتَّى اطَّلَع على جُثمان أبيه.. انكفأ على رُكبتيه يتأمَّل ثقبًا في صَدر وآخر في جَبهة ودماء

تجلَّطت.. بصُعوبة لامَس رأس أبيه.. أحَاطها بكفَّيه مُستشعرًا البُرودة وحواف الجرح.. ثم فتَح فَمه بصَرخة مُدوية تأخَّر صَوتها مِن الألم.. اقترب مِنه الجَمع يثنونه ويُواسونه فنَهرهم سَبًّا وانكَفأ على يَد أبيه.. ثم فجأة وقف ذاهلًا كطفل تائه.. ارتعشت أنامله وسالت ريالته خيطًا على صَدره وزاغت عَيناه للحظات ثم انكفأ على أبيه محَاولًا حمله.. اقترب الناس منه يَصرفونه عمَّا هو فاعل فضرب اثنين بقبضته ثم صَرَخ في الباقين ليتشتتوا قبل أن يَدور بعَينيه في الوجوه.. ميَّز من أهل حَارته جيرانًا وتعرف على صَبي من صبيان أبيه اندفع نحوه ولكمه فأطاح به مُلقيًا بأسباب قتله على رعونته وتهاونه.. تَحفَّز أحمد وهَمَّ بمواجهته حِين أوقفه عبد الرحمن فهمي بيديه:

- سيبه.

ثم اقترب من عبد القادر بثبات عجيب حتَّى وضَع يَده عَلى كَتفه بحزم فالتفت:

- يا ابني.. الولد ده مالوش ذنب.. أبوك بَطل.. ومَات شَهيد.. والشَّهيد لازم يتعِمل لُه جَنازة تِليق بيه.. هو هِنا وسط ولاده.. كُل دول ولاده.. ما تبهدلوش.

رَمَاه عبد القادر بنظرة غَضب قبل أن يَصيح:

- رَاح بسَبب سَعد.

سَرَت الهمهمات الغاضبة بين الجمع فرد الرجُل الصَّيحة بهدوء مَسموع:

- راح عَشان الإنجليز قتلوه.

اخترقت كلمة «الإنجليز» أذني عبد القادر فذُهل بَصره.. خفتت الأصوات وتوقَّف تنفسه.. لم يَعُد يَسمَع سوى وَقع ضَربات قَلب تَهزه هزًّا.. تخدَّرت ذِراعه اليُسرى وسَرى فيها ألم ورَعشة أخذت تشتد حتَّى انحنى وسَحَب نبُّوت أبيه المُلقى على الأرض.. تكالب عليه الناس مُحاولين تَهدئته فلوَّح به في وجوههم: «اللي هايقرب هاموِّته».. فرَّقهم وخَرَج مُغاضِبًا نَفسه فتبعه أحمد.. نَاداه فلم يَستجِب.. مَد خطواته حتى صار بجانبه:

- اهدا عَشان تِعرف تاخُد حقك.. الإنجليز ما يِنفعش مَعاهم نبُّوت.. أنا أقدر أساعدك.. أجيب لك حقك.. حوِّل غضبك لـ...

لم يُكمِل أحمد جُملته، التفت إليه عبد القادر وأمسَك بتلابيبه قَبل أن يَضرِب بظهره الحَائِط ويَحبِس عُنقه بالنبُّوت:

- ما تخلِّينيش ألخبط خلقتك.. حِل عن سمايا.

قالها ثم فكَّ أسرَه وابتعد، التقط أحمد أنفاسه ولم يَتبعه، رَاقبه يَخطو نَحو حَتفه حتى تَلاشى.

لمّا رَجع أحمد إلى حَديقة البَيت المُضطربة وَجَد نازلي وقد استعادت رُوحَها، تقف قُرب صَفيَّة وعَبد الرَّحمن فَهمي الذي أشار له أن يقترب وهمس:

- أنا مش قايل لك إبعد عن هِنا؟!

- فكرت في كلامي؟

نظر عبد الرحمن فهمي لإصراره وضَرب كفًّا بكَف حين اقترب رَجل وسأله:

- هانِعمِل إيه في الجُثث؟

أجابه عبد الرحمن بعدما انتزع نفسه من وجه أحمد: يروَّحوا بيت أهاليهم دلوقت.. وجَنَازتهم تطلع من هِنا بُكرة.

هزَّ الرجل رأسه ورَحَل حين هَمَس أحمد في أذن عبد الرحمن:

- الإنجليز هايصعَّدوا أكتر.

- لو سمحت يا ابني سِيبني أشوف شُغلي.. ممنونين لخدماتك.

قالها عبد الرحمن بحزم فرفع أحمد كفَّيه استسلامًا حين لَثَمت نَازلي خَد صَفيَّة واحتضنتها قبل أن تتَّجِه إلى الدوكار الذي ينتظرها عند البوابة، كَان عليها الرجُوع إلى بيت أبيها الذي صَال وجَال خوفًا عليها حين قامت الجموع، حيَّت عَبد الرحمن فهمي ثم التقت عيناها بأحمد للحَظات كانت كافية لهزَّة رأس ممتنَّة خجِلة.

يُنحَت النبُّوت مِن خَشَب شَجَر اللَّيمُون، ثُم يُصقَل بالصَّنفرة قَبل أن يُوضَع في «زيت مَغلي» ليفقِد رُطوبته ويَشتَد قَوامه، ثُم يُخضَّب بالحِناء ويُزيَّن بالجِلد والدَّبابيس التي تَرمُز للمَعَارك، أو لعَدد القَتلى بِه.

ثُم يُحطَّم بنبُّوت أقوى منه وأشدّ بأسًا.

نفس اليوم

١:١٠ ظهرًا

تلك المرَّة كانت الكروسْلي بِلا حُمولة، تكاد تَطير فَوق الطَّريق المَفروشة بالحِجارة، أمسَك عبد القادر المقود بشِماله، وقَبض بيَمينه النبُّوت المَوضوع عَلى الكُرسي الجَانبي، يقاوم الشَّمس بجُفون مُنطبقة ودُموع حَفَرت وجنتيه ولم تَجف، يَداه مُلطَّختان بدِماء أبيه وعجلات سيارته ومقدمتها مُلطخة بدماء إنجليزية لخمسة جنود هرسهم تحتها في طريقه للمُعسكر.. عبد القادر كَان يُدرِك أن أباه فتوة، والفتوَّة لا يُهلكه إلا فتوَّة مِثله من بَعد الله، لَم يتخيَّل أن أباه سَيُردى برصَاصَة إنجليزية ككلب ضَال لا سِعر له! فِكرة مَوته لم ترِد مرَّة على باله، غَريبة غرابة مَوت إله في مَلكوته! فليس البَشر كُلهم فانين! أيّ لَعنة أصابتني؟ مَاذا فَعَلت؟ سَأل نفسه، قبل أن يَستعيد كلمات الرَّجل في بيت الأمَّة: **«راح عَشان الإنجليز قتلوه»**.

زفر عبد القادر ثم تَرك النبُّوت وأخرج من جيبه علبة خشبية صغيرة، فَضَّها وقربها لأنفه ليسحب منها دُفعة كوكايين حين لاحَ المُعسكر الإنجليزي في الأفق، ضَغط دَواسة الجَاز ثم التقط مِن الكنبة الخلفيَّة رشَّاش «مادسِن» ألمانيًا مَحشوًا، لَم يُفارقه يومًا مُنذ احترف توزيع الكوكايين، شَدَّ أجزاءه ووَضعه عَلى فَخذيه حين رَصدت الحَامية سَيَّارته المُنطلقة نَحوهم بسُرعة جُنونية، كَانت حَالة الطَّوارئ قد

أُعلِنت منذ الصَّباح وضُربت التعليمات بعَدم التهاون، لوَّح ضَابِط الحَامية بذِراعيه في إشارة لعبد القادر أن يُبطئ لكنَّه لم يَستجِب، ضَرَب طَلقة تَحذير في الهَواء فلم يتقهقر، حين بَاتت السيَّارة عَلى بُعد مَائة مِتر استعد عبد القادر لإخراج مدفعه من النافذة حين دَوت طَلقات المَدفع «الفيكرز»، اخترقت ثلاث طَلقات أسفل شبك المُوتور فحَطَّمت أجزاءه قبل أن تخلَّ بتوازن السَّيَّارة لتنقلب عدة مرات جَارفة الحَصَى والحِجَارة مَسافة حتَّى تَوقفت.

بَعد سَاعة.. العيادة الصِّحِّية بالمعسكر

قطع كولونيل تريڤور قائد المُعسكر الطرقة الطويلة المؤدِّية إلى العيادة بخطوات صَارمة وقعها منتظِم، دَخل العنبر ثم اقترب من عبد القادر المَسجَّى على السَّرير أمامه فاقِدًا الوَعي مَكسوًّا بالكَدمات، رأسَه مَلفوف بشَاش تشبَّع دَمًا وفي ذراعه اليمنى جَبيرة وفي اليسرى خرطوم مَغروس يضُخ المَحاليل، أما قدمه فغُلَّت بالأصفاد إلى سُور السرير، نظر للطبيب الواقِف بجانبه ثم سَأله:

- كيف حَاله؟

- ارتجاج في المخ وبعض الكدمات.. سيعيش.

- هل كان مَخمورًا؟

- أنفه ومَلابسه تحمل أثر الكوكايين... هل كَان يَنوي مُهاجمة المُعَسكَر؟

- وَجدنا في سَيَّارته «مادِسن» ألمانيًّا مَحشوًّا وجَاهِزًا للإطلاق.. لكنِّي لا أعتقِد أن مِثله قد يَرتكِب هذه الحَماقة!

- لَعلَّه أُصيب بحُمَّى «سَعد»؟

- لا أظُن، فهذا الولد يتعامل مَعَنا مُنذ سنة تقريبًا، ليست له ميول سياسيَّة، كما أن قُوت يَومه قَائم عَلى خدمة المُعَسكَر.

- قد يَكون خَائفًا من الاضطرابات فجَاء إلينا هَاربًا؟

- مَن يَعرفون تَعاونه مع الكَامب بالطبع يكنُّون لَه العَداء.. مِثله بالنسبة لهم خائِن.

- وبالنسبة لنا؟

- أُسمِّيه شَخصًا عَمليًّا.. فليس لأمثاله فرص حياة في ظروف هذا البلد؟ لكن دَعنا لا نتعَجَّل الأمور.. حالما يفيق سنعرف منه كُل شَيء.

برقيّة نمرة (١٢٤).. سرّي للغاية

٩ مارس ١٩١٩.. الساعة: ١٠:٢٢ مساءً

من سير «ميلين شيتهام» نائب المندوب السامي بالقاهرة
إلى لورد «كيرزون» وزير الخارجية - لندن.

«الحركة التي حدثت اليوم مُعادية لبريطانيا، ومُعادية للسلطات، ومُعادية للأجانب، وهي ذات ميول «بلشفية - شيوعية» وتستهدِف تدمير المُمتلكات والمُواصلات وهي مُنظَّمة، ولا بد مِن أنه يُنفق عليها، وهناك شكوك قويَّة حول نفوذ أجنبي فيها، ويَميل المَسئولون البريطانيون إلى الظن أنه مهما كان من تحريض وَطني في الشهور القليلة الماضية، فإن الشعور الذي ظهر الآن لا بد أنه كان ينمو خلال سنوات عديدة، وأن وقوع انفجار في وقت ما كان أمرًا لا مناص منه».

ميلين شيتهام

نائب المندوب السامي بالقاهرة

الاثنين ١٠ مارس ١٩١٩

٨:١٥ صَباحًا

أبشاق الغَزال.. مَركز بَني مَزار.. المِنيا

تذبذبت القُضبان الصَّدئة تحت أقدام الناس فتنبَّهوا وابتعدوا، مِن الأفق البَعيد التقطوا هَدير المُحرك قبل أن يلمَحوا الدُّخان الأسوَد، دقيقتان ثم لاحَ الوَحش القاتِم، يَسير وَئيدًا بصَرصَرة حادة وضجيج لَه وَقع مُقبِض، اقترب أهالي البلد مِن رصيف المَحطَّة يتطَلّعُون إلى الجَسد الحَديدي العِملاق الذي توقَّف، ينهشونه بأعينهم نهشًا، لَحَظات وفُتِّحت الأبواب ثم بَدأ الوَافدون في النزول تِباعًا، وُجوه كالِحة شاحبة وأجساد بَرزتْ عِظامها وجفَّت جلودها من حرق الشمس.

زاحمت السَّيِّدة العَجوز الجُمُوع الغَفيرة التي تكتَّلت لتَلقِّي العَائدين، تنتظر تِلك اللحظة مُنذ ثَلاث سَاعات، وسنة قبلها منذ انتهت الحرب! تَأتي إلى المَحطَّة كُل سَبت متكئة على عَضُد إحدى بناتها في ميعاد قُدوم القِطار الأسبوعي، تتأمَّل الوُجوه الوافِدة لتفرزها علَّها تلمَح «ياسين»، بكريها الذي سَحبوه يَومًا مِن أرضه بحُضور العُمدة والخَفَر ومِن وَرائِهم رِجَال السُّلطة للعَمَل بالسُّخرة، «**محتاجين شوية عِيال كِده عَلشان الجِسر اتقطعت جِهة «دير السنقورية» والبيوت غِرجت، المَأمور بعت إشارة بلمِّ الناس وفَرد عَلى بَلدنا تمنتاشر عيل**».

لَم يَملك يَاسين حَقّ الرَّفض، فالكلمات تبعتها لَسَعَات خرزانات الخَفَر وضَربات كرابيجهم، امتثل لأمرهم فربَطوا يَمينه في حَبل طَويل غَليظ مع سَبعة عَشر شابًّا من أهل بلدته وأركبوهم قِطار بضائِع، ولم يَره أحد زملائه من بعدها، تَحمَّلت أمه وَقع الزَّمن والإشَاعَات الرَّائِجة حَول اختفائه ومقتله حتى تمنَّت يومًا أن يَأتوها بجُثمانه، فقط لينتهي عَذاب فقده في صدرها.

- ولدي.. ياسين.

التقط صَوتها حين برز وَجهه مِن عَتمة القِطار، فَقد نِصف وَزنه فانثنت قامته الطويلة وازداد سُمرة على سُمرة، لَم تَملك السَّيِّدة نفسَها، امتزجت فرحَتها بفزعها من هَيئته المُفجِعة فدَفنت روحها في صَدره وأجهشت بالبُكاء في فرح، احتواها بصَمت ولثم يَدها ثم أحَاط أخته الصَّغيرة بذراعه وابتعدوا.

قبل الظهيرة كان الخبر قد انتشر رغم توتُّر الأجواء بالمتظاهرين حَاملي اللافتات أمام نقطة بوليس البلد وأعداد عَسكَر الإنجليز الوافدين، عَم الفَرح مَنضرة بَيت «فَهمي» فتجمَّع الأهل والجيران يُرحِّبون بالعَائِد الذي ظنّوه لن يَعود أبدًا، فَرشوا خبز «البتاو» تحت لَحم جدْي ذبَحوه وصَبُّوا الشاي الداكِن في الأكواب ووزَّعوا أقماع السكَّر على الأطفال والسَّجائر على آبائهم، استَحَم يَاسين وارتدى جَلابية نظيفة قبل أن يَجلِس على دِكَّة حَول أحبَّائه مُستمعًا لآيات القرآن من «فِقي» القرية ومُستقبِلًا الزوَّار، يَهُزّ رَأسه ودًّا ويُوزِّع ابتسامات شَاردة لم تَنجَح في إقناع المُحيطين أنه هُو نَفس الشَّخص الذي رَحَل عَنهم مُنذ سنتين، بَدا وَاجِمًا مُشتتًا يَحمِل صَدره قلبًا آخر. قلبًا مَعطُوبًا.

- احكي لنا يا وِلد أختي.. وين كُنت؟ وكِيه جَضِيت السَّنتين؟

سَكَت الجَمع، نساءً ورِجالًا، وحتَّى الأطفال، تعلَّقت أعينهم بشفتي يَاسين المُتشققتين ينتظرون مِنه مَلحَمة تاريخيَّة:

- بَعد ما صلَّحنا الچسر أخدونا الإنجليز في جطر.. على الجنطرة شَرق.. ومِن الجنطرة طِلعنا عَلى رفح.. نِزلنا عند عربان أكرَمونا وأكلونا وشرَّبونا.. وكُل يُوم كات شُغلتنا نُحفر بير ولَّا اتنين للسُّلطة ونصَلَّح جُضبان السِّكَّة الحَديد.

- بس إكده؟! طَب والحَرب؟

- ماچاتش نَواحينا.

- لكن أنت شكلك تعبان أوي يا واد عمِّي! مَا كنتش بتاكُل ولَّا إيه؟

- الأكل هِناك غِير عَندينا.. والميَّة غير.. والشقا يَامَا.

- طَب وبَقيت العِيال اللي كَانوا مَعاك! السبعتاشر؟ وينهم؟

- أصلنا.. اتفرَّجنا.. وزَّعونا.. كُل واحد رَاح لجِهة.. ماتجابلتش مَعاهُم من سَاعة ما رِكبنا الجَطر.

لم تأت القصَّة بما اشتهوا أن يَسمَعوا، أرادوا أن يخوضوا الأهوال فتجحظ أعينهم عَجبًا ثم يَطمئنوا على باقي شباب البلد ولم يفعلوا، قضوا وقتهم وانصرفوا مُبكرًا بَعد أن تركوا الدَّار عَامرة بالإحباط وبلاليص المِش ولُحُوم الطَّير هدايا للعَائد.. ظَلَّ يَاسين شَاردًا عَلى دكَّته حتّى لَملَمَت النِّسوة فَوضى الزيارة قبل أن تقترب أمه، جَلسَت

بجانبه تتأمَّل وَجهه المتحجِّر قبل أن تضع يَدها اليابسة على كتفه وتتكلَّم بصَوت خفيض:

- مَالك يا وَلَدي؟

لم يُجبها ياسين، عيناه ذاهلتان في الشباك، شاردًا في غَيط برسيم يتمايل مع الهواء.

- ياسين.. يا ياسين؟

أفاق من شروده: نعم يا أمه؟

- سألتك.. مَالك يا ولدي؟

- تَعبان م السفر يا أمه.

تأمَّلت وجهه دقيقة ثم أردفت:

- تعبك مش تعب سفر يا ولدي!

- آني ما عانِكدْبشي يا أمه.

- مش الجصد يا ولدي.. آني بس بدِّي أفهم.. العِيال اللي كت مَعَاك اتفرَّجوا على فين؟ أهل البَلد هايموتوا على ولادهم.. سبعتاشر راجِل راحوا... ولَّا حاجة حُصلت ومانتاش عَاوز تجول؟

قاطعها: مَا خابرش عنِّيهم حَاجة.

- طيِّب يا وَلدي.. ربِّنا يعوِّدهُم بالسَّلامة زي ما عوِّدك.

أشعل سِيجارة بيد مرتعشة، لاحظت توتره فأرادت تغيير المَوضوع رأفة به:

- خابـر ميـن اللي مـا انجطعتش يـوم في السـؤال عنـك؟ بهيَّة بنت أبو عامـر.. بَجِـت فلجة جَمَـر.. بتيچي كل چمعـة تتحدَّت مَعاي وتسـأل عنَّـك.. عَايلـة همـك ومتكـدَّرة يـا ولـداه زي مـا تكون بنت عمَّك.

بدون أن ينظر لها قاطعها: وينها دولت؟

- دَولت أختك صَارت مُدرِّسة في مَصر.. اتعفرتت لمَّا عرفت إنك رِجعـت.. أخوك شـيَّع لهـا تلغراف إمبَـارح بَس الشـوارع حداها مَجلوبة.. خايفة تيچي.

- مَجلوبة؟

- عَ الإنجليز.. مُظاهرات عشان جبضوا على سَعد باشا.

- مين سَعد باشا دِه؟

- باشا من باشوات مصر.. ده العَاركة عليه واصلة لهِنِه.. والإنجليز مغرَّجين البلد.

لم يُبد اهتمامًا، شرد فصَمَتت، تأمَّلت وَجهه الباهِت ومَلامِحه التائهة فزفرت قلقًا واستغفرت في سرِّها، إن كَانت تَعرِف شَيئًا عن بِكريها التي ربته يَداها فهي تَعرف أنه للمرَّة الأولى يُخفي عنها سِرًّا!

لَم يكد يَاسين يَنغمس فـي صمته حتّى تعالت الجلبـة في الخارج، صَـوت الرصـاص ورقـع الكرابيـج اختلط بصَريـخ النِّسـاء والأطفال، نَادت الأم في شَاب يجري أمام المَنضرة مُستفهمة فألقى عليها الخبر:

- الإنجليز طايحين ضَرب بالكرابيج في أهل البلد.. لا هاممهم كبير ولا صغير.. كُل اللي ينادي بالاستجلال يتلسوع ويسحلوه ع المركز.. وأبو همَّام انطخ عيار في دماغه شجَّها زي البطِّيخة.

التفتت السيدة إلى بكريها الذي للتو عَاد، ستُحاول تهدئة ثورته العارمة ومَنعه من الخُروج للذود عن أهل بلده، ستلتقط فَرد الخَرطوش من يَديه والسكِّين الذي سيستله ثم تستحلفه ألا يتدخَّل فهي لم تكد تفرح بعودته.. لكنَّها التفتت فوجدته كما تركته! شَاردًا في أفق الغيط الأخضر كأن شيئًا لم يَكن، صَنمًا يئس أن يُعبد، نظرت إليه مُحاولة استيعاب الضيف الغَريب الذي حَلَّ في بيتها، ضيف يُشبه ياسين كثيرًا! قبل أن تُغلق خصاص الشبَّاك عليهما وتجلس بجانبه مُنصتة لسَنابِك الخيل تهرس الأهالي وصَريخ تعَالى حتَّى أصمَّ الآذان.

الاثنين ١٠ مارس

- بيانات استنكار وتراجُع من بَعض الجِهات والمَدارس لِما حَدث يوم ٩ مارس من حَرق لمَحال الأجَانب وتصريحات تُطمئن الجاليات على أرواحهم.
- المُظاهرات تجتاح المِنيا والإنجليز ينهالون على الأهالي بالكَرابيج.

الثلاثاء ١١ مارس

- إضرابات مُستمرة في أكثر من مُديرية وإنذار بريطاني شَديد اللَّهجة طُبع وعُلق في الشوارع والميادين ونُشر في الصُّحُف «المتعاونة»..
- صِدام مع دوريات إنجليزية في القاهرة ووفاة ستَّة أشخاص بنيران البنادق.

الأربعاء ١٢ مارس

- سَمَحت السُّلطات الإنجليزية لبَعض الصُّحُف بنَشر خَبر اعتقال سَعد ورِفاقه لاستعادة ثقة الجماهير في الجرائد، ثم بَث الرعب في قلوبهم بالتحذيرات المُتتابعة بعد ذلك.
- تجدد إطلاق النار في أكثر من مكانٍ وبَدء المُظاهرات في الإسكندرية وطنطا ولما اقتربت الجموع من مَحطَّة القطار أطلق الإنجليز النار ليقتلوا ستة عشر شَخصًا فقطَع الأهَالي خُطوط السِّكك الحَديدية في أكثَر من مَوضِع وأحرَقوا المَحطات.

الخميس ١٣ مارس

- مُظاهرات في أحياء الحِلمية والغورية والظاهر والسيِّدة زينب وإنذار إنجليزي لمُوظفي الدَّولة باجتناب المُظاهرات، كما أصدرت أمرًا بالإعدام الفوري رَميًا بالرصاص لكُل من يَقطع خُطوط السِّكك الحديدية أو الهاتف والتلغراف.

- إلقـاء الحِجارة على مَراكز البوليس وتوقف عربات «الأمنبوس»[1] العامة وازدياد عَربات الكَارو في الشوارع.

الجُمعة ١٤ مارس

- عِند خُروج المُصلين من مَسجد «الحُسين» بعد صَلاة الجمعة حَسبتهم السُّلطات الإنجليزية مُتظاهرين فأطلقت الرصَاص عليهم فقتلت اثني عشر وأصابت أربعة وعشرين، وعِند مَسجد السَّيِّدة زينب قتلت ثلاثة عشر شخصًا وجَرَحت سبعة وعشرين.. واستخدم الإنجليز الطَّائرات لضَرب المُتظاهرين في أكثر مِن قرية.

السبت ١٥ مارس

- إضراب عُمَّال عَنابر السِّكك الحَديدية «عددهم أربعة آلاف».. تَدمير أغلب خُطوط السِّكك الحديدية والمَحَطَّات.. أصبح نهر النيل هو وَسيلة المُواصلات الوحيدة بين القرى والمُديريات.
- إضراب المُحامين الشرعيين ومُظاهرة عَارمة في المَحَلة.
- أطلق الإنجليز النَّار عَشوائيًّا على عُرس في إمبابة فقُتل ستة أشخاص.
- مَقتل أحد كِبار مُوظفي البريد الإنجليز بالقاهرة ومُطاردة القاضي الإنجليزي ببني سويف.

---

(١) عربات الأمنبوس: عربات عامة تجرها البغال.

مَدرسة الطب بقَصر العَيني.. مَعمَل الكِيمياء
نصف ساعة قبل حظر التجول

لَـم يَكُن ضَوء القِنديـل كَافيًا لتمييز أحمَد الجَالِس في الرُّكن القَصي خَلف مِنضدة، جَرى العَرَق عَلى رَأسه ثم تَخلَّل رُموشَه ولامَس حَدَقتيه فحرقهُما، مَسَح عَينيه بكُم قميصه وهو يُقاوم ضِيق أنفاسه تحت كمَامَة تقيـه الأدخنـة المُنبعثـة مـن الغلّاية، يَـداه حاولتـا الثبات وهِـي تَخلط كبريتيـك وكلـورات البوتاسيوم ثم يُضيـف بحِرص حِمـض البكريك شديد التفجير، قلَّب المَحلول لدَقائق ثم صَبَّه بتركيز في وِعَاء أسطواني مـن النِّيـكل قبـل أن يُغلقه بإحـكام ويُودعه في «سَـبَت» مـن الخُوص، وَضع فوقه مُسدَّسًـا مَحشـوًّا بالطلقات ثم غطَّاه بقُماش وأفرغ كِيسًا مِن الخُضراوات فَوقه تمويهًا، خَلع بعد ذلك كمامته ليلتقط أنفاسـه، غَسَل قَواريـره وأرجعهـا مَكانها، ثم ارتَـدى فَوق قَميصه جَلابيـة دَاكنة ولِبدة فوق رأسه وبُلغة في قدميه قبل أن يُطفئ النور ويَخرج.

اتَّخذ أحمد طَريقه إلى بَاب اللوق، مُختَرقًا الحَواري الضيِّقة مُحاولًا الابتعاد عَن الطرق الرئيسـية المَحشـودة بجُند مُتحفِّزين ومُتظاهرين لم يَعترفوا بالحَظر تحديًا وعنادًا، مَدَّ خطواته مُتصنِّعًا البسـاطة قبل أن يَقفز فوق عَربة «كارُّو»، وَصَل قرب بنايته فنزل ودَار حَولها حتى تأكَّد أنه غير

مُراقـب ثم دَلف مِن البـاب، المَدخل كَان مُظلِمًا، مَشـى بِضع خُطوات تجـاه المِصعَـد قبل أن تلتقـط أذناه صـوت الخطوات، التفـت متحفزًا فلَمَح وَهَج سيجَارة تحت درجات السلَّم:

- لمّا سمِعت عَن ضَرب مُوظف البَريد الإنجليزي شمِّيت ريحتك.

لم يحتج وقتًا ليَستوعِب صَاحِب الصَّوت.

- عبد الرحمَن بيه!

اقترب عبد الرحمن فَهمي يتأمَّل تنكُّره:

- شُوف لنا مَكان نتكلِّم فيه.

في السَّطح كان اللَّيل قد فَرض سُكونه إلا مِن بقايا الانفلات الأمني المُسـتمر، دَويّ طلقات نار مُتفرِّقة تأتـي فرَادى من الاتجاهات الأربعة ودخان أسـود وصَيحَات فَزِعة مُضطَربَـة تتعالى كل بضع دقائق، أخفى أحمد «سَبَت» الخضـراوات تحـت كَراكيـب مُهملة ثم خَلَـع جلبابه، جَلَس الرجل على كُرسي قديم قُرب السُّور يتأمل أحمد:

- قُنبلة؟

- الإنجليز بيضرَبوا بالطيَّارات يا عَبد الرَّحمن بيه!

- مِش خايف؟

- اللي يقدر يموِّتني النهاردة هايموتني بُكرة.

- أحمـد عبـد الحي كيـرة.. سَـنة ١٩١٥ فلـتّ من حكم بالسِّـجن وزميلك أخد تأبيدة في محاولة اغتيال السلـطان حسين.. دَرَست

في مَدرسة الطب وتخصَّصت في الكيميا واتوظفت.. معروف عنَّك في المدرسة إنَّك في حالك.. وفيه ناس بيقولوا عليك خاين ومصاحب الإنجليز.

- وأنا اللي كنت مِستغرب إزَّاي الناس من أسوان لإسكندرية عِرفت إن سَعد باشا اعتُقل تاني يوم!

- سعد باشا نفسه كان عارف إنه هايعتقل.. استنى اللحظة دي من زمان.

- ...!!

- يا ابني أنا راجِل جيش سَابِق.. واللي يعاشر الإنجليز يعرف إمتى ينفد صَبرهم.. إحنا كنا محتاجين الاعتقال ده أكتر منهم.. عشان القضية تكبر وتخرج بره الحدود.

- أنتم مين؟

- مجموعة متحمسة عرَّفت مصر بالاعتقال من غير جَرايد.. بعتت تلغرافات في كل مديرية.. وهي اللي بتطبع المنشورات وبتجيب المَعلومات عن الخونة اللي في الحكومة والبوليس.. قليلين لكن عندنا اتصالات مؤثرة.

- أفهم من زيارة حضرتك إن فيه نية تمويل عَمليات فِدائية؟

انقضت لحظات من الصَّمت قبل أن يُكمل الرجل ما بدأ: العُنف لَو مَا حجِّمتوش ونظَّمته يصبح سِلاح ضدَّك.. هاييجي وقته.. إحنا مبدئيًّا مِحتاجين مُساعدتك في موضوع تاني.. أنت بتفهم في الكيميا؟

- تخصُّصي.

- إحنا رصدنا مَكان سَكن سعد باشا في مَالطة عن طريق أصدقاء عَايشين هناك وقدرنا نطِّمن عليه وحققنا اتصال.. لكن لسَّة مِحتاجين طريقة أمان نراسله بيها مِن غير ما حد يفهم.. عَشان كِده جيت لك النهاردة!

شرد أحمَد للحظات ثم أجابه: مَيَّة البَصَل.

- ميَّة البَصَل؟

- مَيَّة البَصَل.

الأحد ١٦ مَارس.. العيادة الصِّحِّية.. مُعسكر التل الكبير

٧:٤٥ صباحًا

أزيز الذُبابة بَدا كضَجيج مُوتور طائرة، حَامَت حَول رَأسه مَرَّتين قبل أن تَضرِب أذنه بسَخافة، نَدت عَنه رَعشَة في جفن صُبغ بزُرقة الوَرم تبعتها واحدة في أنامِله قبل أن يَفتح عَينيه بصُعوبة، مَيَّز سَقفًا عَاليًا مِن الصَّاج المضلَّع ومَروحة تتدلَّى مِنه وتطِن بَاعثة نَسمات رَطبة، نَظَر يَمينه فَشَاهد ثَلاثَة أسِرَّة عَليها جُنود إنجليز مُصابون بجانبهم مُمرضَتان ترتديان الكمَامَات، استغرق الأمر مِنه دَقائق، حَاول استيعاب مَا أتى به إلى العنبر قبل أن يتراءى له وَجه أبيه، نائمًا على عُشب الحَديقة مُغمَض العينين ومُضرجًا بالدماء، «عبد القادر».. سمع صوت أبيه فَجلَس بَغتَة عَلى السَّرير ثم تدفَّقت الأحدَاث في رأسه دفعة واحدة، النبُّوت في الأوتومبيل.. علبة الكُوكايين.. الرشَّاش عَلى فَخذه.. دواسة الجاز.. المُعَسكَر على بُعد.. المَدفع يُصوَّب نَحوَه.. ثم لا شيء!

تَحامل عبد القادر وحَاول النزول من السَّرير فعَطَّلته قَدَم مَغلولة، انتبهت المُمرضَتان لاستفاقته فاقتربتا، انتَابته العصبيَّة لمَّا لَمسته إحداهُما مُحاولة إثناءه عَن النزول فدَفعها دَفعة عانقت فيها الحائِط وأغرقها بالسّباب، جَرت الأخرى هَلِعَة إلى الخارج تَستَدعي مُساعدة،

لَحظـات ودَخَل طَبيب لَـم يَجرؤ على الاقتراب مِن الثـور الهائِج الذي حَـاول خَلع دعامـة السَّـرير، ثلاثون ثانيـة ودَخَل جُنديان بسِـلاحهما، قاومهمـا بضـراوة أطـاح فيهـا بأحدهما قبـل أن يخبطَه الآخر بدبشـك البندقيـة في ذراعـه المُصابـة، صَرخ ألمًـا فرَكَع على السَّـرير وصوبت الفُوهـة إلى رأسـه، لَحَظـات وأقبل كولونيـل تريڤور، سَـاكِن المَلامِح في زي عَسـكَري مَشـدُود، بهُدوء فَتَح الجِراب وحرَّر مُسدَّسًـا له فوَّهة طويلة، جرَّ كُرسـيًّا ثم جَلس ووضعه على حِجره.. هز رأسـه في أسـى ثم تحدَّث:

- منذ قليل مات «أوسكار».. كلبي الوفي.. سلالة نقيَّة من الإنجليش ماسـتيف.. المِسـكين رأيتـه يومًا وراء يوم يَشـيخ ويَمـرض.. لم أملك مُسـاعدته.. ومؤخرًا انفجرت أوعية عينيه فعاش أعمى آخر سـنتين في حياته! طوال الوقت يتخبط في أثاث البيت حتى يدمى رأسـه وقدماه.. ذلك كان قاسيًا.. اليوم استيقظت مُبكرًا وسمعت أخبار اضطرابات المتطرفين.. تركت المُعسـكر وذهبت للبيت.. أرسـلت زوجتي إلـى صديقتها.. أخرجت «أوسـكار» إلى الباحة الخلفية.. سَـحبت مسدَّسـي وأرحتـه.. أثِق أنَّه مُقـدِّر لما فعلته.. بعد يومين سأسـتقبل «ستافوردشـاير» رماديًّا.. هجينًا قويًّا يصلح للصيد والعراك.. سُرعان ما سيُنسي زوجتي «أوسكار» العزيز.

صمت للحظات أشعل فيها غليونه ثم أردف: هيا يا عبد القادر.. علي أن أهـب «أوسـكار» جنازة تليق بالعِشـرة الطيبة.. هيـا.. أعطني قصَّة.. واحرِص أن تَكون متماسِكة ومسلِّية فمِزاجي بالفعل سَيِّئ للغاية.

لم يَهدأ نَهيج عبد القادر وإن أشاح بوجهه فأردف الكولونيل:

- تدفعني إلى تصَرُّف لَن يُرضيك يا عبد القادر.

- ...

- إذن.. صحـح لي.. أنت لم تذعن لتَعليمات الحِراسَـة.. اقتحمت حـدود المُعَسكَر.. تَحمـل رشاشًـا ألمانيًّـا مَحشـوًّا وفـي أنفك كوكاييـن.. وللتـو اعتديت على ممرِّضة وقاومـت الجنود! إما أن تشرح لي ماذا كُنت تَنوي في دقيقتين.. وإما أُرديك برَصَاصة.

احتقنت عَينا عبد القادر وكَاد يَكسر ضروسه جزًّا فسـحب تريڤور رصاصـة مـن خزانـة مسدَّسه إلى الماسـورة بصوت رنَّـان فابتعدت الممرضتان وتوتر الطبيب والمرضى.

- أعطِني سَبَبًا وَاحِدًا لإقناعي بعَدَم تفجير رأسك.

رائحتا الجُبن والخزي غمرتا أنفه.. ألقاها بألم: كُنت.. أهرب!

- مِمَّن؟

- أهل الحَيِّ الغَاضِبين.

- يعدُّونك خائِنًا هه؟ ممم.. هل تَرى نفسك كذلك؟

أخرسه السؤال فقام كولونيل تريڤور واقترب منه متفحِّصًا وجهه:

- هَل.. ترى.. نفسَك.. خائِنًا؟

لم يَجرؤ عبد القادر على تقديم إجابة، حتَّى لنَفسه، فاستطرد الكولونيل:

- دَعنـي أوضح لك أمـرًا تعلَّمته من الحياة.. بَعض الناس يُشـبِهون الأسُـود.. وبَعضهُم يُشبهون الكِلاب.. وهناك الضباع.. فِئة غريبة

تُرهبها الأسود.. وتفزعها الكلاب.. فئة لا تكسب احترام أي حيوان في الغابة.. كبيرًا كان أو صغيرًا.. هل فهمت شيئًا؟

- أنا مش جبان.

صَاح الكولونيل في عبد القادر: تكلَّم بالإنجليزية.

لم ينطِق عبد القادر.

- لا تريد أن تتكلَّم.. حَسنًا.

قالها وقام، صوَّب ماسورة مسدَّسه إلى رأس عبد القادر، لَحَظات، ثم سحب المسدَّس وتأمَّله قبل أن يودِعه جِرابه.. قال:

- رغم أنَّك لا تختلف عن الرعاع الذين لا يرضون بالحياة الكريمة من أبناء جلدتك.. ورغم أن قتلك أسهل من إطفاء سيجارة لكني سَأكتفي بتركك ترحَل.. من أجل ذكرى «أوسكار».. من يقتل كلبين في يوم واحد؟ لا تدعني أرى وجهك ثانية.

قالها وصفق البَاب وراءه، أغلقه على صدر عبد القادر.

بَعد سَاعة فُتِحت كُوَّة في بَاب المُعسكر الحَديدي، خَرج منها عبد القادر بصُحبة جُنديين مُسَلحين لَفظَاه عَلى بُعد أمتار، قام ولَم يَنظُر وَرَاءَه، توكَّأ عَلى نفسه برأس مُرتَج وعَرجَة مُؤلِمَة حَتى مَرَّ بكُتلة من الحَديد كانَت يَومًا سَيارة كروسلي، اقترب منها مُتفحِّصًا ركامها بأسى قبل أن يَستَخلِص بصُعوبة نبُّوت أبيه من بين الحطام، جُزء من الرأس تهشَّم وتخربشت السَّاق، وَضعه على الأرض وتعكَّز عليه سَيرًا.. نحو العَدَم.

نفس اليوم.. منزل سَعد زغلول

١٠:١٥ صَباحًا

توقَّفت عَربة «الكوبيل» قُرب مَدخل البَيت، نَزل السائس مِن فوق الحصان وهو يتأمَّل المُظاهَرة النِّسائية التي وقفت قُرب المَدخَل، نِساء وفتيات مِن جَميع الأعمَار ارتدين الحَبرات السَّوداء فَوقها بَراقِع بَيضَاء ورَفعن لافتات الاستِقلال والاستِنكار والأعلام السوداء، سَحَب السائس دَرجَات السلَّم الثلاث ثم فَتح البَاب وبَسَط يَده.. اتفضَّلي يا هانِم.. وَضَعَت صَفيَّة زغلول قدمها عَلى دَرجة السلَّم ثم اتَّكأت عَلى كَفه حتَّى لامست الأرض، التفَّت الجموع إليها فتعالت الهتافات في أفواهِهن: سَعد سَعد يَحيا سَعد.

وَقفت السيِّدة تُحيي الجموع اللاتي رمقنها بشَغف قبل أن تتَّجِه إلى باب البَيت، لمَّا أصبحت بجوار البوَّابة طَلَّت مِن بَين الصُّفوف أنثى حَاصَر الكُحل عَينيها الوَاسِعتين فوق البُرقُع.. صَفيَّة هانِم.. صَفيَّة هانِم.. نادت فلفتت النظر ثم مدَّت من وسط الزحام يَدًا خمريَّة تحمل وَرقة مَطويَّة، التقطتها السيِّدة ثُم دَلفت مِن بَاب البَيت قَبل أن تفتَحَها وتقرأ:

«ابنتك دَولت فَهمي مُدرِّسة بمدرسة «الهِلال»، مِن طَرف عزيزة هانِم عبد البر.. المنيا».

قـرأت صَفيَّة الاسـم فتوقفـت قبل أن تُشير لخادِم أن يأتي بالآنسـة صَاحبـة الرِّسـالة، انتزعهـا مـن بيـن الصُّفـوف فمـدَّت الفتـاة يدهـا بفرحة شديدة.

- مُتشكِّرة يا صَفيَّة هانِم.

- أهـلًا يا دولت.. عزيزة هانِـم كلِّمتني عنِّك من تـلات أيام.. مِنين من المِنيا؟

- من أبشاق الغَزال مَركز بَني مَزار.. من إيدك دي لإيدك دي.

- تعالي معايا.

تحرَّكـت دولـت في أثـر صَفيَّة حتَّى دَخلتـا الحَرملـك، صَعدتا إلى الدور الأول المفضي إلى صَالة واسَعة اصطفَّت فيها كراسي الأُبيسون على شَـكل دائرة جلسـت فيها زَوجـات المنفيِّين وسَـيدات المُجتمع، استقرت دَولـت في نهايـة القاعة تتأمَّـل مَن كانت تَسـمع أخبارهن في الجَرائـد وتَرى صور مآدِبهـن وحفلاتهن قبل أن تتابع دورهن في طلب الاسـتقلال، لعبة السياسة القذرة التي طالما شغلت بالها، ها هي صَفيَّة هَانِـم زوجـة الزعيم سَـعد زغلول! هُـدى هَانِـم شَـعراوي زَوجة عَلي بَاشـا شَـعراوي عين أعيَـان المِنيـا وثالث ثلاثة فـي الوفد الـذي ذَهَب للقاء المَندوب السَّـامي، زوجة مَحمَّد باشـا مَحمود عين أعيان أسيوط وأوَّل مـن نـوَّه عن فِكرة تشـكيل الوفد، وغيرهُن! كان ذلـك كَثيرًا على دولـت، اجتاحتهـا الإثـارة ففـارت وجنتها حَـرارة، أنزلـت البُرقع عِند حـدود ذقنهـا فضَربَت نَسـمات الهَـواء خصلـة فاحِمة فَـرَّت مِن تَحت الحَبرة ولاحَت قسـمَاتها الخَمريَّة المتناسِقة؛ شـفتان مكتنزتان داكنتان

فوقهما عينان واسعتان عسليتان، تحسبها أميرة فِرعونيَّة اكتسبت بَعض الوَزن، يَا الله! زَفَرت بِهَا في سِرِّها وهيِ تتابع الوُجوه.. يَا لَيتَ أهل بَلدي يَعلمون بِما حَدَث لي في القاهرة، هَل كان يتوقَّع أي مِنهم أن تَصير وَاحِدة من آل «فهمي» مُدرِّسة في أم الدُّنيا مصر؟ هَل كان يتوقَّع أي مِنهم أن تَحضر فتاة بَني مَزار اجتماعًا بذلك القَدر مِن الأهمَّية؟ سَأحكِي لَهُم حين أعود وسَيلتفّون من حَولي ليَسمعوني مدهوشين، سَتفخر بِي أمِّي، ويَاسين أخي كثيرًا، كَم أفتقده! لَولا الأحداث ما تَأخَّرت عن لُقياه لَحظَة، لكنَّها لحظة فارِقة في التاريخ، سَيَعذُرني.

أفاقت «دولت» من شُرودِها لَحظة بَدأت صَفيَّة هانِم في الكلام، كانت تجلس بجانب هُدى شَعراوي:

- أحبَّ في الأول أعرَّف حَضراتكم التطوُّرات، البَرقيات اللي بَعتناها باسم سيدات مَصر لحَرم المَندوب البريطاني طبعًا مَفيش رَدّ، كُل اللي حصل إن أعضاء الوفد عَجبتهم الصيغة وحفظوا منه نُسخة في مَحضر جلسة أوِّل إمبَارح!

أردفت هُدى شَعراوي: الاحتجاجات والبَرقيات ما عَادتش تنفع يا هَوانِم.. الستات لازِم تشارك.. لازِم ننزِل الشَّارع.

انطلقت هَمهمات مُستنكِرة من السيدات قبل أن تتكلَّم سَيّدة لَم تتعرَّف عَليها دَولت:

- يَا صَفيَّة هَانِم أنت عَاوزة الستَّات تنزِل الشارِع؟

صَفيَّة: ومَالوا لما ننزل الشارع؟

أردفت السيِّدة: أنا مَا مشيتش في الشارع من سَاعة ما كُنت عيِّلة صغيَّرة.. ده إحنا نتبهدِل!

قالت صَفيَّة: هو فيه بَهدلة أكبر من اللي حَصَلت للبَشوات يَا صِدِّيقة هَانِم؟

رَفَعت زوجة محمَّد باشا مَحمود صَوتها: إحنا في وضع استثنائي.. أنا مع نزول الشَّارع أكيد.

عَلا صَوت سَيِّدة بَدينة على قبَّعتها ريشات طويلات: أنا شايفة نستنَّى لمَّا نشوف هايحصل إيه؟ دي خَطوة مِش هيِّنة.. هايقولوا علينا إيه؟ ده غير البَصبَصة اللي هانشوفها من قُلالات الحَيَا والإنجليز.. الوفد مَا يتهيَّأليش يوافِق ع الكلام ده.. لَو كَان سَعد بَاشا مَوجود ماكانش هايوافِق الستَّات تنزِل.

صَفيَّة: سَعد باشا قال إن ثورة من غير ستات ما تبقاش ثورة.

أردف صَوت آخر: فيه سِتات هاتطلق لو نزلوا.. ده خراب بيوت.

كان ذلك فوق احتمال دولت، فلت زِمام صبرها فقامت ورفعت صَوتًا يَليق بأقاصي الصَّعيد: الراجِل اللي يطلَّق مراته عشان نزلت تتظاهِر يبقى مش راجِل.. وما تصحِّش العيشة مَعَاه.. الستات في بلدنا خلعوا قضبان القطر مَع اجوزاتهم.. لازمن نِنزل.. إن شالله الإنجليز يِضربونا بالنار.

صَمت الجَمع والتفَّت الرءوس إلى دولت التي اقشعر جِلدها كجِلد إوزة من الخجل فرمقت صَفيَّة هانِم في استغاثة فقامت من كرسيها محتدَّة: آه.. يِضربونا بالنار.. ولو سِت واحدة حَصلَّها حاجة البَلد هاتولَّع.

قامت هُدى شَعراوي حَاسِمة الجَلسة:

- أنا هانزِل الشـارِع، دَه قرار اتَّفقت عليه مع صَفيَّة هَانِم قبل ما نقعد القعدة دية، هانتجمَّع دلوقت في جنينة جاردِن سـيتي ونتحرَّك من هناك على القنصليات، اللي عاوزة تتفضل تيجي أهلًا بيها، واللي مش عاوزة خليها في البيت تستنَّى الفرج.

انفضَّـت الجلسـة وتفرَّقت النسـوة، القلَّـة الرافِضة رَكبـن عَرباتهن رَاحِـلات، والبقيَّـة الموافقات نزلن مُلتحِمات بالجُمـوع الواقِفة خارج البوَّابـة، يَنظـرن لصَفيَّـة زغلول بانبهـار وحين أنزلت الحِجاب كاشـفة وجهها اشـتعلن حَماسـة، دَولت كَانت وراءها تتابع المشـهد، مُنتشـية لا تصدِّق عينيها، كَشفت وَجهها ورفعت علمًا فاحتضنتها صَفيَّة هامسة في أذنها:

- أنت بميت راجِل يا دولت.

حُشِـرَت الكلمـات فـي فم دولت من الحَمَاس وارتعشـت شـفتاها بابتسـامة قبـل أن ترفع صَفيَّـة يدها بالتحيـة لعبد الرحمـن فهمي الذي نـزل للتـو من عربته واقترب، حيَّا صَفيَّة فهمسـت فـي أذنه: دولت بنت مُتميِّزة.. مستخسراها في المظاهرات.. خلي بالك منها.

هز الرجل رأسه في إيجاب وابتسم: بتشتغلي إيه يا دولت؟

- مُدرِّسة إنجليزي في مَدرسة الهِلال.

- حاجـة لطيفـة خالـص.. أنـا عَـارف المَدرسـة.. هاكـون علـى اتصال بيكي.

ابتسمت دولت بفرحة حقيقية وشكرته قبل أن تودِّع صَفيَّة هانم لتلتحِم بالسيِّدات، سِرن في خُشوع مَهيب، مَوكِب عَلَته الأعلام السَّوداء احتجاجًا على نفي سَعد والقتل المُستمر للمتظاهرين، ذُهِل أبناء البلد قبل أن يُذهل الجند الإنجليز وتُخرِسهُم المُفاجأة، السيدات والفتيات يسرن في مظاهرة! يهتفن بسُقوط الإنجليز بوجوه مَكشوفة وأصوات عالية تخطَّت الحِجاب!! التفَّ حَولهن الشَّباب والرجال يَحمونهن ويوفِّرن لهن سَلامة الطَّريق إلى القنصليات، تصدَّعت حنجرة دَولت من الصراخ: «عاش سعد» «يسقط الاحتلال»، وبَعد دقائق باتت المُظاهرة بالمئات بَعدما نزلت رَبَّات البيوت مِن بروجهن وانضمت طالبات المَدارس، كُلَّما وَصَلن أمام قُنصُليَّة هتفن وقدَّمن ورقات الاحتجاج واستنكار الاحتلال.. لمَّا رجعن إلى بيت سَعد زَغلول ضَرَب الإنجليز نِطاقًا حَولهن لإيقاف المَسيرة، سَدَّدوا إليهن البنادِق وحَاصَروا الشباب الذين يَحمُونهن، لثلاث سَاعَات كَامِلة ظلَّت المُظاهرة تضطرِم تحت وَهَج الشمس، لم يتوقَّف الهتاف لَحظة حتى جاء الأمر فضيَّق الإنجليز الحِصار ودفعوهُن دَفعًا بحِراب الجنود ومن ورائهم الخيول حتى وهنت القوى وتفرَّقت الجموع بَعد يوم لم يَكن أحد ليتخيل أن يأتي.

«سيدات مِصر تنتفِضن ويخلعن البراقِع ويسرن في مظاهرة رافعين أعلام الأُمَّة!».

ذلك اليوم رجعت «دولت» إلى شقَّتها المؤجرة، خلعت حبرتها وبُرقعها وارتمت على السرير وقد نسيت قلبها وعقلها «عنوة».. في بيت الأُمَّة.

خَرَجَ الغَواني يَحتججن ... ورُحت أرقُب جَمعهنه
فإذا بهن تخذن من ... سود الثياب شعارهنَّه
فطلعن مثل كواكب ... يَسطعن في وسط الدُّجنَّه
وأخذن يجتزن الطريقَ ... ودارُ سعد قصدهنه
يمشين في كنف الوقار ... وقد أبَنَّ شعورهنه
وإذا بجيش مقبل ... والخيلُ مُطلقة الأعنَّه
وإذا الجنود سيوفُها ... قد صُوِّبتْ لنحورهنه

حافظ إبراهيم

نفس اليوم

اليوم التالي

لم يكُن عَليه أن يَقرَع؛ فبَاب البنسيون ما كان ليَنغلِق، رأته بَنبة يُقاوم السُّقوط مُستندًا على نبُّوت أبيه فهَرعَت حَافية والتقطت ذِراعه، ارتمَى عَلى الكنبة صَامتًا فالتفت حَوله العَاهرات يَخبطن صُدورهُن قلقًا، أطرَق برأسه إلى الأرض بعَينين تحجَّرتا وشُحوب كشحوب المَوتى، أتينه بمَاء شربه ثم تقيَّأه على صَدره قبل أن يَسنِدنه إلى الحمَّام، أكمل إفراغ مَعِدته ثم جَلس على كُرسي قَصير وتولَّت بنبة صَبَّ المَاء فوق رأسه، نَزل مِنه تُراب وعَرق ودِماء قبل أن تُلبسه جَلابية وتُسجيه على سَرير، أمسَكَت بوركي فرخة فشختهما ثم ناولته فأبعد يَدها.

- يوه!! لازِم تتأوِّت يا عبد القادر أنت مِتصاب.. وَحِّد الله في قلبك.. هُو إيه اللي حَصَل؟ سَلامة بيقول انّك جريت بالنبُّوت بَعد ما بصِّيت عَ المَرحُوم.. يا حول الله يا رب.. أنا قلت الإنجليز نشُّوك ولَّا حبسوك.

لم يَفقه عبد القادر ما قالت، صَوتها كَان هَمهَمات بلُغَة هنديَّة، عَقله لا يَكُف عن استدعاء صُورة أبيه، تُداهِمه بَاردة شَاحِبة كأطرافه التي لامَسها، لا يَكاد يُصدِّق أسطورته التي تقوَّضت، دُنياه التي تداعَت، العالم الذي كان مُستقرًّا فتشقَّق وانفلق، يُضنيه ويُصليه إلحاح عقله في اختلاق قِصَّة مُتماسِكة تحفظ ما تبقى من ماء وَجهه الذي انسكب تحت قدميه وتبخر، قصَّة يَرويها لحَظة عَودته للحَي مُستقبلًا التعَازي في مَقتل أبيه بيد الإنجليز! الإنجليز الذي كَان يتباهى بصَداقتهم وخدمة مُعسكرهم! أغمَض عَينيه بألم مُحاولًا استيعاب مَسرحيَّته الهَزلية الرَّديئة التي لن ترقى لتُعرض على مَسارح شارع عِماد الدين، وقرار عَودته للحي الذي أصبح ضَربًا مِن الجنون.

انتشلته بنبة من وحشة أفكاره:

- يا عبد القادر بزيادة قلقتني! إيه اللي حَصَلَّك؟

اتَّخذ الأمر مِنه لَحظَات ليفتح فَمه: أبويا مَات.

استوقفت الكلمة «ورد» الهائِمة في الطرقة، تسير مستندة بأناملها على الحائط الطويل محاولة الاتزان، رَجعت، جَلست القرفصاء بجَانب الباب تسترق السَّمع حين أردفت بنبة:

- منا عارفة إن أبوك مات الله يرحَمه.. وبَعدين؟

ابتلع ريقه بصعوبة ثم تكلَّم بعينين زائغتين وابتسامة مَحمومة:

- سَحَبت النبُّوت وركِبت الأوتومبيل.. عبِّيت الرشَّاش وجريت عَ المُعسكر.

- يا لَهوي!! وبَعدين؟

- ضَربت كل اللي واقفين بالنار.. كلُّهم.. غربلتهم.. وكَسَّرت بَاب المُعسكر ببوز الأوتومبيل.

رمقته «وَرد» مِن طَرف الباب وهو يَحكي.. عَيناه الذاهلتان ويداه المُرتعشتان أثارت انتباهها.

- دَخَلت على بَراميل الجاز المَرصوصة.. بطلقة واحدة ولعت الدنيا.. واللي يجري أنشّه.. أنشّه.. لغاية ما خلَّصت عَ المُعسكر كُله.

انتهى عبد القادر ولم تُبد بنبة ارتياحًا لِما قال، رَمَقته بابتسامة عَصبية قَبل أن تجس جبهته فوجدتها دافئة، لوت شفتيها قبل أن تُغطِّيه.

- معلش.. طول عُمرك راجِل يا عبد القادر.. نام لك سَاعتين كِده عَشان تفوق.

أغمض عينيه فخرجت، توارت ورد حتى مرَّت بنبة قبل أن تتسلَّل إلى الغُرفة، اقتربت من عبد القادر مجاهِدة سَلاسل ثقيلة مَربوطة في قدميها من أثر الأفيون في دمائها، تأملت جُروحه والنبُّوت المَكسور بجانبه فمدَّت أصابِعها إليه فضولًا حين فتح عَينيه بَغتة وقبض يَدها بقسوة، تلاقت نظراتهما للحظات لم ترمش فيها جُفونهما قبل أن تترك النبوت كما كان فحرَّر عبد القادر يدها فانسحبت خارجة كورقة تترنح في مهب الريح.

الاثنين ١٧ مارس

- مُظاهـرة كُبـرى في القاهرة أبلـغ مُنظِّموها الحكمدارية بخط سـيرها فوافق الحكمدار على التصريح لهم، مَشت المُظاهرة وفيها كل طوائف الأمة من عُمَّال ومُوظَّفين وطلبة هَاتفين بالحرية، استمرت المسيرة ثماني سـاعات ثـم حـدث إطلاق نـار تجاهها من نافـذة رجل أرمنـي، صَعـد المتظاهرون بنايته فقتلوه وأحرقوا بعض مَحال الأرمن والأجانب قبل أن يُسيطر منظمو المظاهرة على العنف ويوقفوا مَوجة الغضب.. بصعوبة.
- القاهرة أصبحت معزولة تمامًا بعد قطع خطوط السكك الحديدية.

قلعة بولفاريستا.. مَالطا

القلعـة العَتيقـة كانت على ربـوة مرتفعة، حوائِطها مَكسـوة بالحَجَر ومُحاطة بسور عَالٍ له بَاب حَديدي يَحرسه فريق من الضبَّاط المَالطيين ببنادق طويلة لها حراب مدببة، في الحديقة الوارفة جَلس سَعد زغلول على كُرسي أمام مِنضدة فوقها قهوته، شَاردًا يَرمُق رماد سَيجارته تحت أصابعه يتراكم وتوشِك النار المُقتربة أن تطول جلده.

مُنذ حَضر إلى مالطا باتت الأيام كلها سواء، نهارها كليلها لا أحداث فيها إلا الوجبات بين رفاقه على مائدة الشيف الألماني الذي استأجروه

وأدوار الكوتشينة أو الشطرنج التي تتخللها تبادل الجرائد المهربة إليهم من مصر، يقرءون فيها تطور الأحداث ويطرحون مخاوفهم واقتراحاتهم المتباينة قبل أن تشتعل الكلمات في الهواء فوق رءوسهم، اختلافات فكرية لم يلحظها خلال زمالتهم في مصر، الاستئثار بالرأي، بالزعامة، العِناد، التكتل، الاتهامات المتبادلة، والخصام في أحيان كثيرة! ساعات متوترة قابلها سعد بالصمت أحيانًا وأحيانًا بعصبية مريض سُكَّر، يترك المكان بعدها ويستأذن الحراسة فيرافقه فردان بأسلحتهما بعدما يمضي تعهدًا بعدم الهروب، يتفسح في الجزيرة سيرًا على الأقدام وهما من ورائه، يَشتري بعض الأعشاب التي تخفض السُّكر في دمائه ويقابل عددًا من المالطيين والأجانب المتعاطفين مع القضية، يصافحونه في حفاوة وينثرون عليه دعواتهم، قبل أن يَعود ليشرب قهوته ثم يجلس ليسطر بعض ما حدث في مذكرات تعوَّد أن يكتبها منذ سنة ١٩٠٧، مذكرات استهلَّها بعبارة: «ويل لي من الذين يطالعون من بعدي هذه المذكرات».. أوراق صريحة تحمل بين طياتها مُحاولاته المُستميتة للتخلص من عادة القمار.. كواليس نزاعاته مع الإنجليز والخديوي أثناء توليه الوزارة.. أخبار محصول القطن السنوي في أرضه ومَصاريف بيته بالقرش وتقرير دوري عن حالته الصحية.. رأيه الصريح في المُقربين منه حتى وإن كان جارحًا ورغبته الحقيقية في رَكل مُؤخرة كل مُحتل يَسير فوق أرض تلك البلد.

قَطَع شروده صَوت آت من البوَّابة، دَب النشاط في عَينيه فأطفأ سيجارته وهو يتأمل الحَارس المَالطي يُدخِل الضيف، شابًّا وَسيمًا مُهندمًا، اقترب حَاملًا بين يديه كرتونة صَغيرة الحَجم:

- صَباح الخَير يا سعد باشا.. مَجلات وجرائد الأسبوع.

- أشكرك جزيلًا.

بفرنسية ضعيفة استأذن الحَارس المَالطي في تفتيش الكرتونة التي أتى بها الضيف فوافق سَعد، غَربلها ولَم يَجد فيها سوى الجرائد والمجلات فاستأذن الضيف من سَعد ورَحَل، أخذ الأخير الكرتونة ودَخَل إلى البيت، اتَّجه إلى غرفته وأغلق على نفسه الباب بالمفتاح، فَضَّ الكَرتونة وأزاح الجرائد قبل أن يلتقِط مجلة اجتماعية، قلَّب الورقات حتى توقف عند الصَّفحة الثامنة عشرة، أشعل «وابور سِبرتو» صَغيرًا فوقه مِكواة حديدية، مَا إن طالتها السُّخونة حتى كَبسها على الورقة، ثوانٍ واحمرَّت المَسَافات ما بين السطور، ثم أصبحت أقرب للبنِّي الغامِق قبل أن تتَّضِح الكلمات؛ كَلمات عَربية مكتوبة بخط يَدوي رفيع.

سري.. رقم ٢

> **أطلب الإذن لتمويل عمليات مَحدودة تترك أثرًا في أصدقائنا لدفع القضيَّة.**
>
> **عبد الرحمن فهمي**

قرأ سَعد الرسالة مَرَّات قبل أن يَقطع الصَّفحة مَع عِدَّة صَفحات عَشوائية من مجلات أخرى ويَحرقها.. تابع اللَّهب الأزرق يتصاعد حتى خبا وباتت الورقات رمادًا جمَّعه في قبضته وخَرَج إلى الحديقة..

أطلقه في وجه الريح فابتلعته ثم أشعل سِيجارة وهو يَسترجع سبعة وثلاثين عامًا مضت.. بَقايا ثورة مَبتورة بقيادة عُرابي.. استرجع أيام سجنه.. أيامًا آمن فيها أن العُنف هو الطريق الوحيد للتغيير حِين تُسد كُل الطرق.. نرتكِب أحيانًا أخطاء صَغيرة لنتفادى أخطاء أكبر.. القَرار مَصِيري والتصعيد سِلاح ذو حدَّين.

أحدهما بالفِعل عَلى بُعد سَنتيمترات من قلبه.

قبل أن تنتهي السِّيجارة دفنها ودَخَل المَطبخ.. التقط فَص ليمون.. بَصَلة.. عَصَّارة وزُجاجة خَل.. ثم دخل غرفته وأغلقها.. كَما في تعليمات رسالة عبد الرحمن فهمي السابقة فَعل.. عَصر الليمونة وورقة البَصل على بعض الخل وقلَّبهم بسِنِّ ريشة رفيع قبل أن يلتقِط كِتابًا عتيقًا وينتقي صفحة بعينها ليَكتب ما بين السطور ردًّا.

بيت سَعد زغلول

١١:٠٠ صباحًا

حَضَر أحمد في مَوعده تمامًا، سَأل الخَادِم المتوتِّر عن عَبد الرَّحمَن فَهمِي فناوله رِسَالة اعتذار عن التأخير ورجاه الانتظار في الحَديقة حتى يَجيء، وَقف بِضْع دَقائق في ظِل شَجرة يتأمل البَيت الكَبير ثم تمشَّى، انغرس حِذاؤه في عُشب لم يُشذَّب مُنذ أسابيع قبل أن تسحَبه عَيناه لعَربة سَعد بَاشا التي تقف أمام الإسطبل، بلا حصان، اقترب يتأمَّلها حين التقطت أذناه حَمحَمة فَرس، دَلَفَ من البَاب المُنفرج فلَمَح ثلاثة أحصِنة تطل رءوسها من المَرابِط ويَد أنثى تُداعب جَبهة الأبعد، لَم يُصدِّق عينيه حين تبيَّن صَاحبتها، تسمَّر مَكانه يُسجِّل اللَّحظَة، يَرجو الثواني ألا تمُر أو تنقضي، بحَذَر تابع عُودها الأشبه بقارورة انسيابية، حذاءها العَالي الذي أيقظ منحنياتها، وأصابعها التي أخرجت قالب السُّكَّر من كِيس صَغير وقرَّبته من الفَم، لَحَسَها لِسَان عَريض فضَحِكَت ببَراءة وربتت على صدغه الهائل بخفَّة، ثوانٍ والتقط أنفه رائِحة قرنفل مَمزوج بخوخ وياسمين.

- ده «ميتسوكو»؟

التفتت نازلي ناحيته بَغتة، تأمَّلته ثواني قبل أن تنفُض يَديها من بقايا السكَّر.. بدون أن تنظر في عينيه سألت:

- بياع عطور؟

ضَحـك أحمد فاقترب: لأ، كُنت في شـيكوريل سَـاعة ما نزلوا أول إنتـاج منها، عَجبني شـكل الإزازة وخلطة القرنفل بالياسـمين والخوخ فسـألت عـن الاسـم، عِرفـت إنـه اسـم بطلـة يابانية فـي رواية اسـمها «المعركة»؛ زوجة قائـد حربي وقعت في حُب ظابط إنجليزي، ودارت معركـة حربيـة بينهما، طـول الرواية هي في انتظار ميـن اللي هايرجع.. حبيبها ولَّا الزوج.

- وطبعًا الحبيب الإنجليزي هو اللي بيرجع؟

- غالبًا.. أنتِ عارفة الإنجليز ما يحبوش يخسروا أبدًا.

- وعادةً كل ما يِعجبك عِطر بتسأل عن قصته؟

- أي شـيء ينجـح في شـد انتباهي ما بسـيبوش غير لمـا أعرف كل حاجة عنه.

أربكتها نظرة عينيه الثابتة فأردفت: فُرصة سعيدة.

قالتها واتَّجهت إلى باب الإسطبل خارجة.

- أنتِ عَارفة إننا اتقابلنا قبل كِده؟

أبطأت خُطواتها وإن لم تلتفِت فأردف:

- سنة ١١.. شُفتك مَع صَفيَّة هَانِم في الجِنينة.

نَجَحَت الكلمات في جَعلها تلتفِت، أعطَت ظَهرَها للشـمسِ فصُبغ شَعرها فِضَّة وتخلَّلته الرِّيح فتموَّج متناثرًا عَلى وَجه تشرَّب حُمرة.

- وأنا اللي شِلتك أول يوم المُظاهرة.. يُوم ما أُغم عليكِ لمَّا...

- افتكرتك.

قالتها وانحَرَفت إلى مربط آخر ومدَّت أصابعها لجَبهة مُهرة تُداعِبها.. أردف:

- أحمد كيرة.

- نازلي.

- عندك أخبار عن سَعد باشا؟

هزَّت رأسها نفيًا ثم استطردت: أنت بتعمل إيه هِنا؟

- عَندي مَعاد مع عَبد الرَّحمن بيه فهمي.

- بتشتغل عَنده؟

- لأ.. أنا باشتغل في مَدرسة الطب. لكن إحنا أصدقاء.

اقترب منها لمسافة لاحَظ فيها ارتعاش أصابعها، جَاهدت لتمنع نفسها من النَّظر في عينيه، مَدَّ يَده ودَاعَب عُنُق المُهرة فنفرت واضطربت قبل أن تربت عليها نازلي مُهدِّئة.

- مش مِتعوِّدة على الأغراب.

- لما تِعرفني هاتتعوِّد.

ارتعشت أصابعها: وهِي ليه تِعرفك؟

- المُهرة تحب اللي يفهمها.. باقدر أحس بيهم.

- وأنت حسيت بإيه لمَّا شُفتها؟

- المهرة دي جَريئة.. بَس مَحبوسة.. نفسها تشوف الدنيا.

تهدجت أنفاس نازلي: هي بتتفسَّح زي ما هي عاوزة.

- مَع سَايس؟

- ممم.. مَع سَايس طبعًا.

- جرَّبت مرة تمشي لوحدها؟ تروح مَسرح تتفرج على رواية مثلًا!

دارت ابتسامة بين شفتيها: خيالك واسع!

- الخيل أصلًا بيئته برية.. بيعشق الحُرية.. والعيشة في روتين إسطبل ولو كان جنَّة أكيد ملل.. المُهرة دي مِستنية فرصة.

قالها أحمد ورفع مِزلاج الباب الخَشبي فابتعدت نازلي والمُهرة خُطوات إلى الوراء تحفزًا:

- أنت كِده بتخوِّفها.

لم يجبها.. مَدَّ يَده للمُهرة فاضطربت حَركتها قبل أن يَجلِس على ركبتيه بثًّا للطمأنينة.. لَحظات من الترقُّب قبل أن تأخذ المُهرة خُطوة نحوه.. فخُطوة.. حتَّى بَات عُنُقها في مُتناول يَده المَمدُودة.. رَمَقته ببؤبؤ وَاسِع من بين خُصلات داكنة مُنسدلة على وَجهها ثم أحنت رأسَها ودَاعَبَت كفَّه المَمدودة.. بُهِتت نازلي وأخفت الإعجَاب في راحة يدها.. قام أحمد ورَبت على عُنُق المُهرة فتمسَّحت به قبل أن يلتفِت لنازلي التي لم تنزل عينيها عن عينيه.. لحظات لم يعرفا كم طالت قبل أن يقطعها الخادِم حين دخل الإسطبل.. حَدج نازلي باستغراب ثم رَمَى أحمد الذي يقف في غير منطقته بنظرة ضيق:

- يا أفندي اتفضل في الجنينة.. عَبد الرحمن بيه وَصَل.

خرج أحمد من المربط بعدما مَسح على المُهرة، ابتسم وهزَّ رأسه تحيَّة لنازلي حين عَبَر بجانبها فبادلته ابتسامة مضطربة، عَبد الرحمن فهمي كان واقفًا في انتظاره حَاملًا في يَده حقيبة جلدية، تمشيا حتَّى السلاملك ثم نزلا بدرومًا، غُرفة غسيل لكنها كَافية لاحتواء ما سيقال، أغلق عبد الرحمن الباب ثم جَلس وفتح حقيبته وأخرج منها كتابًا، توقف عند صَفحة بعينها وناوله لأحمد، مَا بين السطور قرأ تلك الكلمات:

رِسَالة ٤.. مِن مَالطة

> «أخبار ما حَصَل من مظاهرات عقب قيامنا ومِن أجل إبعادنا مَلأت قلوبنا سُرورًا وابتهاجًا، حتى كَادت تحبِّب السجن إلينا، وأفعمتنا شُكرًا لأمَّتنا وهَانت عَلينا نفوسنا نفدي بها البلاد.. نَعم، مَازج هذا السُّرور كثير من الأسف على النفوس التي أزهِقت، والمُدُن التي أُحرقت، ولكن أي مَجد قَام بغَير هَذه التضحِيات؟! وأي أمَّة بَلغَت مُناها، بغير أن يُخاطِر أبناؤها بأعزّ مَا لديهم؟ لقد سَاءنا أنْ تَداخل بعضُ الأشرار في الحَركة وارتكبوا جَرائم فظيعة، ولكن متى هَاجت الأمم فلا يَعلم إلا الله مِقدار هيجانها!
>
> ولكن المسئول عن هذا الاختلال هُم الذين أسَاءوا إليها من قبل».

- أنا فهمت الجُملة الأخيرة صَح؟

هزَّ عبد الرحمن فهمي رأسه مُوافَقةً: نقدر نبدأ إمتى؟

- فورًا.

- هَانحتاج عَمليات فردية تأثيرها قوي.. تجبر الوفود على سماع صوتنا في المؤتمر.. لازم يحسوا إن وضع الإنجليز في مصر غير مُريح.. والعالم يسمع أخبار كراهيتنا ليهم.

- فيه أسمَاء مَطروحَة؟

- أنا جهِّزت اسـم نبدأ بيه.. هَدف صَعب لكن مُؤثر وسُـمعته عالية مـن وقت الحـرب.. واصلة للملك نفسـه في إنجلترا.. المُشـكلة الأساسية إن تنفيذ العملية هايكون مَحصور في يوم واحد بَس في الشهر.. وبالتحديد خمس دقايق في اليوم ده.

- خمس دقايق؟!

- شـخصية قاسـية جـدًّا على نفسـها.. مَا بياخدش إجـازة غير يوم واحد بس.. ما عَندناش غير دقايق مَحدودة ممكن نصطاده فيها.. لحظة خروجه من البيت.

قالهـا ثـم أخـرج ورقـة صغيـرة فيهـا اسـم قـرأه أحمد ثـم نظـر لعبد الرحمن فهمي.

- هي شَـخصية تستاهِل رغـم صعوبـة التنفيـذ.. هابدأ في دراسـة المكان فورًا.

- الناس اللي مَعاك واثِق فيهم؟

- جدًّا.

- بالتوفيق يا أحمد.. البنت دولت اللي سلمتها لك.. أخبارها إيه؟

- شـاطرة.. بتساعد حاليًا في طبع المنشورات وتوزيعها جوا أماكِن الحريم وفي المدارس والمستشفيات.

- خلي بالك منها عشـان دي من طرف صَفيَّة هانم.. هاتحتاج نقدية قد إيه للفترة الجاية؟

– طبنجتيـن.. حَوالي خمسـة جنيه.. وبحوالي اتنيـن جنيه رُصاص وكيماويات عشـان العبوة الناسفة.. وجنيه كمان للورق والمطبعة وشوية نثريات.

أخرج عبد الرحمن فهمي ثمانية جُنيهات من ظرف في جيبه، ناولها لأحمد ثم انتزع رسالة سَعد من بين صَفحات الكتاب وأشعل فيها النار ثم وضعها في المنفضة.. أردف:

– أحمـد.. فيه حاجـة لازم نتكلم فيها.. في حالـة لا قدر الله لو حد فيكم اتمسك.. سَعد بَاشا والوفد مالهمش أي علاقة بالموضوع.

دسَّ أحمـد الورقة التي تحمل اسـم الهدف في المنفضة المُشـتعلة بجانب رسالة سعد حتى تفحَّمَتا مَعًا.. أردف:

– مين سعد باشا ده أصلًا؟

بَعد أسبوع

٧:١٥ صباحًا

تولَّت النوبة الأمشيرية صَبغ مَدينة الإسماعيلية بالغُبار.. رَكَعَت الأشجار أمام الرِّيح المُتربة وخَلت الشوارِع مِن المَارة وتعفَّرت الأسواق ومَراكِب الصيَّادين.. فِي الحي الإفرنجي وقفت السيَّارة الأوستن أمام مَدخل الفيلا.. بداخلها سَائِق يجلس خَلف المقود ويقف بجَانبها حَارس مُسلَّح يَمسَح الشارع بعَينين متوتِّرتين وفوَّهة مُتربِّصة.. يترقَّب خروج سيده.. لحَظات من السكون انقضت قبل أن تلوح عَربة بطاطا تُظلِّلها سَحابة دُخان رائِحتها حريق.. تمَّم الحَارس عَلى سِلاحه وهو يُراقب القادِم حتَّى لاح عَجوز مِن وراء العَربة.. ذَقن أبيض وجِسم نَحيف في جلباب واسِع.. استرخى الحَارس لمَّا قرأ الوَهَن في ملامِحه.. كان ذلك حين بَرزت عَربة حنطور من الاتجاه المُقابل.. يَقودها شاب تلفَّح بشَال أخفى نِصف وَجهه دَراً للأتربة.. قَابِضًا لِجَام فرسِه مُخففًا سُرعته: مَعسلة أوي يا بطاطا.. صَاح بها بَائِع البطاطا حين أصبح بجَانب السيارة الأوستن.. مَدَّ يَده بدَاخِل المَوقد المُشتعِل فتوتَّر الحَارس: you امشي.. قالها بحدَّة.. ارتسمت آيات الجَهل في وَجه العَجوز فرَفع الحَارِس بندقيته ووجَّهها إليه مُتوعِّدًا فأخرج بائع البطاطا يَده بثمرة سَاخِنة شقَّها نِصفين قبل أن يَضعها فوق وَرقة صَفراء ويمدَّها للحارس متمتمًا: نفَّعنا يا خواجة.. كان ذلك حين

خرج كولونيل «تريڤور» في زيه العَسكَري مُقتربًا بخُطوات واسِعة من سيارته.. مُمسِكًا كلبه الستافوردشاير الرمادي الجامِح بحزام غليظ.. لَمَحه السَّائِق فنبَّه الحارس الذي اقترب من البوابة ليُؤمن خروج سيده ويَحمِل عنه حقيبته.. مَا إن وطئت قَدما «تريڤور» بَلاط الشارِع حتى دَسَّ البائِع يَده في كومة البطاطا النيئة فأخرج عبوة ناسفة يَدويَّة الصُّنع.. في نفس اللحظة التي استل فيها عَربجي الحَنطور مُسدَّسًا مُخبأً في ظَهره وقام على عربته.. وإذا بمُلثَّم يخرج من العَدَم ويندفِع فجأة تِجاه الكولونيل! يركض بسُرعة جنونية شَاهِرًا سَيفًا مُستقيمًا مُسنَّن الحَوَاف أقرب لمِنشار مربوط في راحته.. وفي يَده الثانية مُسدس ساقية.

ضَربت المُفاجَأة الجَميع! عَربجي الحنطور وبائع البطاطا والحارسَيْن وحتى الكلب!!

ثم حَدَث كُل شيء في عشرين ثانية.

الـ«ستافوردشاير» الرمادي كان أول من تحرك.. أفلت من قبضة سيِّده وانطلق تجاه الملثَّم بمَخالب تخربش الأرض.. فك الحَارس الشخصي للكولونيل أسر مسدسه وصوَّب.. قفز الكلب تجاه الملثم فشق سيف الأخير لحم رأسه قبل أن يشطر عينه اليُسرى.. سَقط الكلب على الأرض متمرِّغًا يَصرخ في ألم حين ضغط الحارس زناده فانطلقت رصاصة أخطأت الملثَّم الذي باغت الحارس بطلقة أركعته على الأرض قبل أن يتلقَّى رَصاصة أخرى مِن عَربجي الحنطور الذي تدارك الموقف.. بائِع البطاطا أفاق من صدمة ظهور الملثَّم المُباغت فارتمى خلف عربته متحاميًا بعد أن ألقى العبوة الناسِفة في حِجر سائِق السيارة الذي رفَع مدفعًا رشَّاشًا فوق النافذة واستعد أن يُطلِقه تجاه الملثم.. الذي أصبح وجهًا لوجه أمام الكولونيل.. ثم دَوى الانفجار!

انتفضت السيَّارة شِبرًا فـوق الأرض ثم سـقطت.. تناثرت أشلاء السَّائِق والزجاج المُحطَّم المُخضَّب بالدماء وأُلقي بالكولونيل والمُلثَّم أرضًا قبلَ أن يَقوم الأخير والنار مُشتعِلة في ذِراعه وقد تكشَّـف وجهه بعدمـا سَـقط لِثامه.. نَظَـر إليه الكُولونيـل في غضب ممـزوج برعب.. عبد القـادر!!! ثم هَمّ بإخراج مُسدسـه فتلقى من عبد القادر طلقة بترت نصف راحته.. صرخ في هلع مصدوم قبل أن يخرسه نصل مشرشر هوى على العُنُق فأحدث قطعًا أقنع عبد القادر أن يلتفت لذِراعه المُشتعِلة.. أطفأهـا فـي التراب فسَكَن كل شـيء بَعدها دُفعـة واحِـدة.. تابع عينَي الكولونيـل الجاحِظتيـن ورقبته التي تعرَّت عُروقها.. يداه المتشـنِّجتان تحـاولان وقف الدمـاء المنهمرة، وفحيح يائس يحاول اسـتدراك حياة تُراق.. لحظات قصيرة وهدأت الرعشـة.. خمد الإنجليزي.. كان ذلك حيـن التقطت أذنا عبد القادر خربشـات الكلب علـى الأرض تقترب.. التفت فرأى وَجهًا مَشـطورًا يُزمجر ودماء مختلطة بلعاب يتناثر.. وَثَب الكلـب فدوت الطلقـة من عربجـي الحنطور.. اخترقـت رأس الكلب فجثـم فـوق صدر عبد القـادر أرضًـا.. نَظـر الأخير في ملامِـح الكلب الصامتـة ثـم للعَربجي فـوق الحنطـور الذي أشـار إليـه أن يَصعَد.. لم يسـتجب حتـى صَرخ فيـه: **نُط يا غبي.. البوليس جَاي**.. قبـل أن تدوي صفَّارات الشُّـرطة وتتعالى.. تمالك عبد القادر نفسه فأزاح جثَّة الكلب مـن فوقـه.. رَكـض ناحيـة الحنطـور المتحـرِّك.. قفـز إلى يدٍ سـاعدته علـى الركـوب متفاديًا رصاصات تنطلق نحوه فلسـع بائع البطاطا ورك الحصان بكُرباجه ليضرب الأرض بسنابكه ويبتعِد.

فـي مَركب الصَّيد جلـس عبد القادر على الأرض الخَشـبيَّة مُسـندًا ظَهـره إلى جانب المركِب، خَرَج بائع البطاطا من كابينة القيادة وفي يَده قماش وزُجاجـة صبغة يُود، جَلس بجانب عبد القادر يدهن ذِراعه التي احترقـت من أثر القنبلـة فيما فَرَغ أحمد من مُراقبة الشـاطئ الذي ابتعد حتى اطمأن أن أحدًا لم يتبعهم قبل أن يلتفِت لعبد القادر.

- اسمك إيه؟

نظر له عبد القادر بضيق قبل أن يلتفت إلى بائِع بطاطا.

- اسم الكريم؟

- عمَّك إسحاق.

- سيجَارة يا عم إسحاق؟

ناول عبد القادر كبريتًا وسـيجارة، أشـعلها ولـم يلتفِت لأحمد الذي انفجر غيظًا:

- أنـت ابن الراجِـل اللي مَات فـي أول مُظاهـرة؟ الفتـوة؟ إيه اللي جابك الإسماعيلية وتبع مين؟ انطق.

التفت له عبد القادر بهدوء: مِش تبع حَد.

- مِش تبع حد!! جاي تخلَّص على رئيس مُعسكر التل الكبير ومِش تبع حد! أنت مأفْين ياله؟

رَمَقـه عبد القـادر بغضب قبل أن يقـوم مُتحفزًا فتدخَّل عَم إسـحاق وَاضعًا نفسه بينهما:

- أقعد يا ابني عشـان البحر يسـتحمِلنا.. اقعد.. مَا تخليش الشيطان يركبك.. وأنت يا أحمد تعالى.. تعالى.

سَـحَب أحمد إلى الكابينة التي جلس فيهـا صيَّاد عتيق خلف عَجلة القيادة.. هَمَس في أذنه:

- باللطافة والمفهومية عشان ما نروحش بلاش إحنا على كَفِّ الرب.

- ده كان هايضيَّعنا يا عَم إسـحاق.. ما شفتش عمل إيه؟ ده مجنون! وإزاي عِرف مَعاد خروجه؟

- بالهداوة.. الواد ده وراه قصَّة ومَصلحِتنا نعرفها.. ده واد يفوت في الحديد ويمكن ينفعنا.

- إحنا ما عندناش نقص في الرجَّالة.

- قليل اللي بالجراءة دي.. ورجالتنا بينقصوا يوم عن يوم.

زفر أحمد نفسًا قبل أن يهزَّ رأسه مُوافقًا ويَخرجا إلى عبد القادر.. كان يلف ذراعه بخرقة.. ساد الصمت لحظات حتى انتهى ثم سأل أحمد:

- أبويا.. عملتوا مَعاه إيه؟

- كانـت خارجـة كبيـرة.. مُظاهـرة.. صَلينـا عليه في السـيدة زينب وعَدَّينا على بيت سعد باشا و...

قاطَعه عبد القادر: آدي اللي خدناه من سَعد.

جزَّ أحمد أسنانه كاتِمًا دِفاعه: أنت تعرف كولونيل تريڤور منين؟

- كُنت شغَّال مَعاه في الكامب.

ألقاها في هدوء فتبادل أحمد وإسحاق التعجُّب: شغَّال معاه؟!

- آه.. أنتو مين بقة؟

٧ إبريل ١٩١٩

- أمـام الإضرابـات العامـة التي شَـلَّت الحياة فـي البلاد اضطـرت إنجلترا إلـي عزل الحَاكـم البريطاني السير «وينجت» والإفراج عن سَـعد باشـا زغلول ورِفاقه.
- الإنجليـز يَسـمَحون لسَـعد باشـا زغلـول والوَفـد المُرافـق بالتوجُّه إلى فرنسـا للاشـتراك في فعاليات مُؤتمر الصُّلح الدولي المقام في ڤرساي.. مُظاهرات السرور تعُم البلاد من شرقها لغربها.
- الإنجليز يَسمَحون للمصريين بالسـفر بين المديريات بَعدما كان مَمنوعًا إلا بتصريح.

٨ إبريل ١٩١٩

- مظاهـرة عَظيمـة اشـترك فيهـا كل أطياف الشـعب؛ رجال ونسـاء، أطباء ومُحامـون ومُوظفـون وطَلَبة البوليس والجيش، وحتـى النزلاء الأجانب شـاركوا المِصريين فَرحتهـم، الكُل يَحمل صُور سَـعد ونقش الهِلال مع الصَّليـب وتحته جُملة «يحيا الاتحـاد المُقدَّس».. أطلـق جنود الإنجليز النـار على المتظاهرين فـأردوا أربعة منهم بينهم طِفـل صغير! جَرَى الدم الحَـار فـي عُروق المتظاهريـن وكادوا أن يرتكبوا ما لا تُحمـد عُقباه لولا تدخُّل المُنظِّمين.

٩ إبريل ١٩١٩

- جنازة مَهيبة مُنظَّمة لقتلى مُظاهرات ٨ إبريل، سَـارت في مُقدِّمة المَوكِب فِرقة مُوسيقية تصدَح بنغمات الحُزن تليها النعوش الأربعة يحملها الطلبة فـوق الأعناق، السُّـكون خيَّم على المَشـهد ولم يَرتفع إلا نِـداء كُل بِضع ثوانٍ يقول: «تحيا ضحايا الحُريَّة» فيردد الجمع النداء في خشوع.
- الإنجليز يسمحون بفتح المَلاهي الليلية والمسارح والمقاهي.

بعد أيام

فيلا عَبد الرحيم باشا صَبري.. الجيزة

السلَّم كان عَاليًا، يُوازي حَائِط البَهو الواسِع المُعلَّق عليه صُور العَائلة بملامِحهم التي تحمِل الروافِد الفرنسية، ينتهي السلَّم عِند مدخل الصَّالة الكبيرة التي تخرج مِنها طُرقة تصِل إلى جَناح النوم.. قَطعَت المُربِّية العَجوز المسافة مُحاولة التقاط أنفاسها حتى وَصَلت إلى غُرفة سيِّدتها الصَّغيرة فقرعت الباب.. ادخلي يا دادة.. نطقتها نازلي بصَوت عَالٍ لتُسمِع العَجوز، كانت على سَريرها جَالسة في رداء أبيض تُطالِع مجلة موضة أوربية.

- جواب.

- من مين؟

قرأت الخادمة على الظرف: الآنسة نازلي.. مش مكتوب مين اللي باعته.

كان ذلك كفيلًا بجذب انتباه نازلي، حدث جديد يَكسر جُمود الأيام الرتيبة يَعني الكثير، تَركت المجلة والتقطت الجواب.

- أحضَّر عَشا؟

- بابا ما اتكلمش؟

- التليفون ما ضربش من صباحيِّة ربِّنا.. أحضَّر العشا؟

بـدأت نازلـي تَفُض الرِّسـالة فتمتمـت الخَادمـة وهي تُغلِـق الباب وراءها: هاحضَّر العَشا.

الظـرف كان نظيفًـا أبيض، لا أثـر لأختام بريد عليـه ولا طابع، فقط اسمها مَكتوب بخَط مَقروء، فَضَّته فوَجَدَت فيه إعلانًا مَطويًّا قرأته:

«يُعلِـن مَسـرح الإچيبسـيانة عَـن عَرض رُوايـة «قولوا له» للأسـتاذ نجيـب الريحانـي وفرقته المُكوَّنة من مشـاهير الفنانيـن، مُنتخبات من أجمل وأعذب الأغاني من تأليف الأسـتاذ بديع خيري وألحان الشـيخ سـيد درويش.. اسكتشـات تمثيليـة مُبهِجة واسـتعراضات مُدهِشـة كل ليلة.. السـاعة الثامنة مَساءً للعُموم، يَوم الأحد ماتينيه، الأربعاء للسيدات فقط.. احجزوا مَحلّاتكم من الآن قبل نفادها».

انتهـت نازلـي من القـراءة ولم تكد تستوعِب مغزى الرسـالة حتى عثـرت على صُـورة مَقطوعة مِـن مِجلّـة لمُهرة بيضاء تجـري في حقل وتذكـرة فـي قَـاع الظـرف، تذكـرة لحضور حفلـة اليـوم التالـي، فَجأة استوعبت الرسـالة، جَلَسَت على السَّرير وانتابها الاضطراب، شَرَدت في صورة المُهرة الراكِضة ثم تمشـت بأصابِعها على اسـمها المكتوب بخطِّه.. أحمد.. يَا لجرأته! ووقاحته!! لن تشفع له وسامته.. كيف تسنَّى له أن يَدعوها إلى مَسـرح بشارع عِماد الدين؟ هكذا بدون مُقدِّمات؟ أنا حتى لا أعرفه.. يظنني لقمة سـائِغة من بعد كلمتين في إسطبل الخيل!! جبانـة مثل المُهرة؟ مَن يظُن نفسـه؟ لن أذهب.. لا.. سـأذهب.. لأرى المفاجأة على وَجهه حين يجدني أمامه لا أهابه.. مغرور!!

اليوم التالي.. مَسرح الإچيبسيانة

الساعة ٧:٤٥م

فـرَغ رَصيـف المَسـرح مـن طَابـور حَاجـزي التذاكِر الـذي أزحمه فانصـرف بَاعـة الفسـتق والترمس والقـازوزة ورجـع الشـارع لصَخبه المُعتـاد، بَائـع التذاكِـر كان يقف بجانب كُشـكِه المُلصَـق عليه لافتات دعاية مَسـرحيَّة «قولوا له»، يُدخِّن سيجَارته بعد سَاعات طويلة قَضاها فـي تمزيـق تذاكِـر الدخـول وتسـليم الحاضريـن لزميـل يوصِّلهم إلى مقاعدهم الخشبية في قاعة العَرض.

بخِبـرة عَمله كَان يعرف تلك الأشـكال جَيدًا، من يَقفون مُتأنِّقين في البَدلات المكويَّة حَاملين الورود والهدايا الملفوفة بالشـرائط الحمراء، هَـؤلاء الرومانسـيون الذين يَدعون ولا تُسـتجاب دعواتهـم، كَم يحلو لـه العبث فيهم، العَزف على أوتارهم المشـدودة حتى تنشز أو تنقطِع، اقتـرب ببطء من الواقِف يُراقِب الشـارِع في توتُّر، ينتظِر دوكارًا تأخر أو ملاءة لف تلكأت، لَمح تذكرة بين يديه يقبِض عليها في عصبية فاقترب:

- داخـل العـرض يا حضـرة؟ أصل العـرض هايبتـدي خلاص بعد عشر دقايق.

نظر إليه للحظة ثم أجابه: مِستنِّي ناس.

– طـب مـا تسيـب لهـا التذكـرة عَ البـاب وتدخـل لا يفوتك الإسكتش الأولاني.

رمقه بضيق: مَمنون.. هاستنَّى هِنا.

دَارى عَامل التذاكِر ابتسامته في دُخان السيجارة وقد استعد لخوض المَرحَلة الثانية في التسـلية السادية والتي تبدأ بجُملة: «الجنس اللطيف دايمًا غدَّارين!».

كان ذلـك حيـن تركه أحمد ومَشـى خُطوتيـن ناحية الـدوكار الذي حـاذى الرصيف ثـم توقَّـف، لَحَظـات ونَزَلت مِـن السـلَّم الصَّغير في فستان فسـتقي مطرَّز وبيَدها مَروحـة من نفس اللـون، وقفت على بُعد أمتار فاقترب:

– اتأخَّرتي.

– أنا أصلًا ما كنتش جايَّة.

– وجيتي ليه؟

ارتبكـت أنوثتهـا.. أجابتـه بعصبيـة: جيت عشـان... أنـا مـش مُهرة مَحبوسة.

– جميـل أوي فستانك.. الأخضر لايـق مع لونك.. عشـان عكس الوردي اللي في خدِّك...

قاطعتـه: مـا تغيَّرش الموضـوع من فضلـك.. أنت إزَّاي تِبعت لي جواب على البيت؟! مش شايف إن دي جراءة زيادة عن اللزوم؟

– كنت متأكِّد إنك هاتفهمي الرسالة.

– طبعًا بافهم.. أنت فاكرني إيه؟

- أنت أجمل بنت شفتها.

ألجمتهـا كلماتـه، كبريـاء الأنوثة تشـاجر بداخلها مع لـذَّة المَديح، عقـل يُصارع قلبًا.. عينـاه الواثقتان تخترقان السُّـور العَالي الذي يُحيط اسـم «نازلي» منذ قديم الأزل.. السـور الذي صَدَّ هَجمـات الصليبيين والمغـول من أبناء الباشـوات والأعيان.. ها هـو يتداعى ولا تقدر على مقاومـة لـذَّة متابعته ينهـار.. ألـم لا يخلو من متعـة.. انتابتهـا كل تلك الأحاسيس قبل أن يُباغتها بابتسامة ويلتقط يدها بلا استئذان:

- المسرحيَّة هاتبدأ.

رمقته بغضب فمال برأسه:

- أوعدك نتخانق بعد العرض.

زفرت في ضيق مُصطنع ثم سَارت بجانبه قبل أن تسلِت يَدها من يَده في حَركة رفض استعراضيَّة، مرَّا ببائع التذاكِر الذي قطع تذكرتيهما فغَمَز بعَينيه لأحمد وابتسم.. تخللا المقاعد حتَّى جَلسا على كُرسيين يَبعدان أربعة صفوف عن خشـبة المَسرح، لم يَكن العَرض قد بدأ بَعد، ضَربت نازلـي الهـواء بمَروحتها في حركة سريعة مُبدِّدة الرُّطوبـة وقلق ينتابها وإثـارة، كانـت المرَّة الأولى لها في مَسـرح بعِماد الديـن، المرَّة الأولى لها بين سَـهارى الليل، والمرَّة الأولى التي تُواعِد شَـابًّا وتُقابله، تجنَّبت نظراتـه التي تزيدهـا اضطرابًا وعَينيـه اللتين تحاصرانهـا.. حتَّى تكلَّم:

- أوّل مرَّة تشوفي الريحاني وفرقته؟

- سِمعت عنُّه.

- أنا بقول إنه أحسن أرتيست دلوقتي.. دمه أخف من علي الكسَّار.. حَضرت له كل رواياته.

- غاوي مَسارح؟

- جدًّا.. وروايات وموسيقى وسينما.. الفن ثورة في حد ذاته.. والفنانين دول من أول الناس اللي نزلوا الشارع في مارس.. الإنجليز منعوا العرض ده قبل كِده ومع ذلك مستمرين.

قاطع كلامهما خبطات بدء العرض ثم انفتح الستار، خرج رَجل بَدين أمام اللمبات ذات المرايا فبدا ظِلُّه ضَخمًا على خلفية المسرح:

سَيِّداتي آنساتي سَادتي.. مَسرح إچيبسيانة يُرحِّب بِكم ويَتمنى لَكُم ليلة مُمتِعة مَع رواية «قولوا له».. كَلِمَات بَديع خَيري وألحَان سيِّد دَرويش.. الاسكتش الأول بعُنوان «لحَن الشيالين».

انسحب المُقدِّم من المسرح قبل أن يَدخل طَابور مِن سَبعة رِجال يَرتدون مَلابِس الشيَّالين وعَلى وُجوههم غُبار مَرسوم، يَمشون في إرهاق مُصطنع يُطوِّحون أذرعهم وقد أحاط كل منهم خَصره بحِزام الشيالة، توسَّطوا المَسرح قبل أن تعزف الفرقة ويبدأ الغِناء:

شِد الحِزام على وسطك غيره ما يفيدك

لا بُد عن يُوم برضه ويعدِّلها سِيدك

وإن كان شيل الحمول على ضَهرك يِكيدك

أهون عليك يا حُر مِن مدة إيدك

مَا تيالله بينا أنت وياه

ونستعان ع الشقى بالله

واهـــو اللـــي فيـــه القســـمة طلنـــاه

واللـــي مافيهشـــي إن شـــالله مـــا جـــاه

مـــا دام بتلقـــى عيـــش وغمـــوس

يهمـــك إيـــه تفضـل موحـــوس

مـــا تحـــط راســـك بيـــن الـــروس

لا تقـول لـــي لا خيـــار ولا فاقـــوس

اندمجت نازلي، تأمَّلها أحمَد تتمايل وتصفِّق مع كُل مقطع وتنفطِر ضحكًا كطِفل يرى الحياة لأوَّل مرَّة ثم لَمس تأثرها حين ظهر «الريحاني» وذَكَر أن ذلك العَرض شاهده سَعد باشا في نفس المسرح قبل أن يُنفى إلى مَالطة.. انتهى الحفل بأغنية رائِعة تُدعى «سَالمة يا سلامة» قبل أن يَقوما ليَخرجا بين الجُمُوع.. تمشَّيَا عَلى الرَّصيف في صَمت حتى بلغا رجلًا يحمل دلوًا:

- تشربي كازوزة؟

هزَّت رأسها موافقة فاشترى زُجاجتين ثم استأنفا المَشي.

- عجبتك المَسرحية؟

- جدًّا.. ما كنتش أتخيل إن المَسرح مُمكن يقدِّم البولوتيكا بالمنظر ده.

- المَسرَح حَياة حقيقية.. وأغانيه شعارات المُظاهرات.. ما أظنش نزلتي مظاهرات؟

- صَعب بابا يقتنع بالفكرة دي.

- مُهرة جَميلة.

- مش لازِم أنزل المظاهرات عشان أكون قريبة من الناس.. أنا ما سبتش صفية هانم لحظة.

- بالراحة ده مش اتهام.. ده نوع من الغزل.

احمرَّت وجنتاها: أنت عارف إن دي أوِّل مرَّة فعلًا أسهر فيها لوحدي؟

- أنت مش لوحدك.

- حاسة إني بعمل مُغامرة.

- خايفة؟

- لأ.. ودي غريبة!!

- تحبِّي تحضري عروض تانية؟

- دي دعوة تانية للخروج؟

- أعتقد.

- أفكَّر.

ثم وقفت فجأة وسدَّدت له نظرة برأس مائل: أنت مين؟

ابتسم قبل أن يجيبها: أحمد عبد...

قاطعته: الحي كيرة.. وعاوز إيه يا أحمد أفندي؟

- مِن سَاعة ما شفتك في بيت سَعد باشا حسِّيت إننا مُمكن نبقى... أصدقاء!

مدَّت خُطواتها:.مَفيش حاجة اسمها أصدقاء بين الراجل والست.

لاحقها: حَبايب؟

- مِش يمكن أكون مخطوبة؟

- ما كنتيش جيتي.

- أنت مَغرور.. جدًّا.

- وأنت جميلة.. جدًّا.

حاولت السَّيطرة على سُخونة أسعَرت خدِّيها: هو يعني إيه كيرة؟

- الاسـم جـاي من الكيـر.. يعني منفاخ الحـدَّاد اللي بيولـع النار.. جدي كان حدَّاد.

- حدَّاد!! وأنت وارث إيه منه؟ تعرف. تولع النار؟

- وما باطفيهاش.

- أنت سنَّك قد إيه؟

- أكبر مِنك بحوالي عشر سنين.

- مِتجوز؟

رفع أصابعه الخالية: لأ.. عندك عروسة؟

- مَعقولة مش لاقي حد يرضى بيك؟

- غريبة بالنسبة لأني وسيم مش كِده؟

رمقته في دهشة لا تخلو من ابتسام: أنت مُستفز جدًّا.

- عامة أنا هاعرفها إذا شفتها.

- إزاي؟

- بتبقى ماسكة وردة حمرا.

تسارعت أنفاسها فقاطعته: أنا أتأخَّرت أوي.

قالتها وأشارت لحنطور اقترب.. سَاعدها أحمد على الصعود ثم سألها:

- هاشوفِك تاني؟

- يِمكِن.

- يبقى هاشوفك تاني.

- مش بقول لك مغرور!

قالتها بابتسامة وتحرك الحنطور، ثم توقف بَعد أمتار فمَشى أحمد تجاهه.

- ١٤٢.

همست بها في أذنه.

- نعم!!

- دي نمرة التليفون.. على سنترال البُستان[١].. اطلع يا أُسطى.

ألقتها واللون الأحمر يَغزو وجنتيها والشفاه، قبل أن تبتعد مُحتضِنة بين أصابِعها تذكرة المسرحية.

ووردة حمراء اشتراها مِن أجلها.

(١) الاتصالات كانت تتم عن طريق سنترالين فقط في القاهرة، سنترال البستان أو سنترال المدينة.

أبشاق الغَزال.. مَركز بَني مَزار.. مُديرية المِنيا

عَادت دَولت إلى قريتها بَعد قرار السَّمَاح بالسَّفر، تركت في القطار قبل أن تنزل لكنتها القاهرية وبدَّلت وشاحها الأزرق بآخر أسود، استأجرت حِمارًا، عَرفت من خِلال حكي المَكاري الذي يَقوده ما حدث في بلدتها أثناء غِيابِها.

بَدأ الأمر بمَسيرات نحو مَخفر البوليس تُنادي بالاستقلال في اليوم التالي لنفي سعد ورفاقه، تلاها رد فِعل عنيف من السُّلطة تمثَّل في مُطاردات بالخيول وجَلد بالكرابيج لأهل البلد تطوَّر إلى قتل وسرقة لدورهم واغتصاب للنساء والفتيات ممَّا اضطر الأهالي للإغارة على مَركز البوليس وإطلاق سَراح المُعتقلين فيه، قبل أن يَقطعوا السِّكك الحَديدية، فأتى الرد غارات بالطائرات على تجمعات عَشوائية قُتِل فيها عدد غفير من الناس قبل أن تستعيد القوات الإنجليزية السَّيطرة وتوقِّع عِقابًا يتلخَّص في أن تأخذ من كُل قرية عَددًا مُحدَّدًا مِن الأنفار لجلدِهِم، دون تُهمة، إتاوة للردع والتخويف وإلا يَحدث اجتياح آخر وسَلب واغتصاب، كما ألقت الطائرات مَنشورات تَحذير نصها:

> «كُل حادِث جديد من حَوادِث تدمير مَحطَّات السِّكك الحديدية يُعاقب عليه بإحراق القرية التي هي أقرب مِن غيرها إلى مكان التدمير».

تأمَّلت دولت حطام قريتها والناس السـائرين في الأرض كَمدًا قبل أن تصِـل إلى بيتها، غيط البَرسـيم كَان مَحروقـًا والبهائِم اختفت، نامت السَّـاقية على جانبها فتشـقَّقت الأرض عَطشًا، اسـتقبلتها وَالدتها بوجه صَارع ليبتسم قبل أن تسأل عن ياسين.

- ياسين!! ياسين ماجاش يا بِنتي.. اللي بَعتوه لينا واحِد تاني.

- يَعني إيه يا أمه!! إيه الكلام دِه؟!

- واللـه مـا خابرة يـا بنتي.. مـا بَجَاش ياسـين اللي أعرفـه.. ولدي عَـاد أخـرس وأعمَـى.. أوَّلـتْ أوَّلتْ عمنول السُّـلطة جَلدوه عَلى ضَهره يا حبّة عيني.. خمسين جلدة.. مَـا نَطَجْش بكِلمة واحدة! ولا صَرَخ!! تنُّه سَاكِت لا بيتقوت ولا بيشرب ولا حتى بينعس.

- جلدوه الكفرة!

- رُوحـي له يا بنتـي.. جَاعِد ناحية الترعة الجِبْليَّـة.. يِمكِن تِجدري تحايليه يتكلَّم.

ارتـدت دَولـت جلبابًـا صَبغهـا بأحـزان البلـد قبـل أن تعبُـر الغَيط المَحـروق وتقتـرب مِـن الترعـة، بَطـأت مشيتها لاإراديًـا حيـن وقـع بَصرها على يَاسـين، أدهَشـتها عِظامه البـارزة ورقبته الهزيلة وسـكونه الأشبه بسكون المَسـاخيط[1] التي خافتها في الصِّغر، لم يبلغ يومًا تلك النحافة والهزال! اقتربت حتَّى باتت على بُعد خُطوة منه قبل أن تُلاحِظ العَلامـات التي نشـعت دِماءً في ظهـر جلبابه، وَضعت يَدهـا عَلى كَتفه فالتفت إليها وابتسم ثم قام واحتضنها بلا كلمة، حُضن طويل اعتصرها

(١) المساخيط: اسم يُطلق على التماثيل الفرعونية.

فيـه، نَظَـرت فـي عَينيه فأدركـت مَا رأته أمها، كَسـرة أغور مـن أن تفك طلاسِمها الكلمات، جَلَسا وبعد سكون تكلَّمت:

- حَمد الله على سَلامتك يا ياسين.. وَاحشني يا خوي.

- صِرتي مدرِّسة في مصر؟

- فضلة خيرك ودعواتك.

انسـاب الصمت بينهما.. كأن الكهرباء تأتيه فيتكلم ثم تنقطِع فيظلم وجهه وتتحجر عيناه.

أمهلته لحظات قبل أن تتكلم: عينيك شايلة هم تجيل يا خوي!!

- ...

- غيبتـك السـنين اللي فاتـت جطّعِتنـا.. احكي لـي.. طمِّني عليك يا خوي.

- أني.. تِعبت م الحَكي.

- أمي بتجول إنك ما رايد تتحدَّث مع حد من سَاعة رجوعك.

غاب في صَمته ثانية فاستحثّته.. اعتصرت كفُّه حِفنة تراب.. أردفت:

- مـش رايـد تتكلَّـم مَعَاي؟! أنا دولت يا ياسـين! سِـرَّك مِـن وإحنا صِغار.. احكي يا خوي.. فضفض.. خفِّف على جلبك.. سمعت إنك كنت جاعِد عند العربان في رَفَح!!

استقرَّت عَيناه في انعِكاس الشَّمس عَلى المِياه قبل أن ترتعش شفتاه ويتحرَّر لِسانه:

- أخدونـا في جطـرعَ الجنطرة.. ومِـن الجنطرة طِلعنا السـويس.. كات شُـغلتنا نُحفـر بير ولّا اتنين للسـلطة ونبني سـواتر ودُشَـم..

لغَايـة مـا جِه يوم وجـوَّات الأتراك جات من نواحي سـينا تضرب فـي الإنجليـز.. جـوِّة الإنجليز كانـت صِغِيرة.. ضعفـت.. طلبوا مِنَّا أنا والعيال نِمسِـك سِلاح.. اتجسـمنا في الرأي.. شوية جالوا ما نمسكش سلاح على مُسلم زيِّينا.. وشوية جَالوا نمسك سِلاح.. الأتراك احتلال والإنجليز احتلال وربنا بيسلَّط أبدان على أبدان.. وانحزت للرأي الأخراني.. أنا واتنين من العيال.

أغمَض عَينيه وسَكت فسألته: مش غَلط يا ياسين.. أنت في حرب.. ورجبتك مع الإنجليز.. والأتراك أوسخ من...

قاطعها: أني ما ضربتش في الأتراك.

- أمَّال؟

- الإنجليـز لمَّا لجونا اتجسـمنا في الرأي حبُّوا يعرفـوا اللي موافِج م اللـي مـش موافِج.. مين مَعاهـم ومين مش معاهـم.. خُصوصًا بعـد ما الواد عطيّة ابـن أبو وهدان اتخانج مع نفر منهم وضَربه.. الإنجليـز رَصُّـوا العيـال اللي رافضـة صَـف وحَطُّوا البنادِج في رجابيهم من ورا.. وأمروا الموافجين يضربوا.

تهدَّجـت أنفاسـها وأرادت أن تسـأله فألجمهـا الخـوف.. لحظات وأكمل:

- العيّلين اللي مَعاي ما ضربوش.. بكوا ورَموا سِلاحهم ع الأرض.. الإنجليز ضربوهم بالنار.

- وأنت يا ياسين؟!

- ...

نسج عقلها هواجِسه حين طَال الصمت:

- يا لهوي.. عيال البلد يا ياسين!!

- يا كنت هاضرب.. يا كنت اموت زي ما ماتوا.

- أني مش مصدَّجة وداني!!!

شردت عيناه في الأفق وتحجَّرتا قبل أن يتكلَّم بشكل آلي غير عابئ بخيط الريالة الذي تدلى من فمه إلى صدره.

- أوَّل واحِد كان شعبان ابن معوَّض البجَّال.. ما كانش مصدّج.. ولا أنا كنت مصدّج أني بدوس الزِّناد.. تاني واحِد كان عطيّة ابن أبو وهدان.. اصَّيَّر على روحه جبل ما الرصاصة تصيبه.. تالت واحِد كان عويضة...

- بزيادة يا ياسين.. بزيادة.

تأمَّلته بعينين امتلأتا رُعبًا قبل أن تقوم، ابتعدت وبعد بضع خطوات نظرت وراءها علَّه يَكون سَرابًا، أخًا لم يعُد لقريته، أخًا قتل أو مات قبل أن يولد، لكنَّه كان هناك، لا يتحرَّك، رأسه نكس على صَدره وقبضت يده حِفنة تُراب دسَّها في فمه.

رجعت دولت إلى البيت فبدَّلت مَلابسها وحملت حقيبتها التي جاءت بها، سألتها أمُّها عن ياسين إن كان باح بما في صدره فأجابت باقتضاب: يا أمَّه الحرب صَعبة.. سيبيه ياخُد وَجتُه لحد مَا يفوج.. أني لازمن أرجع مصر.

رَكبت حِمارًا فقِطارًا فدوكارًا أغمضت فيهم عينيها حَبسًا للدموع حتَّى رجعت إلى القاهرة.

مَع الوقت

أصبح وجود عبد القادر بين عَاهرات بنبة أمرًا عاديًا، ضَيفًا يأتي ليقضي لَيلته في فِراش يعفيه العودة إلى حيّه، الحَي الذي ينتظره بزفّة كزفّة «مطّاهِر» مَقطوع الغرلة بَعدما قتل أصدقاؤه من الإنجليز أباه! فقط راسل أمَّه عن طريق صَديق ليطمئنها أنه حَيٌّ يُرزق، وعَرف من الأخبار أن «حنفي أبو قَطْر» أحد صبيان أبيه اعتلى كنبة الفتونة ويَعقِد النيَّة على التنكيل بِه ليقطع كُل أمل باق في نفسه أن يَرث منصب فتوة المنطقة ومن عليها، فهو العاق الخائِن، الفاسِد الذي خرج من ظهر العالِم.. من ظهر شحاتة الجِن بجلال قدره.

انزوى عبد القادر في بيت بنبة بذِراع مُحترقة وعَقل مُضطرب، عَازِفًا عن الطَّعام والكُحول، وعَن الفتيات رَغم إدمانه «الغزوة» يوميًّا لسنين خلت.. لذِكرى أيام رخائه تحمَّلت بنبة مَصاريف مَعيشته بَعد انقطاع رِزقه، وتولَّى سَلامة النجس «على مَضض» توريد أسطر كوكايين مَغشوشة حتى يغور في داهية، ورَغم أن نِصف بهيّة القعر «التحتاني» كان له تأثير خاص على عبد القادر، إلا أنها حين حَامت حَوله عارضة خَدماتها مَجانًا لَم تستطِع نزعه مِن الكآبة التي مَلأته أو دوَّامة الأفكار التي فرمت رأسه وطلَّت من عينيه، صَرفها بهدوء وكاد أن يُغلق الباب على مؤخرتها ثم سَحَب سَطرًا من البودرة البيضاء إلى أنفه وجلس

يرمق نبُّوت أبيه المَكسور ويستعرض ما آلت إليه حياته.. نفدت الأموال ولا بد من مُعاودة العمل.. لكن أين ومع من وقد وَصَمَه الإنجليز بوَصمة عَار لن تزول! كما أن تِجارة الكوكايين تُعاني كَسادًا بسَبب سوء حال البلاد وهياج الروح الوطنية.. **جِرام البلا الأبيض اللي بتبيعه وَصَل كَام يا عبد القادر أفندي؟** استعاد كلمات أبيه فنفض رأسه وقام من مَكانه، فتح النافذة ونفث دُخان سيجارته في السماء.. **مش هابيع كوكايين يابا..** قالها بصوت مَسموع لسحابة عابرة تشبه وجه أبيه.. ثم استرجع عَرض أحمد كيرة في الإسماعيلية بالانضمام إلى المنظمة السرِّية فنظر للسَّماء ثانية.. **ومش هاموت علشان سعد يابا..** ظَل يحدِّق في النجوم قبل أن يلحظ نجمًا بَعيدًا يتلألأ.. يتضخَّم.. يقتَرب.. نَزل الرّوع في نفسه حين أصبح النجم في حَجم شمس باردة.. رَجَع بظهره هلعًا يستغفِر الله بصوت مسموع حتَّى تعثَّر فوقع على ظهره قبل أن يَقوم مُهرولًا إلى الطرقة.. تخبَّط بَين غُرفات العاهرات وزبائِن مترنحين ضحكوا من مظهره حتَّى وَصَل الحمَّام.. أزاح من الحَوض كيلوتات مُزركشة وفوطًا متَّسِخة ثم صَبَّ على رأسِه كوزًا من الماء ونفض رأسه.. نظر في المرآة المُغبَّرة إلى عينين من دم وجُفون سَالت على خدَّيه.. صَفَع وَجهه بالمَاء مرَّات حين دفعت سنيَّة الباب ودخلت.. أبنوسيّة عَارية تترنَّح.. يتطاير منها عَبق الكُحول ورائِحة الرجال.. لامست ذراعه في غنج فهز كتفيه صَرفًا كما يُصرَف الذباب.. مَطَّت شَفتيها ولمزته: «هاتتوضَّى يا سيدنا الشيخ؟».. قالتها وأراقت الماء على جَسدها وهي تنشِد: «**إوعى الكوكايين يلحس مُخَّك.. إوعى سبق الخيل لا يطسَّك**».. نظر إليها عبد القادر بتجهُّم ولنفسه في المِرآة قبل أن يتوضَّأ بالفعل ثم يخرج.

سَلامة النجس كَان يودِّع زبونًا نهل إحدى الفتيات.. سَأله عبد القادر عن طريق القِبلة فسَكت الجمع ورمقوه بعَجب ثم انفجروا ضَاحكين قبل أن يُشير سَلامة بيده تجاه بَاب الشقَّة المَفتوح: اللي عَاوز يِصلِّي، يتجه كِده يا شيخ عبد القادر.. هع هع هع.

فِهم عبد القادر إشارته ولَم يُعِره اهتِمامًا، مَن ذا الذي يُجيب قوَّادًا ينضح بالدنس!! تمتم بسبِّه ثم دَخَل غُرفته فوجد ورد في انتظاره، واقفة قُرب النافذة ضامَّة سَاعديها إلى صَدرها، الضمادة حول الرسغ لا زالت مَربوطة من أثر قطعها شرايينها منذ أيام بمِبرد الأظافر، حَول عَينيها كدمة بنفسجيَّة وفي شفتيها وَرَم، وبين أصابعها صورة تخفيها، تيبَّس مَكانه يتأمَّلها تتماوج كسِتارة تُحركها ريح، رَغم اعتياده الكوكايين وخيالاته ومَشاهد العَاهرات المَضروبَات من قوَّاديهن، إلا أنَّ نظرة ورد أربكته! خَاصة حين أشارت بيديها أن يُغلِق الباب.

- أنتِ حاولتي تموتي روحك من كام يوم؟ أنت مخبولة يا بت؟ إيه اللي شحور خِلقتك كِده؟

- أنا بدِّي منَّك إشي.. قالتها هَمسًا.

- اطلبي أي حاجة ما عدا الفلوس.

- ما بدِّي مَصاري.. بدِّي أمشي من هون.

- تِمشي! تِمشي تروحي فين؟

- طلعني أنت وأنا بامشي بحال سَبيلي.

- يا بت أنت أتجنِّنتي؟ فيه عَايقة تانية كلِّمتك تشتغلي عندها؟

- لا.. ما في.. لك شِفت حالي.. مِش شايف شو صاير لي؟

- أكيد عملتي حاجة.. سرقتي حاجة؟

بحدَّة مدَّت يدها بالصورة التي بين أصابعها.. صورتها على الباخرة بين أمها وأبيها.

- أنا مو اللي بتسرق.. أنا حُرَّة بنت حُر.. أرمينية من ماردين وده ما كان حالي.

تأمل عبد القادر الصورة.. أردف: ما أنا عارف.. مصر عاملة زي ملجأ الأيتام.. فيها من كل صنف لون.

رمقته بعتاب فاستدرك: هي شغلانتكم وسخة.. وماحدِّش فيها بيمشي بمزاجه.. المَسألة دي تكلِّفك كتير.

- شو بدَّك.. اللي بدك إياه رح تاخده بس طلعني من هون.

قالتها بقهر جزَّت من أجله أسنانها ثم كشفت بيأس صَدرها وكتفها.

- فِهمتي غلط.. دَاري روحك.. اقعدي.. أنتِ إيه اللي جابك هِنا أصلًا؟

فجأة عَلا صوت سَلامة ينادي اسمها فانقطعت أنفاسها قبل أن يبتعد، أردفت بصوت خفيض:

- كُنت سَاكنة في الدور اللي فوق.. إمِّي وأبي مَاتوا بالرئة.. سَلامة اتهجِّم عليا وضَربني.. سَحبني لَهون جابني للأوضة وحبسني.. أسبوع من غير أكل لحد ما كنت رَح أموت.. وبعدين خلاني أبلع الأفيون.. صِرت متل العجينة بإيده.. وبنبة عملت لي رُخصة

بالغصب.. أيامي صَارت سـودة.. مَسـحوا بـي الأرض وخلوني مرمطة لأوسخ ناس.. حتى الموت رافض يضمّني.. أنا حُرَّة بنت حُر.. بِدِّي أسافر.. أرجع لـ...

بُتـرت الجملـة فـوق لِسـانها.. فبلدتهـا ومَـن عليها لـم يعُد لهم وجود.. أردَفت:

- أنـا مَـا كَان بدِّي أعيش هيـك.. أنا بنت ناس.. مِش هادي العيشـة اللي بتليق لي.

قاوم عبد القادر زيغ بَصَر رعش صورة ورد في عينيه حين أردَفت:

- رَح تساعِدني؟

- أكلِّم سَلامة خرة يخِف إيده عليكِ شوية؟

- الـكلام مـا عَـدا ينفع.. هـادول ناس مَاتـت من قلوبهـن الرحمة. رَح تسَاعِدني؟

- أساعِد نفسي الأول!! بُصِّي...

قاطعته: كتَّر خيرك.

قالتها واتجهت للباب فاستدركها: يا بت البلد والعة.. ولعِلمك فيه أرمَن ضَربوا رُصاص على مُظاهرة من كام يوم والطلبة طِلعوا حدفوهم م الشبابيك.. هاتتقطَّعي في الشوارِع لو عرفوا ملِّتك.

شردَت للحظات ابتلعت فيها الخوف قبل أن تهِمَّ بالخروج.. أمسَك رُسغَها: مَا يبقاش دَمّك حَامِي أمَّال!

أفلتت يَدها ونظرت في عَينيه: أنت ولَّعت كامب الإنجليز حقيقة؟

نظر للنبُّوت يَسأله ثم التفت إليها: وإيه دخل ده بالموضوع؟

- أنت ما ولَّعت إشـي، أنت كذَّاب.. تركـت أبوك واتصاحِبت على الإنجليز.. بِعت نفسـك لهم.. مثل ما بـدك اياني أبيع حالي لبيت الكلاب هادا.

انقضـت لَحَظـات من الصَّمت ارتعشـت خِلالها عَيناه قبـل أن يُدير عُنقهـا بصَفعة! لم ترفَع كفَّها لتتحسَّـس النار التي اشـتعلت في وجنتها أو تَصرخ، فقـط رمقته بعينيـن ترقرقتا قبل أن ينفتح البـاب بغتة، رَمقها سَلامة بغضب قبل أن يشير إليها:

- أنا مش بانده عليكِ يا بت!

انتشر الرُّعب في مَلامِحها وتلاحقت أنفاسها فرَجعَت خُطوتين إلى الوَراء قبل أن يصيح سَلامة بصَوت أعلى:

- مش سامعاني؟

تدخل عبد القادر ببواقي الكوكايين في عروقه:

- خـلاص يـا سـلامة.. سـيبها دلوقـت.. هـي هاتبقـى تِجـي لـك لما تِصفى.

- ورحمـة أبـوك يا عبـد قـادر أفندي خليك على جنـب.. البت دي أدي لهـا مُدَّة بتتمرقع ومطيَّرة من عنـدي بيجي خمس زباين لحد دلوقت.

- العَمى بعيونك.

ألقتها وَرد فاشـتعل سَلامة، خَلع شبشـبه ورَفَع طرف جِلبابه محررًا ساقيه فهَربت خلف عبد القادر حين صرخ:

- يـا بنـت الكااااالـب! بتدعـي عَليـا ؟! طَـب وديني لأنولـك عَلقة تعرفك مقامك.

صَرخت ورد فتلقف عبد القادر هُجومه مُقاومًا زيغان عَينيه.. حَدجَه سلامة بغضب:

- إوعى إيدك دي أمَّال.. إيش أخششك أنت في اللي ما لكش فيه؟

- ما تمدش إيدك عليها وأنا واقف يا سلامة.

- أنـت عِشِـقـت ولَّا إيـه؟ دي مومـس يـا أفنـدي! مومـس.. وبتاعتي.. مِلكي.

قالها سـلامة ثم دفع صَدر عبد القادر بقبضته فتعثر في طرف السرير قبل أن يفقد توازنه.. سَقط في اللحظة التي هجم فيها سَلامة على ورد.. صَرَخَـت رعبًا فالتقطت من فوق المِنضدة مصباحًا مشـتعلًا.. أمسـكته بيد ترتعش ووجهته ناحيته فصَاح:

- وشرف أمِّي لأسيِّح بيه وشِّك.

كيف سأحكُم لبؤاتي وأبث فيهن مَهابتي بعد يوم تذلَّني فيه فتاة مثل ورد؟

قفـز سـلامة ناحيتهـا.. بردَّة فعـل لاإرادية وبـكل ما أوتيـت من قوَّة طوَّحـت وَرد المصبـاح المشتعل تجاهـه فـي اللحظـة التـي قـام فيها عبد القـادر مُحاولًا إدراكها.. انكسـر المصباح في وجه سـلامة قبل أن ينسـكب الكيروسين على ملابسه مشـتعلًا.. أمسكت فيه النار فصَرَخ صَرخة مدوية اقشعرَّت لها عَاهرات البيت وتعالت أصواتهن.. سَـقط سَـلامة على الأرض يتمرغ بهسـتيريا يمسـح نارًا تشوي جلده وتتغلغل

فـي اللحم.. نظـر إليها عبد القادر غيـر مُصدِّق ما حدث قبـل أن يلتقط مـلاءة السـرير ويلقيها على سـلامة محـاولًا إطفاءه.. اقتربـت ورد من البـاب في فزع وانسـلت هاربة قبـل أن تقترب أصـوات العَاهرات وفي مقدمتهـن بنبـة يُعـدِّدن ويخلعـن قباقيبهن الخشـبية ليُمطِـرن ورد التي انطلقت.. خَطَفت مَلاءة لف سَـوداء وخَرَجَت هلِعـة فتبعها عبد القادر بعد أن أخمد حريق سـلامة بصُعوبة لَمحها تقفز السـلَّم حَافية.. وَقفت للحظـة ونظـرت لأعلى.. التقـت عيناهما في صمت قبـل أن ينتزع من جَيبه سـاعته الذهبية ذات السلسـلة.. قذفها إليها وهز رأسـه في إشـارة أن انجي بنفسـك.. التقطتهـا ولم تعقِّب.. كان ذلـك حين خرجت بنبة ترجرج فأمسك عبد القادر برُسغها المُكدَّس مُعرقِلًا:

- رايحة فين أنت؟ البت مَعاها سكينة أنا شفتها.

- إوعي.. ورحمة أمِّي لموِّتها بنت ميتشين الكلب.

- اهدي يا بنبة.. خُشِّـي شوفي سلامة وأنا هاجيبهالك من شَعرها.. وابعتي أي بت تجيب حكيم.. يلَّه.

قفز عبد القادر السـلالم وخَرج من البوَّابة فلَمَح ورد تسير مُسـرعةً وقد لفَّت جَسَدها بالملاءة متخللة أهل الحي الذين هرعوا لصراخ بيت العَاهـرات نجدةً، تابعها بعينيه حَتَّـى وَصَلَت لنهاية الحارة، التفتت لفتة أخيـرة التقـت خلالهـا أعينهما قبل أن تختفي وَسـط الزحـام، لَحَظات وخَرَج سَلامة النجس يَصرخ بنَصب وعذاب، سُلِخ نِصف وَجهه برقبته ونصف شَعر رأسه، ساندته بنبة وأنفار من الحي والعَاهرات من ورائهم يندبـن ويترجرجـن، تابـع ذكـور المـارة أجسـادهن وواسـوهن بهياج

فتوارى عبد القادر في الزحام حتَّى مرَّت الجنازة قبل أن يَمشي وراء خطوات ورد متتبعًا، حين وَصَل لنهاية الحَارة لم يجد لها أثرًا.. اختفت كدُخان في عاصِفة مُغبرة.

مدَّت وَرد خطواتها حَافية حَاجبة وَجهها بطَرف الملاءة مُتحاشية أعين المَارة المُتفحِّصة سَالكة طريقًا يبعدها، لم تنظُر وراءها كَي لا يأتيها العذاب كامرأة لوط التي لم تُنصِت لتحذير زوجها، قبضت على السلسلة الذهبية التي أخذتها من عبد القادر بيد والصَّليب الخشبي في صَدرها باليد الأخرى، تعتصره استدعاءً للأمان، تُتمتِم بالصلوات مُقاومة ضِيق نَفس وضَعفًا يتسلَّل فيها وزُجاجًا مُحطَّمًا عَلى الأرض طعن قدميها الحَافيتين حين مرَّت بجمع ثائر يَكتبون السباب واللعنات عَلى مَحل مُجوهرات مُغلق فوقه اسم أرمني بعد أن كسروا الواجهة، يبثون غضبهم بلا تمييز، التفت أحدهم إليها مُسدِّدًا لمَلامِحها الأرمنية نظرة إعجاب مَمزوجة بشك فأسرعت الخُطى مُبتعِدة بهلع، جذبت خَيط السلسلة مِن رقبتها فانفلت الصَّليب وتحرَّر، قبضت عليه حتَّى مرَّت بمدخل بيت، اعتذرت للمَسيح همسًا ثم علقت الصَّليب في حديد البوابة قبل أن تُخفي سَاعة عبد القادر في صَدرها.

الكَنيسة لم تكن بَعيدة عن الأزبكيَّة، بِناء مَخروطي القباب يتوسط شارِع عبَّاس الأوَّل، هَرولت وَرد في بَاحته الطويلة قبل أن تقِف أمام بَاب مُغلق على غَير عادته، قرَعت وانتظرت، لَحَظات طويلة مرَّت

قبـل أن تلتقِط أذناها حَفيف أقدام تقترب ثم كُوَّة في الباب تنفتح ووَجه قِس مُرتبِك:

- عاوزة إيه يا بنتي؟

- بدِّي أصلِّي يا أبونا.

- الكنيسـة مَقفولة النهـاردة يا بنتي.. أنت مش شـايفة اللي بيحصل في الشوارِع؟

- أنا ما إلي حدا.

لَمَح الجَزع في مَلامِحها فنظر وَراءها يتفحص الشـارِع قبل أن يَفتَح البَاب على مَضض، تسـلَّلت كقِطَّة تفر مِن كَلب يُهاجِمها، لَمَح وَجهها وقدمَيها الدَّاميتين فطلب منها المكوث حتَّى يَعود، رفعت عينيها لتتأمَّل كنيسـة لـم تدخلها من قبل، تسـمَّرت أمـام أيقونـة للمَسـيح، يَرفع كفًّا مُطَمئنًا لامَس فيه بنصره إبهامه، وبالكفِّ الأخرى يُمسِـك كتابًا، وعَلى صَـدره قَلب أحمَر حَوله إكليل من الشـوك وفيه سَـيف مَغروز، اقتربت وَرد من الإطار المُذهب والتقطت شَمعة، لم تَجِد نارًا لتُشعلها فغَرستها في الرِّمال ورَسَمت صَليبًا بأعصاب مُرتعشة بين جَبهتها وصَدرها حين عَاد القِس، أجلَسها وغَسل قَدميها بمَاء ثم رَبطهما بشَاش أبيض وناولها رَغيفًـا جافًّا وطبقًا فيه زيت الزيتون، أكلت في صَمت وهي تتأمَّل عَينَي المَسـيح فـي الأيقونـة، كَانـت تنظُر إليهـا، بـدون أن تفقِـد الاتصال به سَألت القِس:

- أبانا هو اللي بيكتب القدر في السما؟

- هو اللي بيكتب.. وإحنا اللي بنخطئ.

- هو بيحبنا؟ طب ليش راضي بعذابنا؟

- إن شئتم وسَمعتم تأكلون خير الأرض.. وإن أبيتم وتمردتم تُؤكلون بالسيف لأن فم الرب تكلم.. إرادة الإنسان وما يَحدث في حياتنا هو نتيجة اختياراتنا السيئة.

- أنا ما اخترت إشي في حياتي! الدنيا فرضت عليَّ كل اختيار.. وأنا حتى ما وافقت!

- الرب لا يُجبر أحد.. ولا يَحكم على أحد ظُلم.. إنما هم الخطَّائين سَبب المُعاناة.. صلِّي يا بنتي.

- ولو ما استجاب لصلاتي؟

- الرب يَفعل أي شيء لأجل أحبائه، مهما صعبت أمور العيش، هُناك دَومًا فسحة للرجاء.

- والخطَّائين؟

- من صُور النَّعيم التي سيحظى بها الأبرار في الجنة مَرأى العذاب الذي يتعذبه الخُطاة في الجَحيم.

خُيِّل إليها للحظة أن المَسيح قد ابتسم! أو أنَّ عينيه رَمَشتا! سألت:

- ممكن أشتغل هون؟ أسكن ببيت الرب؟ مُمكن أسوي أي إشي؟

- ما يمكنش.. مفيش مكان للحريم هِنا.

- الرب ما يحب البنت زي الولد؟

- الرب رب الولد والبنت.. لكن الكنيسة ليها قانون.

أخرجت ساعة عبد القادر من صدرها ووضعتها في كف القس فأرجعها بين أصابعها:

- خليها معاكي تنفعك يا بنتي.

سكتت وشردت في صورة المَسيح ثانية فأردَف متأثرًا: الليلة تباتي في أوضة الجَنايني لأنه ماجاش.. بُكرة يحلّها سيدك.

أغلق عَليها بَاب غُرفة رطبة مَليئة بأدوات الحديقة وآنية البذور، افترشت كُرسيًّا مُبطَّنًا بالخيش بجانب حَائِط مُعلَّق عليه صُورة للعَذراء في رِدَائها الأزرق الرائِق تَحمِل صَغيرها، مَدَّت يَدها ببُطء ولامَسَت أصَابِعها الرشيقة المَمدودة في سَلام حتَّى أحسَّت بحرارتها قبل أن تُغمِض جفونها.

سينما مِترووبول.. القاهرة

القاعة كانت مُكتظَّة، سِعَتها سَبعون شَخصًا وازدادت عَشرة واقفين في الخلف، الكَراسي خَشبيَّة غير مُريحة، دُخان السَّجَائر سَحابة تموج قُرب السَّقف، والشاشة قُماش أبيض بارتفاع الحَائِط يتلقَّى الشُّعاع مِن مَاكينة تُدار يَدويًا، تكتُم زَمجرتها مَقطوعات مُتوائِمة مَع الأحداث يَعزفها رجل خلف بيانو.. «حَياة كلب» كان اسم الفيلم، تمثيل صَاروخ الكوميديا الإنجليزي «شارلي شَابلن»، يَكفي الجماهير الآن أن يَروا يَافطة تحمِل صورته بزي الصعلوك وكلِمة «شارلي شابلن هنا اليوم» لتتكالب على شباك التذاكر.

كَان ذلك ثالث فِيلم يُشاهِدَانه مَعًا بَعدَما لمس وَلَعها بالسِّينما، تقف أمام الصُّورة المُتحرِّكة كطِفل في مَتجر حَلوى، عَيناها تتَّسِعان وفمها يرسم O صَغيرة، ولا تكُف عن الضحك خَاصة في مَشاهِد المقالب التي يؤديها الصُّعلوك ببراعة، يَعشق انفعالها الصاخِب، دبيب كَعبها على الأرض، شدَّة يَدها على يَده حين يتعرَّض البَطل لخَطر، وبُكاءها المؤثر حين تتوحَّد مع الأحداث، بُكاء يجعلها في عَينيه أجمل من «بولات جودارد» بطلة الفيلم.

انتهى حَفل الماتينيه فتمشيا إلى شَارع المغربي[1] ليَجلِسَا في

(١) شارع المغربي هو عدلي حاليًا.

«جروبِّـي»، كَافيه رَاقٍ تُعزف فيه مُوسيقى ناعِمة ويَصدح الهَمس الخافِت بين صَليل الشّوَك والملاعِق، طَلَبت «ميل فوي» مع الشَّاي وشرب هو قهوة فرنسية سَادة، ثم تحدَّثا بكلِمَات توارى فيها الغزل خَلف الحِكَايات قبل أن يَسقطا عَمدًا في صَمت لذيذ، صَمت أحصَى فيه رُموش عَينيها التي تحبِس وَراءها نَهرًا من الأسئلة جعلته يبتسم من جانب فمه سُخرية، تلاحظه فتأكل الميل فوي هَربًا منه، ثم تثرثر بسِيرة رَحلاتها إلى بلاد أوربا وأمريكا، ذِكريات باهِتة باقية في رأسها عن والدتها المتوفاة، قبل أن تتحدَّث عن والِدها محافظ القاهرة المَشغول دَائِمًا بهموم مَنصِبه، ثم ينجرفان للبَلد والوَضع العَام فيه وحَال صَفيَّة هَانِم والمُظاهرات.. يتركها تسترسِل وينصت في صَمت، يتأمل شفتيها فِرنسية اللكنة حين تضمهما في «ميل فُوي» أو تقلب الراء غين في «انكروايابل»، يتابع حَركات أصَابعها الرقيقة في الهَواء، ضَحكة عالية تضَع من أجلها يَدها على فمها، اهتزازات قرطين رقيقين متدلِّيين من شحمتي أذنيها، أمَّا هي فتلمس شروده فيها فترتبك، تصمت، تبتسم ويتورَّد وَجهها لمَّا تستوعب أنه يتخللها بعينيه، يَجتاحها، يغمرها الخجل حين تشتمُّ العِشق، تتصَارع الثقة والضعف بين حَاجبيها وجَبينها، الرَّفض والرَّغبة، ثم تستسلم فتشتعل الوجنتان، تتسَارع النبضات وتكاد تبيح أنها ولأوَّل مرَّة، تهيم عِشقًا، تذوب كقِطعة زبد فوق نار هَادئة، حاولت في كل مرة يتقابلان كسر اقتضابه ولم تستطع، يجيبها بكلمات قصيرة لا تغني من معرفة، كل ما أدركته أنَّه طبيب بمدرسة الطب، أباه ضابط جيش متوفًّى، يُجيد الفرنسية والإنجليزية، لَبِق، مثقف ومُهتم بالشأن السياسي، وفوق كل ذلك يهتم بها، كتوم وإذا أفضى بمَكنون صدره، ينطِق بما يدور في رأسها قبل أن يتحرك به

لِسانها! تتعرَّى مشاعِرها فجأة في كلماته، كأنها أمام مرآة تقرأ تفاصيلها وتتنبأ بمستقبلها، يُخرج أسئلتها من تحت شعرها ويجيبها فتبرق عَيناها كمَن يُشاهِد حَاويًا مدهشًا أو قارئ فِنجان! إحساس مربك، مُمتِع، تلمس به نضجه وتجربته، ويبث في شرايينها دَغدغة تذكي فيها روح المُغامرة معه، يُشعِرها أنها مِلكة مُتوَّجة في غابة طرزان، أميرة من أميرات ألف ليلة وليلة، يَسحَبها خلفه في شوارِع ما كانت لتمشي فيها يومًا، يُمطِرها بسيل من المعلومات عن بلد تعيش فيه ولا تعرفه، ثم يتركها فريسة لأحلام يقظة مُجسَّمة لا يَهزمها نوم، بطلها أحمد.

- ليه ما اتجوِّزتيش لغاية دلوقت؟

سَألها بَغتة ناظِرًا في عَينيها بثبات.. كانت قد اعتادت أسئلته المُباغِتة.

- سؤال ما يتسألش.

أردف مُخففًا: أنت جميلة.. من عيلة.. ومش ناقصك غير...

قاطعته: حَد يقنعني.

- ومين اللي مُمكن يقنع نازلي هانم؟

- مِش مُهتمَّة بالألقاب.. المُهم يفهمني.

- مَعقولة في كل العائلات اللي حواليكي مفيش حد فهمك؟

قاطعته: أولاد الذوات تربيتهم باهتة.. ناعمة إذا كنت تفهم قصدي.. أعرف ابن باشا بدون ذِكر أسماء عنده أربعين سنة وعنده خدام بيقُص له ضوافره لغاية دلوقتي.

- هايل!! طب ولو فهمك.. بس لا بيه ولا باشا؟

- لو عجبني ليه لأ؟ إن شالله أفندي.. ماما صَفيَّة اتجوِّزت بابا سَعد وكانت بنت باشا وهو أفوكاتو.

- رأيك من دِماغِك؟

- پاپي عقليته مختلفة وليه نظرة في اختيار العَريس.. بس أنا ليا رأي.

- نازلي.

- نعم.

- تفتكري إحنا ممكن نتجوز؟

اجتاحتها سخونة أندت جبينها، نظرت حَولها كمَن تبحَث عن مَهرَب، بصُعُوبة سَدَّدت لعَينيه نظرة:

- أنا تقريبًا مَا أعرفكش!

- إيه اللي ما تعرفيهوش؟

- حاسَّة إن وراك حاجة مش عاوز تقولها.

- حَياة سرِّية؟

- مَامَا صَفيَّة بتقول إن راجل من غير حَياة سرِّية يبقى مِش راجِل أصلًا.

- يبقى أكيد لازِم تِفضَل سرِّية.

ضحكت فأردفت: وبعدين أنت عارف كُل حاجة بسألها تقريبًا! أو حتَّى ما بسألهاش! الموضوع ده غريب!!

- أنا اشتغلت فترة في حَياتي سَاحر.

- أنا مش بهزَّر!

- والله ما بهزَّر.. اشتغلت مُساعِد سَاحِر شهرين في سيرك «عاكِف».. كنت باخد تعريفة في اليوم.. كانت شغلتي أستخبى في علبة خمسين سنتي في خمسين وبعدين أنزل من باب سِحري في الأرض.. أول ما يصقف أقوم طالع من ورا الستارة.

برقت عيناها بعَجب: مِش بقول لك ما أعرفكش.

- كل القصَّة إني اتمرمطت كتير لأني اتربيت يتيم.. والعيشة في باب اللوق جنب مَحطَّة قطر وسُوق بتكوِّن خبرات.

ابتسمت: والخبرات في نفسية البنات؟

مَد بثقة يده إلى جَانب أذنها اليمنى قبل أن يُرجعها بسلسلة ملفوفة، فك أسرها فظهر حرف «N» صغير من الفضَّة في نهايتها.

- اللي يفهم البنت يفهم الدنيا كلها.

وضعها في راحتها وأطبق عليها ثم لثم أطراف أصابعها.. انتابتها رعشة.

- ده أنت ساحر بجد! إشمعنى أنا من دون البنات كلها؟

- عشان فيه ناس ما ينفعش تعدِّي في الحياة وتروح وتتنسي.. ناس لو عدِّت لازم تتكعبل.. وتقع على دماغها.. بس نلحقها..

اهتزَّت قدماها في توتُّر فصبَّت لنفسها المَاء بيَد مُرتعشة وشردت عيناها في الكأس، رَغم تماسُكها وشُهرتها بَين صَديقاتها بالزهو والأنفة ورفض الرجال يُربكها استسلامها أمامه، رُضوخها لكلماته، حتَّى فارق

السِّن بينهما تجِده مثاليًّا، يسعِدها أن تعثُر على من تمشي وراءه بَدلًا من مُمارسة دور الذكر في أي حوار تبدؤه مع أبناء بشوات احترفوا النعومة، يَخافون من ثقتها فيكذبون بسذاجة ليفشلوا في الاختبار، دَائمًا كانت تبحث عمَّن يبهرها، وها هو يظهر، بشكل غريب في وقت أغرب.

أفاقت من شرودها في كأس المَاء: تِعرف قصر البارون؟

- أعرفه طبعًا!

- بُكرة أنا معزومة على حَفلة تنكُّرِيَّة كبيرة.. وبابا جَاي.. عاوزة أعرَّفك بيه.

- بابا! لكن أنا ما عنديش دعوة!

- سيب الموضوع ده عليا.

حين رَحلت نازلي فَكَّ أحمد أسر قدميه.. سَاقته حتى كوبري قصر النيل وتوقَّفت به.. اتكأ على السُّور الغليظ تحت النور الأزرق[1] فألقى عَينيه في المياه الجَارية وشَرد.. يُقاوم وُجومًا مَلأه وانسكب قطرات على الأرض مِن تحته.. شُعوره بالانجراف والاندفاع نحو نازلي يُصيبه بدوار لا يعرف له سببًا.. ضِيق يَجثم فوق صَدره رغم النشوة التي تجتاحه حين يَراها.. نشوة تشبه زغرودة فرح وَحيدة في سرادِق عزاء! فرحة تتناقض كلِّية مَع رِياضة سَفك الدِّماء التي يُمارسها..

(١) مَصابيح الكباري ونوافِذ البيوت والمُنشآت كانت تُطلى وقت الحرب باللون الأزرق لإخفاء نورها عن طائرات العدو فلا تُصبح هدفًا.

خَليط غَريب يُشبِه مَزج كَبريتيك البُوتاسيوم مَع حِمض البكريك.. بين الضلـوع.. قنبلة شـديدة التفجير.. رَغبة مُتأخرة تطـارده بَعد زمن عَاش فيـه كفِكرة.. ترس في آلة.. رَقم في خليـة.. رَصاصة في طبنجة.. قلب مَسـحُوق والبَصق عليه أسـلوب حيـاة.. رُوتين يَومي.. روتين كَسـرته نازلـي بكعب حِذائها الرفيع بعدما اخترقته.. بَاتت بين يوم وليلة الخيط الوحيـد بينه وبين عالم الأحياء.. فتحة الهواء الضيِّقة في مَقبرة فرعونية لتتنفس المومياء.. حُضور يُشحِّم حَياته كَما تُشحَّم الآلات تليينًا حتَّى لا تتآكل تروسها.. لكنَّه لَم يُخلق ليُحصي القبلات!

لَم يُخلق ليَعمل مُوظفًا يَحمل بطيخة ويُنجب سَعيد وزينب وصلاح.

لم يخلق وعيناه الاثنتان تغلقان رفاهية فى وقت واحد.

إن كانـت ابنة الـذوات لم تمش عَلـى أرض الواقِع مِـن قبل فهو قد مَشى عليها ببطنه وحَفر فيها كالثعبان خَطًّا.

لكـن يبقـى اللغـز فـي قـرار الاقتـراب الـذي خـرج منـه بانجراف لاإرادي.. اندفـاع طِفل نحو جـرف لا يُدرك خطورته.. مُحاولة مُتأخرة لإدراك حياة تنزوي.. قبل أن تتبخر روحه أو يَجِف جَسده كَجذع خَاوٍ.

سأل نفسه: منذ مَتى تعوَّدت أن أكون طائشًا كعِيار انطلق؟

ماذا لو عَرفت طبيعة عَملي؟

ماذا لو رأت الدِّماء تحت أظافِري والبارود في كفِّي؟

من تقبل بمعاشرة ثائِر يَحمل كفنًا؟

هل يتزوَّج الميت؟

هل أملك ما أكفلها به؟

هَل أستنسِخ سَعد زغلول حين تزوَّج بنت رئيس حكومة الاحتلال؟

أأتعمَّد الانخراط في الطبقات العُلى لأرى الدُّنيا بمنظور طائِر يُحلِّق؟

مَتى تعوَّدت أن أفقِد السَّيطرة على مَقاديري؟

أن أطمح لأُصبِح.. إنسانًا؟

أن أُحِب؟

لا.

لن يُجدي انجذابي لها نفعًا.

سألهَث وراءها وتُبرَى سَاقاي حتَّى الركبتين.

سأفقِد وقودي وحَميَّتي نحو وطني.

سأصير رَخوًا كمِنديل حَريري في بدلة سهرة.

سأقبِّل الإنجليز وأصافِحهم مُصافحة الأصدقاء وسألصِق صورة السُّلطان الخائِن فوق سريري!

لا.

هكذا تضمحل الأمم وتنهار الحضارات.

لكن... لكن نازلي ليست من النوع الذي يَعبر في الحياة فيُهمل أو يُتجاهل!

إنها نازلي! نازلي التي كسرت حائِط التخوين وقفزت حَواجز الشك قبل أن تُغلق الأبواب وراءها وتقتل كل الحريم.. بداخلي.

مُهرة سباق تستحِق الرهان.

لـم تنطفئ هَواجِسه إلا حيـن وَصَل البَيت، صَعد السَّلالِم وأغلق بَاب شـقَّته فأخبرته أمُّه أن عَشاءً مُعدًّا وأن غَريبًا مَرَّ وتَرك رِسَالة، فَضَّها فوَجد فيها كَلمات مُقتضبة ألبَسته حِذاءه وأرجعته الشَّارِع ثانية، اتَّجه إلى ميدان «العَتبة الخَضراء» حَيث قَهوة «مَتاتيا» تقع خلف دار الأوبرا، سَاهِرة تعُج بالمُريدين أسفل بناية ضَخمة حَملت نفس الاسم، استقبله ضجيج رقع أقراص الطَّاولة وأحجَار الدومينو، صِياح النُّدُل بالطلبات، صَخب الحُضور ورائِحة النارجيلة، وَقف عن بُعد يتأمَّل رُكنًا بعَينيه فيه كُرسيان ومِنضدة خلف باب زُجاجي، رُكن ابتسم فيه أبوه يومًا وعدَّل هِندامه لتُسجِّل الكاميرا لَحظة فريدة بجَانب سَعد زغلول في صُورة مُهترئة، استشعر طَيفه واشتم عَبق ثورة مَنكوبة تركت آثارها على الجُدران قبل أن تَعثر عَيناه على عبد القادر، شَارِدًا مُلقيًا رأسه للوراء وبين أصابِعه سِيجارة مُحتضِرة، بغَريزة أمنية تفحَّص الروَّاد من حَوله بَحثًا عن وَجه ينتمي لمكتب الخدمات[1]، لمَّا اطمأن لغِيابهم اقترب، جَلس على الكُرسي المُقابِل فتنبَّه عبد القادر، ارتكز بمِرفقيه على المِنضدة ودَعَك وَجهه بيديه طالِبًا الإفاقة.

- اطلب لي قَهوة تاني عَ الرِّيحة.

زفرها عبد القادر فأشار أحمد لنادِل يَعرِفه، حيَّاه باسمه وطلب كوبَي قهوة قبل أن يَرجِع عبد القادر بظَهره إلى الكُرسي، بعينين محتقنتين سأل:

(١) جهاز للأمن السياسي أنشأه الإنجليز ومهمتُه تتبع ورصد الوطنيين والقضاء عَلى مقاومتهم للاحتلال.. يُطلق عليه: مكتب الخدمات السرية.

- هُو مين اللي اخترع القهوة؟

- بيقولوا اليَمن أوّل ناس شِربوها.

- ناس مُحترمين.

- محتلين من الإنجليز بَرضه.

- الإنجليز! ديك أم الإنجليز.

- أنت بتشم؟

نظر له عبد القادر دقيقة قبل أن يُجيبه: سَاعات.

- ما ينفعش تشم وأنت معانا.

- البودرة مش كيف.. زيها زي القهوة عندي.. بتظبط الدماغ.. بتصَحصَحني.

- تبطّلها.

مَسح عبد القادر رأسه بعصَبيَّة وشخر بخفوت قبل أن يزفر: ماشي.. أبطّلها.

- مُوافق تشتغل مَعانا؟

- مُوافِق بَس على شرط.. أقابل الراجِل الكبير اللي مشغّلك.

- الراجِل الكبير اللي مشغّلني؟

- ما هو أصل أنا ما باخُدش أوامِر من حد.. وأنت لا مؤاخذة شكلك تلميذ في المَوضوع.

- تلميذ! لو هتشارك لازم تعرف إن الشغل كلُّه هايبقى عن طَريقي.

- يَعني أنت الرَّاجِل الكِبير؟

- رجـل كبير إيه؟ هي عِصابـة؟ - ثم نظر أحمد حوله لمَّا لمس عُلو صَوتـه فأخفضـه - دي مُقاومة احتـلال وليها قواعِـد تأمين.. كُل حاجة في وقتها.. لازِم تشـارِك واحدة واحدة عَشان تِفهم.. تتعوِّد تِسـمع الأوامِر عَشان ما تنكشفش وتكشـفنا مَعاك.. المسألة مش لوتارية تدفع قرشـين وتكسـب.. المَوضوع كُلُّـه مَخاطِر.. تِعرف تِضرب نار؟

- تِعرف أنت تِضرب نار؟

اقتـرب النـادِل وأنـزل القهـوة فسَـكتا للحظـات قبـل أن يرشـفها عبد القادر دفعة واحدة ثم ينظُر لأحمد.

- شرط كمان.

- شروطك كِترت!

- كِلمة شرف لو حَصل لي حَاجة تبلَّغ أمِّي والحِتَّة كلها إني ضَرَبت في الإنجليز عشان البلد.. وعشان أبويا الله يرحمه.

نظـر أحمد في عينيه ملتمسًـا الجدِّية حتَّى وَجدهـا.. غائِمة مُبهمة.. لكنها مَوجودة فأجابه: وَعد.

اليوم التالي

وَسَط البلد.. كافيه «ريش»

الاسـم مَكتوب بخَط دِيواني انسيابي فوق بـاب الدخول الزُّجاجي المُواجِـه للحَديقـة التـي تمتـد حتَّـى مَيـدان سـليمان باشـا، تراصت المَناضِـد على العُشـب الأخضر تكسـوها المَفارِش البيضـاء والأواني اللامِعـة، جلس الـروَّاد حَولها يسـتمعون لأنغـام فرقة صَغيـرة تعزِف لَحنًا لموتسارت.

منذ بداية الحرب أصبح هذا المَقهى المُطِل على ميدان سليمان باشا مُلتقـى الطبقات الوسـطى المُعارضة مـن كَافة التيـارات الفِكرية، أدباء وشُـعراء وفناني مسـرح وصحافيين، تُقـام فيه النـدوات وتعرض على مَسـرحه الصغير المَسـرحيات والحفلات الغِنائية، وفـي نفس الوقت، نُقطـة تجمُّـع للجَواسـيس والمُخبرين! كاشِـفي الوطنييـن المُجاهرين بآرائهـم، الحقيقييـن منهـم ومُدَّعـي النِّضـال الذيـن دَخلـوا السـجون وخرجوا ليتحاكوا بالبطولات الوطنيَّة الزائفة.

«مِيشـيل بوليتـس» صَاحـب المَقهـى، يُوناني شـاربه أبيض ووجهه مشـرَّب بحمـرة النبيذ، كَان يقِـف بجانب البَار متحدثًا مـع أحد الزبائن حين دلف عبد القادر وأحمد من الباب ليجلسا إلى أقرب مَائِدة، التقت عيناه بالأخير فأحنى رأسه بهدوء قبل أن يُكمِل حديثه:

- ما كنّا نقابل الراجل الكبير في الكراكون أحسن! ألقاها عبد القادر مُتهكمًا.

- راجل كبير إيه وكراكون إيه؟!

- لو المشوار بتاعك ده بتدوَّروه من هِنا تبقى أكيد مَناخوليا.. المَكان ده مرشّق مُخبرين.. يلّه بينا يا عم.

أمسكه أحمد بيده: اقعد.. ده آخر مَكان يتوقعوا نختاره.

لحَظات وانفصل ميشيل عن زبائنه.. صعد سلالِم المَسرح الصغير الذي تراصت عليه الآلات أمام العازفين وصَفَّق فسَكنت الهَمَسات قبل أن يتكلَّم بعربية لا تخلو من لكنة:

- أصدقائي.. يُسعِد كافيه «ريش» أن تقدِّم لكم مسيو «فؤاد الجزايرلي» وفرقته الرائِعة التي سيطربكم فيها الشاب لطيف الصوت «مُخمَّد آبد الوهاب».

صفَّق الحاضرون بفتور حين تخلل المَناضِد شَاب لم يتعد العشرين، نحيل طويل شَعره مُموَّج عَالٍ يرتدي بدلة دَاكنة من الصُّوف، توسَّط المَسرح بتواضُع واثِق وابتسامة هادِئة قبل أن تبدأ الفرقة في العزف، عَينا أحمد لم تُفارِقا ميشيل الذي تنحَّى عن المسرح وهز رأسه لأحمد قبل أن يختفي خلف بارافان خشبي.

- دقيقة وحصَّلني ورا البارافان.

تحرك أحمد فتبعه عبد القادر بعَينيه حتَّى اختفى ثم قام من مَكانه مُتخللًا المَناضِد مَتأملًا المُطرب الصَّغير وهو يتنحنح استعدادًا للغناء، غَمزه بعَينيه تشجِيعًا فابتسم امتنانًا قبل أن يَختفي وراء البارافان، مِيشيل

كَان واقفًا في انتظاره، وَضع سَبَّابته أمام فمه حَاثًّا عبد القادر على الصمت وأشار في جدية إلى بَاب الحمام.

بالداخِل كان أحمد منتظرًا أمام باب الكابينة الثانية، أشار لعبد القادر أن يقترب فرمقه بدهشة ثم تقدَّم، أغلق أحمد الباب عليهما بصعوبة ثم مَد يَده خلف الطارِد وجذب ذِراعًا خفية فانفتحت فُرجة في باب، دفعَها مُتقدمًا عبد القادر إلى دِهليز مُظلِم.. مَشى أحمد خطوتين قبل أن يتوقف ويُخرج من جيبه مُصحفًا ثم يلتفت لعبد القادر:

- حط إيدك على المُصحَف.

لم يردف عبد القادر.. وضع يده اليمنى على المُصحف حين قال أحمد:

- قول ورايا: أقسم بالله العظيم.. أن أحافظ على شرف المنظمة وأن لا أفشي أسرارها لا بالإشارة ولا بالكلام.. وإنني إذا حنثت بيميني أكون قد خُنت وَطني وأهلي.. آمين.

ردَّدها عبد القادر وراءه في خشوع شارد قبل أن يغلق أحمد المُصحف.

- مبروك عليك الانضمام لليد السوداء.

- كده بس!! مفيش كونتراتو؟

هز عبد القادر رأسه ولم يعقب، لم يكن يتخيل يومًا أن يكون عضوًا في مثل تلك الحركة، كان قد سمع اسم «اليد السوداء» كثيرًا خلال نميمة المقاهي وفي أخبار الجرائد الجريئة، الجماعة التي روَّعت

الـوزراء بالرسـائل واغتالت عددًا من المسـئولين الإنجليـز والضباط، اسـمها مقتبـس مـن جماعـة تحمـل نفس الاسـم تكونـت فـي صِربيا لمُحاربة الاحتلال النمساوي - المجري، وكانت عملياتها فتيل إشعال للحرب الكبرى.

انتشله أحمد من شروده حين اقترب من الباب الصغير وفتحه.

الجو كان حَارًّا لزِجًا ورائِحة الكحول نفاذة رغم المروحة التي تقلب الهواء، وَسط براميل النبيذ وصناديق البيرة استقرت فوق مِنضدة ماكينة طباعـة «رونيو»، يَنحنـي فوقها رَجـل يُلقمهـا الأوراق الفارغة فتصرُخ بصَرير مَكتوم قبل أن تلفظها من الجِهة الأخرى مَملوءة بحبر وحروف، وأفكار، منشورات فيها نَص خِطاب الرئيس الأمريكي ويلسن في مؤتمر ڤرسـاي، يُقِر الحِماية البريطانية على مِصر ويرفض فكرة استقلالها! ثم كلمات تحث الناس على الصُّمود في وجه الاحتلال.

توقَّفـت الحَركـة حين دَخلا القبـو، بجانب مَاكينـة الطباعة والرَّجُل الـذي يُلقمهـا كانت هناك فتاة وسـيدة مَكشـوفتا الوَجهين سـال العَرق على نحورهـن فبلـل الحِجـاب، واحِـدة تجمَـع الـورق لتضَعـه فـي الكراتين والأخرى مُمسـكة بختَّامة تختم بها على النقود، قدّمهم أحمد لعبد القادر:

- عبد القادر أفندي.. راجل محترم هيبقى معانا من النهاردة.

هـز العجوز رأسـه والسـيدتان فأردف أحمـد: عم إسـحاق.. خبير الطباعة بتاعنا وعَامل في العنابر.. قابلته قبل كِده في المركِب.

هـز عبد القـادر رأسـه تحيَّـة للرجـل فأشـار أحمـد للسـيدة التي تجمع الورق:

- الست بدرية.. مُمرِّضة في القصر العيني.

ثم أشـار للفتاة الخمرية التي تختم النقود: الآنسـة دولت.. مُدرسـة في مَدرسة الهِلال.

سَـاد الصَّمـت لَحَظات قبـل أن يَقطعه عم إسـحاق حيـن أدار ذراع التشـغيل لتُكمِـل ماكينة الطباعـة عملها، انهمكت السَّـيدتان في العَمل فاقترب أحمد من دولت والتقط من أمامها ورقة نقدية مَختومة بكلمتين «يحيا سعد»، رفعها أمام عينَي أحمد الذي أردف:

- دي فكـرة دولـت.. دلوقت الموظفيـن الإنجليـز بيقبضوا فلوس عليها اسم سعد باشا.

هز عبد القادر رأسه متعجبًا قبل أن ينتحي بأحمد جانبًا ويهمس:

- إحنا ما اتفقناش على كِده.. طباعة! دي شُغلانة تِرسو.

التقطـت دولـت الكلمـة فرمقـت عبد القادر بحـدَّة قبـل أن تلتفت للمَنشورات بين يديها حين أردف أحمد:

- أنت مِش هتشتغل في الطباعة.. شغلتك هتكون تأمين المجموعة مع «ميشـيل» صَاحب الكافيه.. تراقب الزباين.. ولو اشـتبهت في حَاجة تدي المجموعة إشارة وتساعد في الهروب.

- بَس كِده؟

- دي مش شُـغلانة سَـهلة.. توزيع المَنشـورات فيها سِـجن.. التزم لغايـة ما تتعود علـى نظام الحركـة.. وبعدين نقـوم بعملية أكبر.. كلـه فـي وقته.. خلِّي دِي مَعاك - وأخرج من جيب سـترته طبنجة صغيرة - تستخدمها في أضيق حدود.

دس عبد القادر الطبنجة في سترته حين سأله أحمد:

- بالمناسبة.. أنت سَاكِن فين؟

سلَّك عبد القادر حنجرته بكحَّة كَسبًا للوقت قبل أن يُجيبه:

- دَرب طياب.. سيب لي خبر في قهوة سُلطان.

- عال..

شرد عبد القادر في حركة المَطبعة الرتيبة والعاملين عليها، في السيِّدة التي انهمكت بجدية في مناولة الورق، والفتاة العَابسة التي رمقته باحتقار منذ دقيقة قبل أن يسأل أحمد همسًا:

- الناس دي شغَّالة لله وللوطن؟

- مَفيش مُقابل لمُساعدة الحَركة.. إحنا بالعَافية بنوفَّر مَصاريفنا.. أنت بتشتغل دلوقت؟

زفر بضيق: يَعني.

- هاكلم لك مِيشيل يِصرف لك مُرتَّب حَارس ووجبة.. كِده كِده وجودك في المكان لازم يكون بشكل قانوني.. هَاسِيبك دلوقت مع المجموعة.. شِد الحبل ده -وأشار لحبل متدلٍّ على الحائِط- ميشيل هيأمِّن الجو.. الستات يخرجوا الأول.. عَم إسحاق.. وبَعدين أنت بَعد ما تخبِّي المَاكنة في الفتحة دي - وأشار لفتحة خشبية في الأرض- وبعدين تخرج.. استبينا؟

- استبينا.. قول لي.. هي البت دي مالها؟ بتبص لي بقرف تقولش جوز أمها!

- مالكش دعوة بدولت.. ويُستحسن بلاش كلام من أصله.. كُل ما عِرفنا عن بعض مَعلومات أقل يكون أأمن لينا كلنا.. هاسيبك دلوقت.. راجع مع ميشيل وعم إسحاق مَواعيد حضورك.

ألقاها ثم انحنى على عم إسحاق وهَمَس بكلمات قبل أن يَفتح باب القبو ويخرج.

- أنت رايح فين؟ سأله عبد القادر.

- عندي حفلة.

- حفلة؟!

لم يترك أحمد لعبد القادر فرصة السؤال، قالها ورحل، انزوى عبد القادر في رُكن يتأمَّل حَركة الطباعة الميكانيكية، أشعل سيجارة فرمَاه عم إسحاق بنظرة لوم فأطفأها تحت حذائه ثم اقترب، التقط ورقة المنشور فضولًا وقرأ رأي الرئيس الأمريكي في أن مِصر أمة لا تستطيع إدارة شئون نفسها! دائمًا ما كان مُقتنعًا ومتوافِقًا مع هذا الرأي، إلا أن ضيقًا تملكه حين مَرَّت عيناه بالكلمات، صِيغة الإهانة المُحمَّلة خلفها أحرقت صَدره.. لو كَان الرئيس الأمريكي فتوَّة حَي مجاور لوسعته ضربًا وقطَّعت وجهه برقبة زجاجة مكسورة وعلَّقته على حَنطور يلف به حارات السيدة زينب تنكيلًا، لكنه للأسف يقطن قارة بعيدة لا تصلها عربات الكارو!

أرجع عبد القادر المنشور مَكانه والتقط ورقة نقدية فضولًا وهو يختلس ملامِح دَولت عن قُرب، الحَبرة لم تنجح في إخفاء جَمال وَحشي عَابس مكسو بلون الخمر، أنف حاد، شفاه مكتنزة، وغضب مشرَّب بألم يَلوح في العينين العسليتين، مَد يديه مُساعدة في تنسيق النقدية فأطبقت كفَّها على النقديَّة ورَمقته بضيق:

- سَاعِد السِّت بدرية ولّا عم إسحاق.

رَمقه عم إسحاق بابتسامة شَماتة فبادله عبد القادر نظرة إحبَاط ثم اقترب مِن السَّيدة بدرية ومَد يديه يساعِدها، قضى دقائق يرص الأوراق في الكرتونة ويختلس النظرات لدولت التي لم تعره اهتمامًا حتى انتهت الطباعة، قام عَم إسحاق وجذب عبد القادر من ذِراعه هامسًا:

- تعالى نخرج عشان الحريم تبدِّل هدومها.

تبعه عبد القادر دون أن يَسأل، جَذب الحَبل ثم خرجا إلى الدّهليز ثم الحَمَّام، مِيشيل كان في انتظارهما، اتفق مع عبد القادر على الحضور يوميًّا في السَّاعة السادسة حتى ولو لم يكن أعضاء المقاومة موجودين درأً للشبهات، وأنه سَيعطيه في اليوم عشرين قرشًا نظير عمله، استهان عبد القادر بالمبلغ وإن لم يملك حق الجِدال أو الرفض، كما استغرب لفظة المقاومة حين سمعها، بدت جديدة على قاموسه.

دقائق وخرَجَت السَّيدتان، بدرية وبصُحبتها دولت أخرى غير التي كانت تجمع الأوراق، بَدَّلت حَبرتها وبُرقعها بفستان بني ووشاح أزرق رائِق لم يخف خصلة فاحمة، بَدت كفتيات الأرستقراط، أو كبنات الإنجليز اللاتي يَلمعن في الحَفلات السُّلطانية وفنادِق الصفوة، رَمقها عبد القادر في ذهول قطعه إسحاق:

- اخرج أنت يا عبد القادر الأول.. أمِّن الشارع وإحنا هَانخرج بَعد دقيقة.

انتزع عينيه من وجهها العابس رغم سِحره وخرج إلى الشارِع، مَسَحه بعينيه لدقيقة قبل أن يُشير لمِيشيل الذي أعطَى الضَّوء الأخضَر للسيدات وإسحاق، خَرجتا تحمل كل واحدة حقيبة متخمة بالمنشورات

والنقدية المختومة باسم سعد، ثم تفرقتا كلٌّ إلى اتجاه، تابع عبد القادر دولت تسير ناحية الميدان قبل أن يلتفت لعم إسحاق:

- إيه قصِّتها دي يا عم إسحاق؟ هِي بحَبرة وبُرقع ولَّا بنت ذوات؟

نظر له الرجل من بين دخان سيجارته ولم يعقِّب.. أردف عبد القادر:

- أصلها مبوِّزة أوي! بَس الهيئة بريمو في الفستان.

- أحسن لك تبعد عنها لأن القضية عندها أهم من أي حد.

- لا إله إلا الله! هو أنا قلت حاجة يا عم الحاج؟! أنا باستفهم بس.

رَفع الرجل حَقيبة المنشورات واستعد للرحيل:

- بُكرة معادنا الساعة ستَّة.. تيجي بدري.. سَلامو عَليكو.

- طب وأنا مش هاوزَّع منشورات زيكم؟

توقف الرجل ونظر إليه:

- لمَّا عضمك ينشف.. وتركِّز.

- أنا ناشف على فكرة هه.. ناشف أوي.... يا عم إسحاق! عم إسحاق...! طب رد عليا طيب.

ابتعد الرجل ولم يلتفت.. زفر عبد القادر: ديك أمَّك.

ثم دفن سِيجارته وتمَّم على الطبنجة في جيبه قبل أن يبتعِد وصورة الفستان تراوِد خياله.

ضَاحِية هليوبوليس.. قصر البارون إمبان

القمر كَان بَدرًا، نوره البَارد انساب على الحَديقة الواسِعة الغنية بالنباتات النَّادرة، حَديقة يتوسطها طَريق صَاعِد إلى باب القَصر، دَرجات سلَّمِه عَريضة اصطفَّت عَلى جوانبها أشجار مُعلَّقة في أغصَانها فوانيس نُحاسية تحوي شُموعًا تنير سَبيل المَدعوين، تحرسهم ثلاثة تماثيل بَيضاء بالحَجم الطبيعي لمُقاتلين أشداء يَحملون نسورًا وسيوفًا ويطئون رءوس أعدائهم تحت أقدامهم الرخامية، الخدم انتشروا في كل مَكان يرشدون المَدعوين للمَدخل ويُعاونون السيِّدات في النزول من العَربات، وآخرون يُساعدون السائقين والسائسين في اصطفاف وتنظيم سياراتهم والعربات.

قُرب الثامنة مساءً كان الزحام قد بلغ أشده، عَربات الدوكار الفَخمة والسيَّارات الفارهة صَنعت طابورًا أمَام سُور القَصر المَهيب تنتظِر دَورها في الدخول للحَفل الأسطوري، نزل أحمد من الترام فتمشَّى حتَّى حدود القصر مُتخلِّلًا الزحام في بدلة سموكينج سَوداء وبابيون لامِع فوق قميص أبيض، في قلبه ثِقل يُبطئ ضرباته وبين يَديه قِناع فضِّي سيُخفي ملامِحه بعد قليل.

عِند البوابة سَألوه عَن اسمه فأبرز دعوة باسم «شريف صبري»، اسم

شقيق نازلي الذي كَان مُسافرًا للندن في ذلك الوقت، توغَّل في الحَديقة مُتأملًا البِناء الأسطوري المشيَّد على الطراز الهندوسي الذي طالما بَهره كُلَّما مَر خَلف الأسوار، البُرج العَالي المنحوت بالأفيال والأسود، والبوابة العَظيمة المَنقوشة بفتيات هِنديات يَرقصن حَول مُجسَّم لبُوذا.

قطع المَسافة مُنبهرًا بفخامة البنيان ورونق التماثيل الضخمة الحَاملة للشرفات، مُراقبًا عِلية القوم من الباشوات وكبار رجال الدولة وأصدقائه الإنجليز، ينزلون من سياراتهم في أزياء تنكرية خفَّفت من ثِقلهم السِّياسي وهيئتهم الجَامِدة التي يظهرون بها فِي الجرائد والمجلات، أثواب مُلوك الفراعنة والمَلكات، شيوخ العَرب وجَواريهم، فسَاتين على الموضة مزيَّنة بالكرانيش، وأردية السهرة الباهِظة، أحذية لامِعة لم تَطأ الأرض مرَّتين ومُجوهرات تسدِّد ديون العالم!

دلف إلى البَهو مُتأملًا أرضيات الرُّخام والمَرمر مُخترقًا صَخب الألوان والضحكات، رَوائح مَمزوجة بعَبق الكُحول ودُخان التبغ، مُوسيقى صَاخِبة تُسعِر الدم في العروق، تماثيل من الذهب والبلاتين والعاج ولوحَات لمشاهير رسامين قرأ أسماءهم في الكتب، وسَاعة ضَخمة استرق ثرثرة المدعوين عنها، قالوا أن لا مثيل لها إلا في قصر الملك بلندن، توضِّح الوقت بالدقائق والساعات والأيام والشهور والسنين مع تغيرات أوجه القمر، بل وتقيس دَرجات الحَرارة!! استغرق أحمد في الانبهار دقائق حتَّى استعاد ما جَاء من أجله، وَضع القِناع على عَينيه دَرأً للأسئلة حَول هويته ثم التقط كَأس شامبانيا اندماجًا في الاسم المكتوب في الدعوة، بحث بعَينيه عَن نازلي التي

وَعدته بلقاء أبيها.. ماذا أفعل ؟! سَأل نفسه.. ثم أجاب في لحظة: أجَازِف كما أجَازِف بإطلاق رَصاصة في قلب إنجليزي.. ألقي بنفسي من النافذة ثم أفكر فيمن يتلقفني.. أمزج كيمياء قنبلة فأنثر أشلاء ودماء ثم أطلب القهوة وأدخِّن سيجارة.. نعم.. أنا أصنع قدرًا مُوازيًا لقدري.. حَياة جديدة غير التي أهرسها تحت قدمي كحذاء بالٍ يشرب مياه المطر.. حياة قد أموت فيها على الفراش بأزمة قلبية أو مضاعفات كِبر.. بدلًا من رصاصة في الظهر.. لا أحد يَعيش عُمره كلَّه في الصُّفوف الأمامية.. سأذبل يَومًا كورقة خريف وستهرسني الأقدام.. يجب أن أتفرغ يومًا لإدارة الأمور بعد عمر لهثت فيه وراء كرامة تبتعد كالسراب.

هَكذا قال سَعد حين تزوَّج صَفيَّة بنت رئيس الوزارة.

ولنفس الأسباب كرهته!

كرهته... !

ردَّدها أحمد في نفسه للحظات حتَّى اقتنع بحَيدته عن الطريق، ترك كأسه في صِينية عَابرة وأطفأ سِيجَارته ثم اتجه إلى بَاب الخروج ناويًا الانسحاب.. الاختفاء.. الرجوع للحياة الحقيقية التي يعرف تضاريسها.. كان ذلك حين أوقفه فستان «فلابر» برونزي وقِناع قِطَّة ذهبي وسلسلة تحمل حرف «N» صغير تتدلى فوق صَدر:

- رايح فين؟

عرف صَوتها: كنت بدوَّر عليكي.

- حد ضَايقك في الدخول؟

- محدِّش هِنا يِعرف أخوكي.. حلو فستانك.

أمسـكت بسلسـلتها تداعبهـا بيـن أصابعهـا: شـفت السلسـلة الجديدة بتاعتي؟

- وحشة.. مين اللي جابها لك؟

- إوعى تهزأ بيه.. تعالى.

سَـحبت يَـده إلى دَرَج دائري عَجيب مِن خَشَـب الـوَرد الفَاخر، بَدا لأحمد لانِهائيًّا وهو يَتبعها صُعودًا كعَقرب ثوانٍ يُطارد عقرب ساعات، تأمل سَـاقيها الرشـيقتين تقفزان الدَّرج حَماسًـا وخط الجورب الدَّاكن الـذي يتوسَّـط السـمَّانة لينتهي على شـكل ورقـة لوتس عنـد الكَعبين، طِلاء أظافرهـا البرونزي في أصَابعها الرقيقة التـي عَانقت يَديه ورائحة اليَاسـمين النفَّاذة التـي تُخلفها وراءها، تنظر إليـه وتضحك فيبطؤ بهما الزمن، ابتسم في نشوة وصَوت المُوسيقى يَغمُره مع كل دَرجة يَصعَدها حتى بَلغا سَماء القصر.

الهـواء كان أكثر بـرودة والصَّخب هادِرًا في السَّـطح الذي كشـف مدينة «هليوبوليس» كأنها خريطة صغيرة، البُرج العَجيب بَدا أكثر إبهارًا عن قُـرب، والأعمدة صَليبية الشـكل المُزدانة بـرءوس الأفيال أضْفَت على الأجواء هَيبة كهيبة المَعابد، المناضِد على الحواف رُصَّت، تحمل فوقهـا كل مـا لذ وطاب مـن فواكِه ومقبِّـلات، والمَدعـوون مُندمجون فـي الرَّقص فوق سَـجاجيد هِندية على أنغام مُوسـيقى «الشارلستون» الهَـادرة المنبعثـة مـن فرقة چـاز أمريكية استضافها البـارون خصيصًا لإحياء الحفل.

استند بجانبها إلى سور يطل على الحديقة الواسعة بَعدما التقطا كأسين، تابعا الرقصة المَجنونة لدقائق تبادلا فيها الابتسام بدون كلمات حتَّى اقتربت منه ورفعت صَوتها ليَسمعها.

- مَصر كلَّها تقريبًا مَعزومة النهاردة.. أنا شُفت مُوصيري وقطَّاوي باشا، وهَارون وفيكتور كوهين بتوع محلات بونتريمولي، وسوارس ومنَشَّى، ويوسف شيكوريل، ده غير أمراء وأميرات الأسرة، بالمناسبة ابن السلطان حسين كامل اللي رفض العرش هو السمين اللي قاعد هناك ده.

- يرفض العرش بدون إبداء سبب!

صاحت في أذنه ليسمعها: سمعت إن فيه قصة حُب مع واحدة فرنساوية.

- دايمًا قصة حُب! والفرنساويات حلوين.

ابتسمت لما التقطت التلميح حول أصلها قبل أن يسألها: أمَّال فين البارون؟

- شايف الراجل أبو سكسوكة.. اللي حَاطِط مَاسك بمناخير طويلة.. هو ده.

- ممم.. هو صَحيح عَامل الحفلة دي بمناسبة إيه؟

- إعادة علاقات وصَداقات جديدة.. أنت عَارف البارون هو صاحب شركة «واحة هليوبوليس» اللي عاملة المدينة دي كلها، هو اللي عَامل مضمار الخيل ومَلاهي لونابارك وقصر هليوبوليس والقصر العجيب اللي إحنا فيه ده.. كل حاجة كانت

ماشية تمام لغاية ما حَصَلت مشادة بينه وبين السلطان حسين كامل الله يرحمه.. لأنه كان عاوز القصر ده هديَّة.. البارون ما وافقش.. فالسلطان ضيَّق عليه مَشاريعه.. خاف عَلى نفسه فسَافر مع أخته وبنته الوحيدة لبلجيكا.. لغاية ما سمع خبر موت السلطان.. وأول ما انتهت الحَرب قرَّر يرجع.

- قصر هديَّة؟

- طبعًا.. البارون من أغنى أغنياء العالم.. بس القصر ده عزيز عليه أوي.

ثم أشارت نازلي لسيدتين مُبهرجتين في الخمسين لم تُخف الأقنعة وَجهيهما.

- اللي لابسة أبيض دي تبقى ليدي «جرهام» مِرات مُستشار وزير الداخلية.. واللي جنبها إيفيت بُغدادلي.

- سِمعت الاسم ده قبل كِده.

غمزت بعينها وهَمَسَت: عشيقة البارون.. والسبب الرئيسي لوجوده في مصر.. بيحبها حُب غير عادي.. بيقولوا إن القصر ده كله بناه عشانها.

- وليه ما يتجوزهاش؟

- لأنها متجوزة!

- تمام!! واضِح إنك بتحبِّي أخبار الصَّفوة.

- ريحتهم هي اللي فايحة.. بتيجي لغاية أوضة نومي.

ضَحكا قبل أن يَصمتا.. نظر إليها للحظات وجاهدت لتُبقي عينيها في عينيه:

- وحشتيني.

ابتسمت بخجل: أنت كمان.

- جميلة النهاردة.. ومش عشان على راسك ريشة.

ضحكت ومَسحت بأنامِلها الرباط الشفاف المُحيط بجَبهتها وعَدلت من وضع الريشة الذهبية المثبتة فيه قبل أن يقاطِعهما رَجل يَرتدي زي الفوستانيلا اليوناني التقليدي.. طربوشًا قصيرًا وتنورة بَيضاء وجَوارب طويلة فوق حِذاء أحمر.. أمسَك مِرفق نازلي برفق:

- أنتِ فين يا نانا؟

التفتت نازلي بارتباك: أنا هِنا.. ثم تمالكت نفسها: أقدِّم لحضرتك أحمد.. صَديق اتعرفت عليه في بيت بابا سعد.

ثم نظرت لأحمد الذي يقاوم الضحك وهو يتأمل الزي.. جذبت أصابعه تنبيهًا:

- أقدم لك بابا.. عبد الرحيم باشا صَبري.

اعتدل أحمد فجأة: تشرفنا يا باشا.

ابتسم الرجل: فرصة سَعيدة يا أحمد أفندي.. وأنت تِعرف سَعد باشا منين؟

- والدي الله يِرحمه كان صَديقه.

- واسمه إيه الوالِد الله يرحمه؟

- عبد الحي.

- عبد الحي إيه؟

تردد أحمد للحظات: كِيرة.

ضيَّق الرجل عينيه ودَاعب الطربوش الأحمر القَصير فوق رأسه: كيرة! الاسم ده مش غريب عليا! كان بيشتغل فين؟

- بكباشي في الجيش.

- وهو توفي في...

أدركه أحمد: كان مريض.

- الله يرحمه ويحسن إليه.. وأنت بتشتغل فين يا أحمد أفندي؟

- القصر العيني.. مَدرسة الطب.

- عفارم.. وبيدُّوك ماهية كويِّسة؟

- كويِّسة.

لفَّهم الصمت للحظات قبل أن يلمح الرَّجل جرح صدغ أحمد.. اقترب منه مدققًا بعد أن رفع مونوكل أمام عينه اليمنى.

- واضِح إنه كان جرح حاد.

- شقاوة طفولة.. ابن خالتي كان بيهزر بعصاية فعوّرني.

- لكن ما قلتليش.. أنت مين اللي دعاك على الحفل النهاردة؟

- آآآ.

أشفقت نازلي على أحمد فقاطعت أباها:

- پاپي! إحنا في حفلة مش في المحافظة! سيل ڤوپليه؟

ابتسم أبوها فاحتضنها ولثم جبهتها ثم نظر لأحمد: غلباوية.. زي سعد زغلول.. مَاشي يا ستِّي.. النهاردة حفلة وبس.

- يا عبد الرحيم باشا.

كان المُنادي أحد المَدعوين.. ربت الرجل على كتف نازلي وابتسم لأحمد: كيرة.. اسم مميَّز جدًّا.. أستأذنكم.

قالها وانسحب مُندمجًا مع مَعارفه حين استطردت نازلي:

- آسفة.. پاپي بيهتم جدًّا بالتفاصيل.

- أنتِ لو بنتي هاعمل أكتر من كِده.. بالمناسبة هدومه تجنن.

- أنت كُنت هاتموتني من الضحك لما بصيت للهدوم.. تخيلت أنك هتألِّس عليها.. بابا بيعتز جدًّا بالفرع اليوناني في العِيلة.

- غريب الخليط اللي أنتِ جاية منه.. جريجي على فرنساوي على عثمانلي.

- على مصري.

- أحلى حاجة فيكي.

بدأت الموسيقى تعزف لحنًا راق إلى أذنيها.. نظرت إلى الفرقة وبدأت تتمايل في خفَّة قبل أن تميل عليه:

- على فكرة.. أعتقد أنك عجبت بابا.

ابتسم أحمد بترقب وهو يراقب أباها.. أردفت نازلي:

- أنـا بعشـق الأغنيـة دي.. A Good Man is Hard to Find.. مَاريون هَاريس.. صُوتها يخبل.. أحسن مُطربة في أمريكا.

مدَّ يَده إليها: ترقصي؟

أغمدت كفَّها في أصَابعه فسَـحبها إلـى المَرقص، تمايلا لدقيقة قبل أن تتكلم:

- بترقص هايل! ودكتور.. واشتغلت مع سَاحر فرنساوي في سيرك! إيه تاني المفروض أعرفه؟

- بطبخ ملوخية تجنن.

- وإيه كمان؟

- وقتال قتلة بعد الضهر.

ضحكت حتى دَمعت عَيناها: أنا موافقة.

نظر إليها في استفهام فأردفت:

- موافقة أعيش معاك عمري.

ضَغَط على أصَابعها في كفِّه وابتسم ابتسامة حَاول أن تبدو طبيعية.

الانجراف مع النهر الثائِر لم يعُد اختيارًا.. أما المقاومة فتزيده غرقًا:

- نازلي.. أنا...

فجأة انقطعت المُوسيقى بَعدما هَمس رَجل في أذن العَازف الأوَّل للفرقـة.. تكهربـت الأجـواء وانسـحب البـارون إمبان من السَّطح في

عُجالة رغم عَرَجه الواضِح وخلع قناعه.. تبعته عشيقته المزعومة إيفيت بغدادلي.. نظر أحمد لنازلي في استفهام فبادلته الاستغراب ثم راقبت المِصعد الذي تحرَّكت أسلاكه صُعودًا قبل أن يَعتلي أحد الأشخاص منصَّة الفرقة ويُعلِن:

- أرجو الالتزام.. نحن في حَضرة صَاحب العظمة.

قالها بالعربية والإنجليزية والفرنسية فعَلَت الهَمهَمات واضطربت الجُموع، أخلى الخَدَم الطَّريق الخَارج من المِصعد ووَضعوا كُرسيًّا وثيرًا أمام منضدة في رُكن مُميَّز، عَدَّل الرِّجال والنِّساء من هندامهم وخلعوا الأقنعة ووقفوا عَلى أهبة الاستعداد حين انفتح باب المِصعد، خَرج البَارون إمبان بوجه بشوش ومن وَرائه بَرز السُّلطان فؤاد في بَدلة سوداء أنيقة، كرش عظيمة ولُغد مُحتبس، حِذاء لامِع لا يطأ الأرض، وشارب ضَخم مَبروم كقرنَي ثور تحت عينين جَامِدتين لا تَشِفان ما وراءهما، رَمقه أحمد بنظرة لم توارِ كُرهه، نظرة لَمَحَت فيها نازلي بُغضًا واحتقارًا لم تجرِّبه رَغم مَعرفتها بخبايا أخبار السُّلطان ومُهادنته الاحتلال، إلا أنها لم تَملك يَومًا مثل تلك النظرة ناحيته!

شقَّ السُّلطان طريقه يُحني هامات الرِّجال وينكِّس رُكبات النساء إجلالًا، يَمُن التحيات عليهم بابتسامة وهزَّة رأس ويمد يَده فتُلثم من الواقفين شرفًا وتقديرًا، ثنت نازلي ركبتيها احترامًا وانحنى أحمد بروتوكولًا، غاظته ثقة السُّلطان وذكاء لمحه حين التقت الأعين للحظة، كان يتمنى أن يستشعر الغباء في نظراته.. الغل أو الغطرسة.. لكنه استشعر ثباتًا وثقة حفَّزت لديه رغبة المنافسة.

استوى السلطان على كُرسيه فالتف حوله البارون إمبان والسيدة جرهـام وبعـض السـاسـة الإنجليز ورجـال المال المصريـون والنبلاء، تبادلـوا حديثًا مَرحًا قبل أن تندمج الفرقة في العزف، لحنًا هادئًا لبرامز بعنوان «Poco Allegretto».

تكلمت نازلي لتخرج أحمد عن شرود تملَّكه:

– أوِّل مرة تشوف السلطان ع الحقيقة؟

أفاق أحمد من سـرحته: أيوة.. أول مرة.. ما كنتش متخيل إنه قصير كده.. بيبان طويل في الصور.

– پاپي بيقول عليه ذكي جدًّا.. وبيفهم تمام في المالية.

– الوصول للعرش مِش محتاج ذكاء.. مِحتاج دم أزرق.

– بتكرهه؟

– حد يقدر يِكره السُّلطان؟ قالها بسخرية.

همسـت: أنا مش بحبه.. بس شايفة اللوم على الإنجليز أولى.. همَّا اللي حَطُّوه على العرش.

– هيلاقوا مين أحسن من أمير مفلِّس وقُمرتي يتحكموا فيه!

– لو مَطرحه كنت تِعمل إيه لو اتعرض عليك العرش؟

– أطالـب بالاسـتقلال لبلـدي بَدل مـا أقف أتفـرج عليهـا بتتحلب قدامي.. أعرض القضية على العالم بنفسي بدل ما أسـيب سـعد باشا زغلول يتنفي.

- پاپي دايمًا بيقول إن المناصب كتير بتغلب الرجال.. وإن ما ينفعش نحكم ع الناس وإحنا في أماكننا.. لازم نقعد في كراسيهم ونحس ضغوطهم.

- والدك بيقول كده عَشان مُحافظ عَنده.

سَاد الصمت للحظات.. لم تشأ نازلي أن تعقِّب فتدارك أحمد كلماته: أنا آسِف.. ما كانش قصدي.

- أنا كَمان مش عاجبني إن پاپي بيشتغل في وزارته.. كُل واحد في منصب وموافق على اللي بيحصل يبقى مقصّر في حق مصر.

- ده صحيح.

- بس تعرف.. أنا لو ما أعرفكش وشفت نظرتك ليه وهو بيعدي جنبنا كنت قلت إنك مُمكن تطلَّع مُسدس وتقتله!

- للأسف المسدس النهاردة في البيت.

ضحكت فضحك.. سَحَبته للمَرقص وعَيناه لا تُفارقان مِنضدة السلطان.. كان ذلك حين مالت السيدة جرهام إلى السُّلطان بابتسامة وهَمَست بإنجليزية:

- كيف حَال ابنتنا العَزيزة الأميرة فوقيَّة؟

سلك حنجرته بصوت غليظ يشبه الشخير من أثر رَصاصة قديمة استقرَّت فيها ولا تزال ثم تحدث: بخَير.

- لِمَ لمْ تأت لمرافقة عظمتك؟

- فوقيَّة عنيدة ولا تروقها الحفلات.

– الحياة ليست لطيفة بدون رفقة يا صَاحب العظمة.

بابتسامة أجابها: العرش لا يترك وقتًا للعَبث يا عزيزتي.

– ومَن تكلَّم عن العبث؟ أنا أتكلم عن الزواج.

فلتت منه ضحكة.

– لقد جَرَّبت حَظِّي مرة ولم أوفَّق.. أميرات الأسرة العلوية صَعبات المراس.. عنيدات.. ومُدللات أكثر من اللازم.

– أتفق مع عظمتك.. لذلك يجب كسر القواعِد من حين لآخر.

أشعل غليونًا مَحشوًّا بتبغ «دانهل» المفضل لديه ثم ضيَّق عينيه: ماذا تعنين بكسر القواعِد؟

– رضا عظمتك غاية تتسابق عليها رَبيبات الأسرة العلوية.. بجانب عائلات مصرية كريمة الأصل أيضًا.

– تقصدين الزواج بواحدة من عامة الشعب!

– ولم لا؟

– هذه سابقة ليس لها مثيل في الأسرة!

– لكل شيء بداية.. الزمن يتغير والمفاهيم تتبدَّل.

– هل للأمر علاقة بقصر باكينجهام؟

بدبلوماسية ازدادت منه قربًا: بالطبع نشاط سَعد زغلـول والاضطرابات المترتبة أزعجت العرش كثيرًا في الآونة الأخيرة.

– توقيت غريب للبحث عن زوجة! البلاد في قمة الاضطراب.

- العكس صحيح، سُلطان يتزوَّج امرأة من العَامة سيكون أكثر قربًا من قلب ذلك الشعب الطيب في تلك الفترة العصيبة، عرش أكثر استقرارًا، ولي عَهد «ذكر»، دماءه مِصرية خالصة، لن يملك المصريون سوى الولاء والطاعة، والمَحبَّة بالطبع.

بَرم شاربه في شـرود أفاق منه بَعد لحظات: ولكن.. من قد تكون؟

قاطعته مُتصنِّعة دلالًا لا تجيده الإنجليزيات: يَجب أن تكون أكمل وأجمـل فتاة لتناسب عظمتك.. بالصُّدفة.. هُنا في هـذا الحفل اثنتان تناسبان المَقام السَّامي.. هل تلمح عظمتك صَاحبة الفستان الأحمر الواقفة بجانب البار؟

رمق السـلطان الفتـاة ثم أردف: لقد سَئمت البدينات يا عزيزتي.. زوجتي السابقة كانت مائتين وعشرين رطلًا.

- إذن أجـد هوى عظمتك مـع تلك الرقيقة ذات الفسـتان البرونزي في مُنتصف المَرقص.

مَسَح الجسد بعينيه للحظات قبل أن يبتسم: من هي؟

- نازلي.. كريمة عبد الرحيم باشا صبري.. محافظ القاهرة وخادمك المطيع.. يا له من شرف قد يناله!

- جميلة.. لكن من الشَّاب الذي يُراقصها؟

ابتسمت لمَّا لمست الاهتمام ثم نظرت لأحمد وهو يراقص نازلي:

- سَأتأكَّد تمامًا أنَّه أخ لا تجوز له.

فـي بِدايـات مَايـو ١٩١٩ كَانـت الثـورة المصريَّـة قـد نجحـت في النيل من ثقة الإنجليز في أنفسـهم، أقلقـت الجيوش الواثِقة وهزَّت في «باكينجهام» عَرش ملك ثابت.

لكنهـا أُنهكـت! ثِقل الاحتلال أرخـى عَضَلات الثـوار وثبط الكثير من عزيمتهم فبدون جيش يقف بجانبهم وشـرطة تذود عنهم وسُـلطان يَغضب من أجلهم، ظل الاستمرار في التظاهر نزيفًا لا يتجلَّط.

كان ذلـك قبـل تصريح الرئيس الأمريكي بشـأن القضيـة في مؤتمر الصلـح، التصريـح الذي بقدر ما أثار من سَـخَط وأشـعل فـي الصدور غضبًـا، بقدر مـا كَان ضَربة قاصمة بثَّت اليأس بيـن ضلوع المصريين.. وبعض أعضاء الوفد في باريس!

وكانت تلك المرحلة الثانية من الثورة.

مرحلة خَرج فيها الفلاحون وأهل الصَّعيد من العَمل الثوري ضَحية للعَسـف الوحشـي ولفراغ بيوتهم من الأقوات، انحصرت الثورة تقريبًا فـي القاهـرة والمُـدن المُجاورة، بقيـادة الطلبـة والمُحاميـن والعُمَّال، مُقامريـن بحياتهم مُقاومين إنذارات شـديدة اللهجة بالطَّرد التعسـفي، كُل بضعة أيام تحدث في صفوفهم اختلاجة كاختلاجة مَريض مَحموم فتشـتعل المَسيرات والمُظاهـرات، يَجوبـون الشـوارِع هاتفيـن ضِـد

الاحتـلال رافعيـن رايات الحرية قبـل أن يُقابَلوا بقمع وعنف شـديدين فيتفرقوا وتبقى بطولاتهم التي تتحوَّل بسحر الأفواه إلى أساطير يتحاكى بها أبناء البلد فخرًا وتثبيتًا لبعضهم البعض.

أمَّا الوفد برئاسـة سـعد فقد جَاهد ليُبقي قضية الاسـتقلال حيَّة على المنابـر فـي أوربا وخارجهـا رغـم الخلافـات الداخلية والانشـقاقات، جَمَع الشعب التبرعات تطوعًا من أجل استمرار عَرض الفكرة، وتأكيدًا لمَطلب الاستقلال أمام المُجتمع الدولي ضِد إقرار الحِماية الإنجليزية «الإجبـاري» على مصر، قاوم الوفـد العراقيل التي وضعها الإنجليز في طريقهـم، وخاطبـوا مندوبي الدِّول المختلفة ليقابلـوا بصَمم كلما أتت سيرة الاستقلال.

منـذا الذي يُعارض كَلمـة الفصل الأمريكية؟ فمصـر يجب أن تظل حظيـرة إنجليزيـة.. وغنيمة حرب ليس لها أن تُسأل فـي مصيرها! مَع الوقت وتحت رعاية لورد «ألنبي» المندوب السَّامي البريطاني الجديد والأكثـر شراسـة في تاريـخ الاحتلال والمَعـروف بـ «الثـور الدموي»، مـع الوقت ضَاقت قبضة الإنجليز على البـلاد، ازدادوا إمعانًا في إذلال المِصرييـن واضطهادًا لحركتهم الوطنيَّة، بَات الكرباج حَدثًا عَاديًّا لكُل من يُشتبه في أمره، مِثله مثل الرَّصاص، بدون إبداء سـبب! امتد النهب والاعتـداء كالنـار في الهشيم عِقابًا وتنكيـلًا، قبل أن تنوِّه بريطانيا عن إرسال لجنة برئاسة وزير المُستعمرات البريطانية اللورد «مِلنر» للتحقيق في أسـباب اشتعال الثورة المصرية، مُهمِّشـة لدور الوفد المِحوري في تحريك القضية، ومُتجاوزة لشخص سعد!

كان مقهى «ريش» قد أصبح مَلاذًا حميميًّا لعبد القادر، غادر بنسيون بنبة مُتحججًا بالعمل، تاركًا سَلامة النجس بوَجه مَعجون وعين مَعطوبة بيَّضتها النار، يُبعثر اللَّعنات باسم وَرد مُتوعدًا إياها بمَوت بَطيء من بعد تشويه، يبحث عنها يوميًّا في الشوارع والأزقَّة ويَسأل عنها أصحاب بيوت الفواحِش «الرسمية والسرية» ثم يترك عنوانه في حالة إذا ما صادفها أحدهم، أمَّا بنبة فتأثرت بما أصابها من تلميذتها الشقراء المارقة، تصرخ في لبؤاتها ليفَرجن سِيقانهن ويزيِّن استجلابًا للرزق، ودَّعت عبد القادر بحرارة حين قرر الرحيل قبل أن تدس في جَيبه خَمسة جُنيهات ولفافة كوكايين تكفيه أيامًا.

زار عبد القادر حيَّه مُتخفيًا فاطمأن على أمِّه وإخوته ومَلأ حَقيبة مَلابسه ثم غادر، سَكَن قبو الخمور واستجلب من ميشيل صَاحب المقهى مَرتبة تقيه جفاف أخشاب الأرضية، ينام فوق آلة الطباعة المدفونة مُحتضنًا زجاجة كونياك، مُريدو المكان والعاملون عرفوه بعبد القادر القبضايا، حَامي المَكان من الشَّغب، يقوم صَباحًا ليجلس أمام المقهى قبل أن يؤمِّن وصول أعضاء الحركة إلى القبو بسلام بدلًا من ميشيل الذي لا تفارقه عيون الزبائن، بَات اصطكاك الكؤوس حميميًّا، هَمهَمات الزبائن وصوت محمد عبد الوهاب بأغانيه الجديدة تُصيبه بنشوة حلقات الذِّكر، سُكون غريب يَجتاح كيانه ويخدِّر خلاياه،

قل استهلاكه للكوكايين لضَعف موارده فاكتفى بالخمور، وانفتحت شهيته على الطعام مرة أخرى، حتَّى صَوت المَطبعة المزعج رغم رتابته بَات مُريحًا لأعصابه، والسبب.. دولت.

ما الذي فعلته مُختلفًا عَن بقيَّة النساء اللاتي عَرفهن فسَحَرَهنَّ فذاقهن ثم ألقاهن؟ كيف جَذبته تلك الصَّعيدية الخَمرية؟ الغَاضبة العَابسة النافرة منه المتحاشية حتَّى النظر في وجهه، أي راهبة هي؟ أي مُتكبرة؟ يَسأل نفسه طوال اليوم فيُثار غضبًا ويقطب وجهه ويوشِك أن يشتبك مع أحد الزبائن حتَّى تحضر فتبدِّد الغضب كدخان في الهواء، ويبقى وجهها، عيناها العسليتان الواسِعتان، وشفتاها، وإسحاق القبطي! يَرمقه بشك وإحباط حتَّى ينتهوا من طباعة المَنشورات وترتيب حَركات التوزيع والتأمين، قبل أن تبدِّل مَلابسها لتخرج واحدة من ربيبات البيوت، كيف تفعلها؟ كيف تتحول فجأة من الوحشية إلى سحر الأنوثة؟ كيف تُطفئ لكنتها الصعيدية وتشغِّلها كأنها تنزل مفتاحًا في لوحة كهرباء وترفعه؟ الجيم المُعطَّشة تصير جيمًا والياء المَمدودة تقصُر مثل حبرتها التي تتحول إلى فستان!!

أضنته الأسئلة وأرهقته فتسلل وَراءها مُراقبًا، سَحبه كَعبها إلى الشوارِع المزدحِمة، انتظر الحبيب أن يظهر أو دخولها لملهى ليلي تعمل فيه راقصة، لكنها ما لبثت أن فاجأته واختفت من عينيه وسط الجموع، هَاج ومَاج وبحث بين الواقفين ساعة فلم يَجدها، كالمِلح في المَاء ذابت، تقهقر مَهزومًا لتأتي في اليوم التالي إلى مقهى ريش وأول ما فعلته حين خرجت من المقهى أن اقتربت ورمقته بتحدٍّ:

– ليه مشيت ورايا إمبارح؟

حَكَّ عبد القادر مُؤخرة رأسه ثم أجاب: صُدفة.. كُنت... رايح أجيب سجاير.

– من فضلك ما تراقبنيش تاني.

– أنا ما راقبتكيش.

تركته فلاحقها: وأنتِ كنتِ رايحة فين؟

– خلِّيك في حَالك.

– تسمحي لي أوصَّلك؟

– شكرًا.

– النهاردة حَصَل ضرب نار قريب.. خليني أوصلك لأقرب سكَّة.. ما تحضرنا يا عم إسحاق؟ عم إسحاق؟ النبي ما تعمل نفسك ميت.

نظرت دولت لإسحاق فهزَّ رأسه مُوافقًا.

– خلِّيه يوصَّلِك يا بنتي عشان الشوارع هايجة.

مَشيا في صَمت لدقيقتين قبل أن يُخرج عبد القادر من جيب سُترته صورة فوتوغرافية صَغيرة يقف فيها ممسكًا برشاش ضخم أمام سيارة.

– شفتي الصورة دي؟

نظرت فيها دولت ثم أشاحت بوجهها.

- أوتومبيلي ده.. كروسلي موديل سنة أربعتاشر.. آخر إنتاج الشركة قبل الحرب.. جبته من ظابط ما قعدش مَعاه سنة.. بريمو.. والله كنت بجيب بيه ستين كيلو في الساعة.. وده رشاش كان معايا برضه.. «مادسن» ألماني.

نظرت إليه نظرة جعلته يدفن الصورة بين أصابعه.. ساد الصمت قبل أن يُردِف: أنا كنت ماشي وراكي إمبارح.

- عارفة.

- ليه بتصدِّي؟

- ...

- عليكِ تار في بلدكم؟

- ...

- مش إحنا في مركب واحِد؟ المفروض...

قاطعته: المفروض تسمع الكلام وتعمل زي ما أحمد أفندي قال.. نشوف شغلنا وبس.

- لا حول ولا قوَّة إلا بالله.. هو أنا بترازِل لا سمح الله.. ده أنا بَوصِل الود بس.. وبعدين ده أنا أصولي من الصِّعيد برضه.. ليا مِرات عَم من أسيوط.. من.. من نجع حمَّادي.

- نجع حمَّادي في قِنا!

- أيوة قِنا صح.. شُفتي بقة؟ بلديات.

توقفت فَجأة فتوقف: أنت عاوز إيه؟

– عــاوز أعــرف إزَّاي مزمزيل زي البدر في تمامــه كِده ما اتجوِّزتش لحد دلوقت؟

– أنا مَخطوبة لابن عمِّي.

وقف عبد القادر ولم تقف: ابن عمِّك؟

أكملت مشيها فأفاق من المفاجأة وأدركها: وأنتِ.. بتحبيه؟

– ...

– طب هو عارف أنتِ بتعملي إيه في مصر؟

– ده شيء ما يخصَّكش.. ولا يخصُّه.

– تبقي مش بتحبيه.

– ...!!!

حدجتـه باستنكار قبل أن تتركه وتعبر الشـارع، عبـر وراءها متفاديًا حنطورًا أوقفته وصَعدت سُلَّمه فقفز بجانبها.

– اطلع يا أسطى ع الضاهر.

استدركه عبد القادر: اطلع يا أسطى ع الكورنيش.

ألقاها للعربجي فرمقته بغضب.. أردف:

– ابـن عمِّك ده تلاقيكي مَخطوبة لـه من وأنتي في اللفـة.. فهربتي من البلد على مَصر عشـان ما تتجوزيش.. أصل الست اللي تعمل اللي بتعمليه ده حَاجة من اتنين.. يا عانس.. يا بتهرب من حاجة.

– لو سمحت يا أسطى على جنب!

٢٠٧

– لف بينا يا أسطى شـوية.. صَبـرك بالله.. أنا لازمـن أقول لك كل اللـي في بالي.. أنا مش عـارف أنتِ عملتي لي إيـه! أنتِ غير أي مزمزيل شفتها في حياتي.. أنت مملكة...

– شـايف الشـاويش اللـي هنـاك ده؟ والمعبـود لـو مـا نزلتـش حالًا هاندهه.

لَمس عبد القادر في عينيها جدِّية وتهورًا فوقف على الحنطور:

– ماشي يا سِت الناس.. بشوقك.

ثم قفز.. استقر على الأرض فرفع صوته حتَّى تسمعه:

– بس على فكرة بقى أنا عاجبك.. باعرف نفسي لمَّا بشاغِل البال.

لـم تعقِّب ولم تنظُر وراءها.. هزَّت رأسـها في استنكار ومَضى بها الحنطور قبـل أن تلحظ الصورة التي وقعت منه.. أو ربما تركها عمدًا ليبهرهـا.. صورته مع سـيارته والرشـاش.. التقطتها مـن كنبة الحنطور وتأملتها قبل أن تدسها في حقيبتها الصغيرة.

فيلا عبد الرحيم باشا صبري.. الجيزة

على غير العادة وفي غير وقته عَاد الباشا من المُحافظة، نزل من سيَّارته يَحمل في وجهه بُشرى وتوترًا عجَّلا خطواته، حيَّا العاملين والخدم دون أن ينظر في وجوههم وصَعد السلَّم العالي بسرعة لا تتفق مع سنِّه، دلف إلى غرفة نازلي فأشار للخادمة العجوز أن تتركهما قبل أن يَحتضنها حُضنًا طويلًا كأنه لم يرها منذ سنة.

- فيه إيه يا پاپي؟

- كل الخير يا حبيبتي.. اقعدي.

أغلق الباب بإحكام ثم جرَّ كُرسيًّا وجلس قبالتها.

- أنتِ تمام؟

- تمام يا پاپي!

- مبسوطة؟

- مبسوطة! فيه إيه؟

- كان نفسي تكون توفيقة عايشة عشان تحضر اللحظة دي.

- الله يرحمها مامي.. پاپي فيه إيه أنا قلقت؟

- عاوزك تتمالكي نفسك كويس وتسمعيني بهدوء ومش عاوز أي رد فعل على الكلام اللي هاقوله ده.. ده غير إن ما ينفعش حد يعرف من الخدم.. ولا حتَّى الدادا.

حفرت عَلامات القلق وجهها: حاضر.. فيه إيه؟

- السُّلطان.

- ماله؟!

- طلب إيدك.

مَادت الغرفة بها للحظات فارتعشت أطرافها واجتاح جَسدها عرق بارد فقامت لاإراديًّا.. مشت إلى النافذة حين أردف أبوها:

- مدام جرهام حَرم مستشار الداخلية زارتني في المحافظة.. وفاتحتني في الموضوع.. عارفة ده مَعناه إيه؟

التفتت إليه ولم تسأل فبَدأ يخُط بسبابته بروازًا في الهواء:

- نازلي عبد الرحيم صبري.. حرم عظمة السلطان.. سلطانة مصر.

لم تسمع الكلمة الأخيرة.. قرأتها بين شفتي والدها قبل أن تخفت التفاصيل وتنتشر البرودة في أطرافها ثم تميد الغرفة فتختفي بغتة...

بعد ربع ساعة أفاقت.. رأت وجوه والدها والطبيب ومُربيتها العَجوز.. التقطت أذناها «**الحمد لله.. مُتشكر يا حَضرة الحَكيم.. حَضَّري لها الغدا يا دادا**».. ثم خرج الجميع ولم يتبق إلا والدها.. أغلق الباب وعاد إليها مُكملًا ما بدأ قبل أن تغيب عن الوعي.. استندت بصعوبة إلى مخدَّتها ورمقته في بَهتَان.

- عارف إن الخبر مش سهل.

- المفروض إن ليا اختيار؟

تأمَّل وجهها الباهت للحظات ثم مسح جبهتها بحنان قبل أن يُجيبها: نتناقش يا نانا.

- إشمعنى أنا من دون البنات؟

- مَفيش حاجة اسمها إشمعنى.. كل شيء مَكتوب.. وبعدين السُّلطان هيلاقي مين أحسن من نازلي؟

- يشوف قريبة من قريباته يبهدلها.

- إيه الكلام ده!!

- پاپي أنت ناسي عمل إيه في الأميرة شويكار؟ ضَربها وبَهدلها لغاية ما أخوها ضربه بالرصاص في كلوب محمد علي.. الرصاصة لغاية دلوقت في رقبته وصوته بشع.

- شويكار دي مَجنونة.. سيرتها مَعروفة في الخبل.. تسيب بيتها من غير إذنه وتبعت له رسايل تطلب منه الصفح.. وأخوها مجنون رسمي وبيتعالج في مصحَّة في لندن.

- وقُمَرتي ومديون.

- الراجل ما يعيبوش يلعب قمار.. سَعد زغلول بيلعب قمار.

- دي بنته فوقيَّة تقريبًا قدِّي!

- نانا يا حبيبتي.. إحنا بنتكلم عن رجل غير عادي.. السِّن هنا مالوش مَعنى.. أنت مُدركة يعني إيه تكوني مرات سُلطان؟ يَعني

الدنيـا كلها تصبـح ملكك.. مَصر فيها تلاتاشـر مليـون بني آدم.. مليـون ونص عَامل.. ميـت ألف إخصائي.. عشـرتلاف حكيم.. خمسين عَالم.. تمن وزراء.. سُلطان واحِد.

شُـل تفكيرها وذُهلت عيناها.. ضَربات قلبها باتت مَسـموعة تطرق أذنيهـا بـدَويٍّ مُؤلـم.. نهيجها يتزايـد والندى البارد ينشـع مـن مؤخرة رأسها وجَبينها.. تنظر لوالدها فتراه هُلامًا معلقًا عليه شارب أبيض فوقه طربـوش.. لا تميِّزه أو تفهمه.. رَوح انفصلت عن جَسـدها.. عقل فقد رُشـده.. تُباغتها عَينا أحمد ونظرته إليها وهما يَرقصان.. ابتسامة شَفتيه وهـو يَنطق كَلمـة «بحبك».. النشـوة التـي اجتاحتها.. القُبلة السـاحرة التي اختلسـاها في الحديقة الخلفية للقَصر.. الوعد... قبل أن تُداهمها اللَّحظة التي عَبر فيها السُّلطان.. بينهما.

- نانا.. أنت عارفة أنت غالية عندي قد إيه؟ أنت اللي فاضلة لي من الدنيا أنت وشريف أخوكِ.

صَارَعَت رغبة مَحمومة في الصراخ منادية اسـم أحمد.. دَفْنِ نفسها في حُضنه والبكاء.. التفتت لأبيها:

- أنا مش محتاجة الجوازة دي!

- ليه تحرمي نفسك من شرف لا تتخيليه؟

- مش محتاجاه.

- مش محتاجة تكوني عَلامة في التاريخ؟

- مدام جرهام وعدت حضرتك بالوزارة؟

بَاغته سؤالها رغم توقُّعه.. ابتسم بعصبية مَكتومة وجز أسنانه ثم قام.. تمَّم على طَربوشه واتَّجه إلى الباب قبل أن يلتفت إليها:

- بُكرة مدام جرهام منتظراكِ ع الفِطار في فيلّتها.. العربية هاتكون جاهزة الساعة تمانية تمام.. ما تتأخريش.

قالها ورحل، تمالكت نفسها فقامت إلى التليفون، رَفعت السمَّاعة وأدارت القرص، طلبت من السنترال تحويلها بمقهى متاتيا، تلقَّت ضَجيج رَقع أقراص الطَّاولة وصِياح النُّدُل بالطلبات ثم صوتًا غليظًا: قهوة متاتيا.. أفندم... أفندم...

- من فضلك ممكن توصَّلني بأحمد أفندي كيرة.

- لحظة يا مزمزيل.

سمعت صَوت الرجل يُنادي أحمد قبل أن تسمع صوته: آلو.. آلو.

أغمضت عينيها وتهدَّج نفَسها فأغلقت الخط وارتمت على سريرها، مدَّت يدها وسَحبت من تحت الوسادة كتابًا بين إحدى صفحاته تذكرة دخول لمسرحية «قولوا له».. نظرت في ظهرها فقرأت كلمات كتبتها بخطِّها:

«أحلى يوم في حياتي».

حديقة الأزبكية

اقترب النادل العجوز في زيِّه القرمزي من المقعد المجاور للكوبري الخشبي الذي يعلو البُحيرة المغطاة بأوراق الزنبق الدائرية.. جلس أحمد وعبد الرحمن فهمي يَستقبلان أشعة الشمس في صمت.. وضَع النادل كُوبَي شَّاي ورحل قبل أن يتكلم الأخير:

- أوربا كلها تقريبًا أيِّدت الحِماية على مَصر.. آخرهم ألمَانيا.. وقُنصليات الدول رَافضة بضغط من الإنجليز تجدد التأشيرات للوفد عشان يسافر لعرض القضيَّة.

- الوفد كده اتنفى بالفعل!

- المُشكلة أكبر من كده بكتير.

التقط عبد الرحمن فهمي حقيبته الجلدية الموضوعة بين ساقيه.. فتح قفلها وأخرج رسالة ناولها لأحمد:

- عُضو من أعضاء الوفد في بَاريس بعت الرسَالة دي.

قرأها أحمد بعينيه.

«مُنذ وصُولنا وَجدنا جَميع الأبواب مُوصدة في وجوهنا، كل الجُهود والمَساعي لم تؤد إلى نتيجة».

زفر عبد الرحمن: فيه تشقق.. جبهة مُعارضة ضد سعد باشا شايفة أنه لا يصلح.. مش عَاجبهم تمسُّكه بالاستقلال الكامل.. شايفين إن مُمكن نوافق على استقلال مَنقوص أو نقدم تنازلات.

- والأفراد دول مؤثرين؟

- بشكل كبير.

- ويعرفوا عن المراسلات الخاصة مع سعد باشا؟

- طبعًا لأ.. لكن شاكّين فيه.. بيراقبوا رسايله العادية ويفتحوها.. وأكتر من مرة نوهوا بالكلام.

- لازم نغير نمط الإرسال كل فترة.

- طبعًا.. وعلى الصعيد المصري أَدِيك شايف.. السلطان والإنجليز هدفهم الأساسي تهميش الوفد وسحب المفاوضات من إيده لصالح الأمراء عشان ينالوا رضا الشعب.. كَمان الوزارة الجديدة اللي بتتشكل هاتعطل القضية كتير.. الكلاب شالوا الرجل المحترم اللي كان بيساند الوفد وحطوا بداله أسماء عندها استعداد تبيع البلد عشان بس يكونوا وزراء.. هانحتاج ضربات تحت الحزام.. ضربات مش عاديَّة.. مش بمستوى ظابط أو مسئول بريد زي ما حصل قبل كده.

- وزرا؟

هز الرجل رأسه إيجابًا ثم سأل: إيه إمكانية تنفيذ ده؟

- المُعدات مَوجودة.. اتصالات.. مُراقبات أكتر.. وشخص جريء ينفذ.. شخص عارف كويس إن احتمال هروبه ما يتعداش خمسة في الميَّة.. قلب ميت.

- فكَّر ورُد عليًا.

- وهو كذلك.

همَّ أحمد بالقيام حين استدركه عبد الرحمن فهمي.

- نازلي إزَّيها؟

التفت أحمد قبل أن تتسلل لشفتيه ابتسامة لاإراديَّة أجلسته ثانية: أنا متراقب؟

- إطلاقًا.. نازلي هي اللي متراقبة.

- متراقبة؟

- أنت عارف إنها متربية في بيت سَعد باشا.. وصَفيَّة هانم تكاد تكون والدتها.. هو كمان وصاني عليها قبل النفي.

- منطقي.

- بتحبها؟

سكت أحمد لحظات.. يستوعب الخرق الذي حدث في رأسه وتعرَّت فيه الأفكار.. قبل أن يكشف ورقه دفعة واحدة:

- بحبَّها.

- وبَعدين؟

- هَانتجوِّز!

- إزَّاي؟

– زي الناس.. أول ما البلد تستقر هاكلم والدها بشكل رسمي.

– نازلي ما تنفعكش يا أحمد.

قالها الرجل بدون أن يلتفت، كأنَّه يلقي بعقب سيجارة إلى الأرض بإهمال.. أردف أحمد:

– حضرتك ليه بتقول كِده؟

– بلدنا طبقات.. صِناعة احتلالات.. مِش سهل المزج بين طبقتك وطبقة... مش بتاعتك.

– حضرتك تقصد طبقة أعلى.

– ما تخدش الموضوع بشكل شخصي.

– مع احترامي لكلام حضرتك أنا بحب نازلي.. ونازلي بتحبني.. ثم إني بشتغل في مدرسة الطب و...

– وبتصنع متفجرات وبتشتغل في المقاومة.

– ....

– البنت الغنية والولد الفقير.. المَسرحيات الخيالية.

– سَعد باشا اتجوز صَفيَّة هانم وهو أفوكاتو.

– نازلي وضع مختلف.

هز أحمد رأسه وهمَّ بالقيام: عُمومًا أشكر حضرتك على النصيحة.. بعد إذنك.

– السُّلطان طلب إيد نازلي يا أحمد.

الكلمات أصابت مؤخرة رأسه فتوقف والتفت: السلطان مين؟!

- السلطان اللي ساكن قصر عابدين.

نجح الخبر في إفقاده التوازن: الكلام ده مش صحيح.

- إمتى آخر مرة شفتها؟

أجاب بشرود: في حفلة البارون.. من تلات أيام.

- كلِّمتها بعدها؟

- اتكلمت في التليفون.. لكن.. ما بتردش!

ساد الصمت لحظات ثقيلة قبل أن يقطعها عبد الرحمن: أحمد.. أنا مش عاوزك تتئذي.

- بعد إذنك.

تركه ورحل.. أغمض عبد الرحمن عينيه ألمًا ثم زفر وهو يشعل عود ثقاب أحرق به رسَالة الوفد متابعًا نارها التي تشبه كثيرًا نارًا أضرمها منذ قليل.

في قلب أحمد.

بَار «كافيه إچيبسيان».. شارع وش البِركة.. الأزبكيَّة

وقفت السيدة بَديعة في مُنتصف المَسرح بفستان أسود متلألئ، بدون كورسيه يقوِّم خصرًا أو سوتيان يرسم صَدرًا عِصامي الاستدارة، تضرب أصابعها الصَّاجات النحاسية ببراعة عَجيبة متزامنة مع إيقاع التخت الموسيقي ومن حَولها ثماني راقصَات في بدلات ملوَّنة مُبهرة يتقصعن في استعراض طالما خلب العقول وتحاكت به أخبار الفن «الشارلستون».. انتهت المُقدمة المُوسيقية حين توسَّطت المَسرح قبل أن يَصدح صَوتها:

«يا حبيبي ونور عيني.. ده بعادك يضنيني.. يا خفافتك
يا لطافتك.. أنا أبوسك من خدك».

تمايلت الصَّالة مع غنائها ودلال راقِصاتها ففُرشت المزَّات على المناضد وفُتِحت الزجاجات فاصطكت الكئوس ودارت الفتيات بين أيدي المُريدين، في منتصف الرقصة نزلت الدرك ورد، بَدت مُختلفة كثيرًا، شعرٌ أسود فاحم وفستان جديد وحِذاء! كانت قد غادرت الكنيسة بعد أن وَعدت القس بالذهاب للجَمعية الخيرية الأرمنيَّة لتلقِّي الإعانة والتطوع للخدمة الربانية نظير الطعام، حين وَصلت الجمعية شاهدت طوابير طَالبي القوت والمحتاجين من عشيرتها يتكالبون

على الأغطية والأدوية، وقفت لساعة تتابعهم قبل أن تعدل عن قرارها، رَهنت سَاعة عبد القادر التي تلقفتها منه فوق سلَّم بنبة واشترت بثمنها وَجبة تقيم أودها وفستانًا، وصبغة سوداء أطفأت وَهج شَعرها قبل أن تتجه إلى الأزبكية مُتخفية في الخُصلات الداكنة، طلبت من الحَارس مقابلـة السيدة بديعة مدعية أنها قريبة من لبنان، نزلت السلم وراءه مُلتصقـة بالجدار، عيناها تـأكلان بديعة وفرقتهـا أكلًا، تركها الحارس في الكواليس فوق كُرسي تنتظِر النجمـة أن تُنهي فقرتها حتَّى خبت الموسيقى، لحظات ومرَّت بجانبها، المُعجبون يَحفونها مُقبّلين يَديها والراقصـات يَسـرن في ذيلهـا، تبعت الموكِب بإعجاب حتى دخلت غرفتها قبل أن يشـير لها الحارس أن تتقدَّم لتجد ورد نفسها في حَضرة ملكة الرقص الشرقي.

الغرفـة كانـت متوسـطة، مُتخمة بالزهـور، الحوائط مَكسـوَّة بصور أحجامهـا مُختلفـة للنجمـة وفـي المنتصف مِـرآة مُحاطـة باللمبات الكَهربائيـة تعكس وَجه بديعة التي أمسكت بشاش مغموس في زيت الزيتـون لتزيل به آثـار العرق والزينة رافعة سـاقيها لخادمة تخلع عنها جورب شبك طويلًا يصل للفخذين.

– يا هلا حبيبتي.. شو اسمك؟

أسـدلت ورد خُصلة داكنة فوق العين الباقي فيها أثر ورم وأحاطت مرفقها بيدها وهي ترمق انعكاس بديعة في المرآة:

– ورد.

– من وين من لبنان يا ورد؟

- بصراحة أنا مش من لبنان.. أنا من سوريا.

- ... أبضاي الصالة قال إنك من لبنان!!

- عشان أشوفك اضطريت أقول هيك.

التفتت بديعة وتأملتها للحظات قبل أن تسألها: من وين من سوريا؟

- ماردين.

اقتحم الألم وجه بديعة: أكيد حَضرتي مذبحة الترك.

- كان عُمري تلاتاش سنة.. عيليتنا كلهم ماتوا.. وأبي وأمي ماتوا هنا بالمرض الإسبنيولي.

- يا قلبي! اقعدي يا شاطرة.. هيدا مقدر ومكتوب.

جلست ورد فأشارت بديعة إلى إبريق ليمون فصبَّت الخادمة كوبًا ناولته لورد.

- أقدر أساعدك إزاي يا ورد؟

- بدي شغل.

- بتعرفي رقص تُركي؟ إسبنيولي؟ عَجمي؟ لبناني؟

- برقص عال.. وبتعلم بسرعة.. وبغني كمان.

- بتغني لمين؟

- لحضرتك وللشيخ سلامة حجازي وللشيخ سيد درويش.

- تعرفي تغني إيه لسيد درويش؟ سمعيني صوتك.

تذبذب صوتها فمسحت على شعرها بحركة لا إرادية قبل أن تستعيد نفسها محاولة منع الدموع من الانفلات، ثباتها اليوم سيحدد ملامِح مستقبلها، هكذا قالت لنفسها وهكذا خرجت كلماتها:

الحبيب للهجر مايل.. والفؤاد ميال إليه.. من جفاه الدمع سايل.. ياناس قولولي أعمل ايه.

قاطعتها بديعة بابتسامة: صوتك حلو ووشك سمبتيك كتير.. بيجي منك.. سَاكنة فين؟

- ... ماليش مكان.

تأملت الكدمات في وجهها: أنت هربانة من حاجة يا ورد؟

- قصَّة طويلة.

- سمعيني؟

تملكها الصمت وطأطأت رأسها فصرفت بديعة خادمتها بإشارة من يدها والتفتت: لو ما عرفت قصتك مش هاعرف أشغلك معايا.

بعد لحظات من الصمت والهرب من عيني بديعة حكت ورد.. فاضت كنهر هشّم سَدّه.. أبكتها التفاصيل وهزَّت بديعة التي تأملتها بثبات.. تُحقِّق في الكلمات وتستفسر حتى انتهت وخمدت.. راح لونها ونهج صَدرها وتبلل جبينها عرقًا.. اقتربت منها بديعة فقامت.. رفعت خصلة ورد وتأملت الورم في عينيها ورعشة أصابعها اللاإرادية.. تقاوم الخجل والحاجة إلى الأفيون:

- كتير قاسيتي على سنك.. وكتير محتاجة وقت عشان تقومي على حيلك.

تأملتها ورد في ترقُّب.. تنتظِر منها كلمة تحييها.

- هاتباتي في كافيه إچيبسيان مع البنات لحد ما تأجري مكان.. ولما تتعافي وتصيري بصحتك نتكلم.

- الله يخليكي يا ست بديعة ويعلّي شأنك كمان وكمان.

- على شرط.

- لو عرفت إنك اتعاطيتي أفيون تاني رح تمشي.. وما راح توريني وشك هدا بمصر كلها.

- حاضر.

- وشرط كمان.. اسمك لازم تغيريه لجل لا يتابعك ها الزِّفت سلامة.. اسمك من اليوم... «لينا».

هزَّت ورد رأسها ولم تعقِّب فابتسمت بديعة وفتحت الباب ونادت.. لحظات وأتاها الحارس.

- لينا بنت أختي.. رح تبات هنا من اليوم ورايح.. لا تخرج إلا بإذني.. لا حدا يقابلها إلا بإذني.. مفهوم؟

- مفهوم يا ست الكُل.

ابتسمت ورد ففاضت عيناها.. ربتت بديعة على كتفها وسلَّمتها للحارس الذي صاحبها لتخرج قبل أن يغلق الباب من ورائه.

قضت ورد ليلتها في غرفة مع ثلاث فتيات ترعَاهن السيدة بديعة بسِعة صَدر عُرفت بها مع المحتاجين وخاصة من أبناء جلدتها الشاميات، حيَّتهن بصمت ثم تكورت على سَرير متواضِع كجنين

نُبذ، قاومت بصعوبة نوبة احتياج للأفيون نهشت خلاياها ببطء، مائة ألف نملة تحتكُّ ببعضها تحت جلدها وومضات مُختلطة من ذكريات زبائن بيت بنبة، أنفاس وأجساد وطأتها ولا تزال تفعل، طاردتها بين الحلم والواقِع في هذيان كريه استنزفها واعتصرها حتَّى عضَّت بفكيها الملاءة، داوتها الفتيات بكمادات باردة حتى خمدت بعد أن استولى عليها الضعف والإنهاك، غابت في ثبات لا يخلو من ارتعاش وارتعاد وكلمات مبهمة وصريخ مَحموم.

نفس اليوم.. وسط البلد.. كافيه «ريش»

هي.. كعَادتها عَابسة.. مَحمومة الروح والجَسد لم يفلح الشتاء في تبديد الحَرارة عنها.. في قمَّة تركيزها لا ترفع عَينيها عمَّا تفعله يَداها.. تجمَع الحُروف البَارزة لتصنع بين أصابعها مَنشورًا سياسيًّا يُحرِّك القلوب.

هو.. كعَادته لا يرفع عينيه عنها.. بغضب يتملكه كلما تذكر النسوة اللاتي سبَاهن وسلسلهن بين ضلوعه.. ومَخالبه التي تكسَّرت واحدًا واحدًا على صَخرة رفضها.. يتحرَّق شوقًا كي تصير في حَوزته.. تدخل حريمه ليفقد الاهتمام بها.. يشعل النار في فستانها ولا يَعود في حاجة لكسب ودِّها.. مُمارسًا نذالة تُريحه من شغف زاد عن حدِّه وطفح.. تصرخ نفسه: «**ما الذي يُسعرني فيها فكلُّهن تمنعن قبل السقوط بين حَبائلي..لِم لم تسقط؟!**».

هي.. تشعر به.. يُحيطها من كل جانب ويُحاصر حتَّى كُحل عَينيها.. يَخترق البرقع وينفذ إلى شفتيها.. يتنفس فيهما ويَبث جنونه وشغفه.. تحدجه بحدة ليبتعِد.. تزجره مثلما تزجر طفلًا سخيفًا ليكف عن العَبث.. صَدمتها في ياسين لم تزل تشطر رأسها نِصفين وحال البلد الذي تعشقه وتخاف لحظة الرجوع إليه يؤرقها.. بجانب همٍّ إثبات نفسها أمام صَفيَّة زغلول ومن ورائها أحمد وعم إسحاق.

أحجار ثقيلة معلقة في رقبتها

ليس من عَادته أن تُغيِّر نتاية (أنثى بلُغته) مِن عاداته.. ابتعاده عن الكوكايين لم يكن لضيق حَال قدر مَا كَان مُوازيًا لفتوتها التي أراد أن يُجاريها.. يُقاوم الاحتياج المُلِح للبودرة البيضاء ليَصير كَاملًا أمامها مِثلما هِي كَاملة أمامه.. يكاد يشعل النار في عم إسحاق ليَعرف سبب نفورها منه.. لم تُجدِ مُراقبته لها شيئًا.. كتومة لا تحمل عَيناها أي بَوادر انشغال.. مَغرورة؟!

ليس من عَادتها أن تستشعر العِشق بتلك الطريقة الجريئة الفجَّة.. فعِشق الصَّعيد صمت وتقاليد تُتَّبع وقداسة حتَّى الزواج.. من بَعد ابن عَم رُبطت إليه شفويًّا منذ سِن الثالثة عشرة كان عليها أن تعيش كراهبة.. بلا دير.. زهرة تتفتح على استحياء فتلملم أوراقها وتحبس أريجها.. تسطع عليها الشمس في القاهرة وتُروى جذورها في قريتها بالصَّعيد وَسط غيطَان البَرسيم.. نشاطها السِّياسي في القاهرة مُقاومة.. وفي الصَّعيد عَار وسفور.. كانت تعرف في قرارة نفسها أنها لا تناسب ابن عمِّها.. كما كانت تعرف أن ارتباطها به مَوت مُؤجل لا فِكاك منه.. لكنها لم تكن تعرف أن العشق يتسلل مثل الوباء.. وأنه لا تجدي مُقاومته لأنه

لا يُرى.. هو عُبودية تُرتجى.. وقِطار لا يتوقف في محطات إلا ليستزيد من الفحم فيستعر.

كانت العَادة بالنسبة إليه أن لا يَستغرق الأمر أيامًا مَعدودات.. لكن الخيوط تلك المرة تتعقد وتتشابك.. تلتف حول رقبته.. تلجمه.. تشنقه ببطء.. هو لا يُحب.. فالحب وهم لا وجود له.. المجد للجَسد الذي يغلي ويَفور ثم تنطفئ جذوته «مؤقتًا» لتخبو معه أعتى حالات العشق.. الجنس هو المحرك دائمًا.. زيارة لبنبة ستفي بالغرض.. ستجعلني أكثر مقاومة.. ظننت ذلك ولم أكن أعرف أن تلك الزيارة ستؤكد حقيقة مرضي بدولت.. كم أود أن تستسلم.. أن تقترب.. وكم أود أن أطلق النار على عم إسحاق فقط لأتخلص من همِّ نظراته ناحيتي.

صَارت السَّاعات التي تقضيها دولت في القبو السِّري لقهوة «ريش» هي الحياة بالنسبة لعبد القادر، لم يزده الصد والمنع والإعراض منها إلا عنادًا ورغبة مَحمومة تستعر فيه يومًا بعد يوم، نار لم تعد تطفئها أجساد عَاهراته، نار أحرقت ما فات وما سيأتي، لم يردعه فضح أمره ولا اللمزات أو الزجر الخفي، حتَّى كلمات عم إسحاق ضرب بها عُرض الحائط.

ثم أتى يَوم سار فيه وراءها، شعرت به ولم تعره انتباهًا، اقترب ونادى اسمها فلم تجبه، مدَّ يده ليلامس مرفقها فالتفتت إليه وصفعت وجهه.. بتضربيني يا دولت!! ظلت يده فوق موضع الصفعة للحظات قبل أن ينفجر في الجَمع المتفرج بصَرخة أرجعتهم إلى خطوط سيرهم، منذ تلك اللحظة انقطع عن الجلوس في مِحراب دولت، صَار كل عمله

أن يراها قادمة، يتجاهلها، ويلمحها تخرج فيشيح برأسه في اتجاه آخر حتى تمُر، بقلب مُحترق، وكرامة لم ترجِع إلى مَكانها، حتَّى فتيات بنبة لم يستطعن سَد الجرح أو تلطيفه، بل طال الأمد به بين الزيارة والزيارة وزهد كما العاجِز، قبل أن ينقطِع.

وللغرابة فقد اضطربت دولت هي الأخرى، لم تعُد الواثِقة الجامدة، باتت تنظر للكرسي الصغير الذي طالما اتكأ عبد القادر على ظهره ليتمعَّن فيها، تجده فارغًا فتزداد اختناقًا على اختناق، منه، ومن نفسها حين صفعته، ثم تدس وجهها فيما تفعله عائدة إلى رداء الراهِبة التي طالما لعبته ببراعة.. ولم تحبه يومًا.

فيلا عَبد الرحيم باشا صَبري.. الجيزة

في الشُّرفة فكَّت صَفيَّة الحِجاب لتستجدي نسمة تُخفف مَوجة حَارة ممتدَّة منذ أيام، ارتشفت فنجان شاي مَنقوشًا بالورود وهي تتأمل نازلي الواقفة بجانبها، شبحًا شفافًا لا لون فيه، ذهبت نضارتها وابتسامتها ولم يبق فيها إلا الجحوظ والشرود، شهيق متوتر وزفير، ولا صَوت يَعلو فوق نبضات قلب متوتر تطن في الآذان.

- إيه اللي حَصل عند الزِّفتة جرهام؟

- رُحت لها السراية.. كانت عَاملة فطار في الجنينة وبَعدين قُمنا اتمشينا.. دَردِشت مَعايا عن زيارات أوربا وأمريكا وعن الموضة الجديدة.. بعد شوية نادتها الكمَاريرة فاستأذنِت.. تخيلي حصل إيه؟ شفته.

- السُّلطان؟

- كان واقف جوا القصر ورا برافان.. مش باين منه إلا عينيه.. بيراقبني.. دقيقة ما اتحرَّكش.. حسِّيت أنه بياكلني بعينيه.. أول مَرة أحس الإحساس ده.. أكني أتعريت.. وشِّي نمِّل وعِرقت.. رحت قايمة من مكاني.

- وبعدين؟

- رِجعت.. قالت إنه جه بالصدفة.. زيارة.. طبعًا مش صُدفة.. عاوز يشوفني عن قرب.. وسَاب لي هدية.

فتحت نازلي أصابعها عن بروش على هيئة فراشة مرصعة بالألماس.. تأملت صَفيَّة البروش ولم تلمسه.. أردفت نازلي:

- حاولت ما أقبلش.. مَدام جرهام قالت لي دي إهانة للعرش ومش إتيكيت.

- أنا مش متصورة إزَّاي بيفكر في الجواز والبلد بالحالة دي! كمان دي أول مرة يفكَّر حاكم من الأسرة يتجوز من الشعب!

- أنا مش مُوافقة.. وأعلى ما في خيله يركبه.

- فؤاد خيله عالي يا بنتي.. لكن برضه لو اطربقت السماءَ الأرض يستحيل تتجوزي واحد بيخون البلد! ده سعد لو عرف.. يا الله.. أنت عارفة أنت بالنسبة له إيه.

- المُشكلة في پاپي.. بريق العرش صعب يترفض.. عينيه على الوزارة.. أنا هانتحر لو أجبرني.

- إوعي يا نازلي.. إوعي.. فيه طرق كتير للتصرف يا بنتي.. الناس مش هاتسكت.. هاتتكتب المنشورات في كل حتة.. هانقف ضده.. مش هايخدك مننا.

غاصت نازلي في حُضن صَفيَّة هربًا، أطلقت أنفاسًا حارة ودموعًا قبل أن تطوي السيارة حديقة القصر الدائرية وتتوقف لينزل منها والد نازلي.. نظر إلى الشرفة ثم صَعد سلالم القصر مُسرعًا.

- أكيد عرف إني هنا.. قالت صَفيَّة.

- الخدم بينقلوا له كل حاجة.

- ما تخافيش.

- مَمنونة يا مامي إنَّك جيتي.. أنا عارفة إنك صعب تسيبي البيت في الظروف دي.

- أنا أجي لك في أي مكان وأي وقت يا حبيبتي.. ما بقاش فيه حاجة يتخاف عليها.

لحظات وسَمعتا طرقات الباب.. اتفضل يا پاپي.. قالتها نازلي بعد أن مَسحت دموعها وارتدت صَفيَّة الحجاب.. دَخل الرجل وفي وجهه ابتسامة مُجبرة.. صَفيَّة كانت الصديقة الأقرب لزوجته الراحِلة.. لكنها لم تكن الأقرب إليه يومًا وخاصة بعد تمرد سعد السافر على الحياة السياسية الهادئة المستقرة.

- منورة يا صَفيَّة هانم.. خطوة عزيزة.

- أهلًا يا باشا.

- قولي للدادا تحضر العشا يا نانا.

- لا ملوش لزوم أنا ماشية.

لم يزايد على جملتها الأخيرة.. لثمت نازلي في جبهتها وبثتها الهمسات في أذنها ثم اقتربت من الباب قبل أن تتوقف وتواجه الرجل:

- توفيقة هَانم الله يرحمها وكِّلتني شأن نازلي قبل ما تموت زي ما حضرتك عارف.

- أنت والدتها يا صَفيَّة هانم.

- ووالدتها بتقول نازلي محدِّش يجبرها على حاجة.

نظر لنازلي بابتسامة ثم رجع لصَفيَّة: خالص.. الأمر مافيهوش إجبار.. مصلحة نازلي أهم حَاجة عندنا كلنا.. ولّا إيه يا نانا؟

أردفت صَفيَّة: ومَصلحتها مش في القصر يا عبد الرحيم باشا.

- اللي فيه الخير يقدمه ربنا.. نورتي يا صَفيَّة هانم.

لم ترد تحيته.. فقط أعطته ظهرها وخرجت.. ودَّعتها نازلي حتى العربة التي تنتظرها في الباحة الأمامية ثم رجعت لأبيها الذي وقف يتأمل صورة لها في برواز تجمعها بأمها.. دَخَلت نازلي من الباب في غضب مكتوم ووقفت أمام والدها الذي ابتسم لها:

- اتعشيتي؟

- صَفيَّة هانم نازلة زعلانة.

- أنا جعان جدًّا.. تتعشي معايا؟

- حضرتك عارف إنها في مقام مامي.

- الله يِرحمها.. هي اللي سَمحت لها بالتدخل في حياتنا.. لغاية دلوقت.

- لو مامي عايشة كانت هايبقى ده رأيها برضه.

- ما أفتكرش.

- مامي ماكانتش توافق أبدًا على صفقة.

- توفيقة كانت عاقلة.. وبتفكَّر.. ودي مش صفقة يا نانا.

- داكور پاپي.. طالما مش صفقة أنا مش موافقة.

شبَّكت يَديها أمام صَدرها فجلس على مكتبها الصَّغير في صَمت، أخرج غليونًا حشاه تبغًا ثم أشعله بولاعة مَقلوبة، نفث دُخانه وهو يتأمل تحديها قبل أن تزحف عَيناه إلى كتاب نتأت من بين صفحاته أوراق وردة حمراء جَافة، نظر في عينَي نازلي للحظة فاختلجت قبل أن تمد يَدها إلى الكتاب، لكنه كان أسرع، التقط الكتاب فتغير وجهها، بُهتت، تلاحقت أنفاسها، رجع بظهره إلى الكُرسي فجَلست على طرف السرير بعَينين جاحِظتين، تأمل غلاف الكتاب المرسوم فيه بُحيرة مُحاطة بالأشجار يسير على ضفافها شاب وفتاة.

- مَجدولين.. الرواية دي قريتها وأنا في بَاريس سنة تسعين مثلًا.. ستيفن الحَالم ومَجدولين.. الضحية.. مشوِّقة.. بس نهاية مأساوية.. في الحقيقة كل القصص الناجحة نهايتها مأساوية.. روميو وجولييت.. عُطيل وديدمونة.. قيس وليلى.. بِتعجب القراء لأن الحياة المُستقرة بيعتبروها.. مُمِلة.

قلَّب الصَّفحات في هدوء حتَّى توقف عِند الوردة الحمراء الجافة.. رفع الكتاب إلى أنفه واشتمَّ:

- الورد البلدي بيحتفظ بريحته فترة كبيرة.. دي لازم تذكار!

- ...

وضع الكتاب جانبًا: من أحمد... كيرة؟

بوجوم لم تعقِّب.. لم تتقن الكذب مرة فتوترت أطرافها.. رمقته بأنفاس مَحبوسة فسلَّك غليونه ثم أردف:

- ولد لطيف جدًّا.. وَسيم.. من يوم ما شُفته مَعاكي في الحفلة واسم عِيلته ما راحش من بالي.. كيرة.. اسم غريب.. فاكِر إني أكيد سِمعته قبل كِده.. لغاية ما قابلت لواء جيش.. صَديق عُمر.. دَردشنا سوا وسألته بفضول إذا كان يفتكر الاسم ده.. وافتكره فعلًا.. تخيلي!

سَكَت ولم يكمل فاشتعلت قلقًا.. تَركها حتى خَرج الدُّخان منها فهمست: وبعدين؟

- الكدب يا نانا أكتر صفة تخوِّف.. الرجل مُمكن يكون عينه زايغة.. قُمرتي.. صَاحب كاس.. لكن كداب! صعب.

نبضات قلبها باتت مِدفعًا رشاشًا ضَغط جُندي زناده ونسي أن يرفعه.. لمَّا لمس الصَّدمة فيها والخرس متمكنًا أكمل.

- طبعًا أنتِ ما توعيش على هوجة عُرابي.. عَبد الحي كيرة والد أحمد.. اللي قال إنه مات بمرض.. كان بكباشي في أورطة عُرابي.. واتقبض عليه مَعاه.. وأُعدِم.. رميًا بالرصاص.

تندَّى جبين نازلي.. ضمَّت يديها إلى صدرها كمن تعرَّت في ميدان مَليء بالبشر قبل أن تتمالك نفسها وتشن هجومًا يائسًا:

- يَعني بطل؟

- بطل في أورطة عرابي اللي دخَّلت الإنجليز مصر.

- پاپي!!! أنت محافظ في حكومة الإنجليز.

- وسَعد زغلول باشا برضه كان وزير في حكومة الإنجليز ورأيه إن التعاون معاهم يساعد أهل البلد.. أفضل من العزلة لغاية ما يكون لينا قوة نقدر بيها نقف قدامهم.

- رجالة عرابي ما كانوش خاينين.

- وتفتكري ليه أحمد ما قالش؟

ازدحمت الإجابات في حلقها ولم تخرج.

- مش ده بس اللي خباه أحمد.

- ...!!

- تفتكري مُحاولة اغتيال السلطان سنة ١٩١٥؟

هزَّت رأسها إيجابًا.

- المُنفذ الرئيسي اللي رَمى القنبلة تحت عَربية السُّلطان أخد حُكم مؤبد.. كان ولد خَمري.. صُباعه الإبهام مقطوع أنا متذكر.. وكان صديقنا العزيز أحمد كيرة مِن ضِمن المُشتبه فيهم لكن خرج لعدم وجود دليل.. وزار صَديقه في السجن خمس مَرات.

توقف قلبها للحظات وانسكبت دماؤها على السجادة.. وراء سكون أحمد كانت تستشعر دومًا رائِحة حياة سرية أقصى تنبؤاتها لم تكن لتتعدى المُغامرات النسائية.

- شوفي يا نانا.. الشباب من سن عشرين إلى خمسة وتلاتين بيكونوا في قمة الخطورة.. طيش.. تجارب قليلة.. حُب البطولة

ضد كيانات أكبر منهم.. وطبعًا دي من الحاجات اللي بتجذب الجنس اللطيف.. مش عِيب.. كُلنا في يوم اتشاقينا.. وبعدين كبرنا.. عِقلنا.. عرفنا إن الدم ما بيحركش قضية.. اللي بيحركها الحوار.. التفاوض.. خاصة أننا بنواجه أقوى جيش في الأرض.. مين يقف قدام الإنجليز يا نانا؟ أمَّا إن الأمر يمتد للاغتيال.. الدم.. ده كتير.. كده إحنا بندمر بلدنا بإيدينا.. أنا جالي كمان أخبار من مكتب الخدمات بتقول إنه بيوزع منشورات وليه نشاط سياسي.. ده شخص عمره ما هايعقل.. الدم هايفضل مغمِّي عينيه طول العمر.. وحَياته هاتفضل مزدوجة لازم يخفيها عَن... أقرب الناس ليه.

- أنا مش مِصدقة الكلام ده.

- لو مش مصدقاني.. اسأليه.

انتابتها عصبية لم تستطع السيطرة عليها.. فورة غضب أشعلت رأسها فقامت تجوب الغرفة وتحرق مُحتوياتها:

- أنا مش صغيرة عشان أحتاج رقيب على تصرفاتي.. أنا عندي خمسة وعشرين سنة.

- بتسمِّيها مُراقبة.. أنا باسمِّيها عِناية.

قام الرجل وأحاط رأسها بكفيه ونظر في عَينيها: صُبِّي غَضبك على الشَّخص الصَّحيح يا نانا.

سكتت.. طأطأت رأسها خجلًا وتخبطًا.. أشاحت بوجهها ومشت حتَّى الشرفة.. من بين الستائر بحثت عن قمر لم تجده.. تخلى عنها

وغـاب وراء الغيـوم.. ترقرقـت عيناها بدمـع حين وقف أبوهـا خلفها وهَمَس بين خصلات شعرها:

- هاسـيبك تتجوزيـه وهاتنتظـري معاه السـعادة.. مـا تعرفيش عنه غيـر قشـور.. شـهر شـهرين.. وتبدئي تشـوفي حِقـده وغله على كل الطبقـات الأعلـى منـه وكل صَاحـب سُـلطة.. عِيلتنـا كُلهـا ضِمـن أعدائه.. وأنت مننا مهما انفصلتي.. مش هاتدري بنفسـك إلا وأنـت بتزوريه في السِّـجن.. بتهمة الخيانة العظمى.. تعيشـي بعـد كده منبوذة.. فيه ناس يا نانا أتخلقت عشـان تصنع التاريخ.. بالعـار.. زي «جافريلـو برنسيب» اللي قتل وليّ عهد النمسـا من أربع سنين.. كان فاكر إنه بطل.. وماكانش يعرف إنّه بيشعل حرب هايروح فيها الملايين.

التفتت إليه: كُل ده عشان أقبل أتجوز السُّلطان؟

- ولـو حتى مـا اتجوزتيـش يا نانـا.. ده شـخص خطر.. أنـا مُمكن بمُكالمـة تليفـون للحكمـدار أرميـه فـي المُعتقل وأنـت عارفة.. مـا تصعبيـش الحيـاة علـى نفسـك.. ده مـش الشـخص اللـي يناسب تاريخنا.

قالها ورحل.. سَحَب غليونه ودُخانه.. ومائتي جرام من قلب نازلي قبل أن يتركها فريسة للتخبط.. والأسوأ.. فريسة لنفسها.. حتَّى الفجر.. أطفأت نور الغُرفة وجَلست على أرض شُرفتها تستند الحائِط.. حَرقت خمس سيجارات من عُلبة تخفيها بين كتبها للطوارئ.. ذبلت واحترقت وكسرت ظفرين في أصابعها قبل أن يتحجر كل ما فيها.. تملكها سكون

وتخشب لا يُحركه سوى نفَس تسحَبه كل بِضع ثوانٍ مجاملة لجسدها.. إذا تذكَّرت.. كان ذلك حين التقطت صوت جسم يرتطِم بزجاج الشباك واسمها يُنادَى هَمسًا: نانا.. أفاقت من شرودها ورجعت للحياة تسترق السمع كقِطة منتبهة.. نازلي.. سَمِعتها ثانيًا واستيقنت أنها قادِمة من الحديقة.. قامت ورنَت مُحاولة تمييز مصدر الصوت بين عتمة الحديقة حتى لمحته.. كان واقفًا وراء شجرة يشير بيده إليها أن انزلي.. رَمقته لثوانٍ مُحاولة استيعاب حضوره حتى أشار بيده إشارة تعجُّب!!! لم تُعطِ إشارة أنها رأته.. رمقته لدقيقة قبل أن تدخل غرفتها وتتخشب فجأة لا تعي ما تفعله.. فتحت دولابها والتقطت مِعطفًا داكنًا.. ارتدته فوق قميصها وخرجت.. نزلت الدرج ببُطء متجنبة صوت احتكاك أخشاب الأرضية.. وَصلت إلى الباب الحديدي الكبير فمسحت دموعًا أطفأت لمعة وجنتيها ثم أدارت المقبض.. خرجت إلى الحديقة غير عَابئة بقدميها الحَافيتين.. غاصَت أصَابعها في العُشب تبحث بعَينيها عنه حتى تبيَّنته.. توارى وراء شجرة حتى جاءته على استحياء تنظر إليه في صمت.. جذبها خلف الجِذع بقلق وهو ينظر حوله ثم همس:

- أنت كويسة؟

- كويسة.

- كلمتك في التليفون أكتر من مرَّة على مواعيدنا والدادا هي اللي بترد!

- أنت دخلت هنا إزاي؟

- من فوق السور.. فيه إيه؟

- سهل بالنسبة لك مش كِده؟ تنط الأسوار؟

- مش وقته يا نانا.. أنا سمعت حاجة مش عارف إذا كانت... هو فعلاً السُّلطان...؟

قاطعته: إزَّاي عرفت؟

- مفيش حاجة بتستخبَّى.

- تفتكر الحياة دي مُمكن تكون عَاملة إزَّاي؟

سكت أحمد للحظات ثم أردف: مُجتمع مُزيَّف.. مريض.. هاتكوني فيه زي الضحية في بيت عنكبوت.. اللي برَّه مش ممكن يتخيل قد إيه أنت وَحيدة وخايفة.

ابتسمت في مرارة وطأطأت رأسها إلى الأرض: تشبيه حلو بيت العنكبوت.

سَحَب نفسًا إلى صَدره وأخرجه تهدئة: وبَعدين؟

- بتحبني؟

- طبعًا يا نانا.

- وإيه اللي مُمكن نعمله؟

- مُمكن نِهرب.. نروح أي مَكان ماحدش يِعرفنا فيه.

- وتسيب شغلك... في مَدرسة الطب؟

- طبعًا.

- وتعيش حَياة عَادية مافيهاش أحداث؟

- جرَّبيني.

- طب ولو ما قدرناش؟ هاتعمل إيه؟

- .... هاقتله؟

- أكنَّك عَملتها قبل كِده!

- لكل مرة أول مرة.

- مين اللي يَملك الجرأة يقتل سلطان؟

- واحد مؤمن بخيانته.

- واضح إنَّك طالع لوالدك الله يِرحمه.. أكيد كان جريء زيك.

جز أحمد أسنانه: مش وقته.. نانا أنا مش هاسمَح للخاين ده إنَّه يقرَّب لك.. بُكرة زي دلوقتي هاكون مِستنيكي.. هاوضب مواصلة تاخدنا لمكان بعيد.. مؤقتًا لغاية ما نشوف صِرفة.

- وتفتكر هايسيبني لو عرف إني هِربت مَعاك؟

- مش هايعرف عنك أي خبر طول ما هو عايش.

- هاتخبيني؟

- الدبان الأزرق مش هايعرف مكانك.

سكتت.. نظرت في عينيه حتى هز رأسه استغرابًا قبل أن تردف:

- مِش عَاوز تقول لي حاجة ما أعرفهاش عن الشخص اللي هاهرب معاه؟

– عـاوز أقـول لـك إنـي بحبـك... جـدًّا.. ومُسـتعد أعمـل أي حاجة عشانك.

– مش عاوز تقول حاجة تانية؟

– ....!

ترقرقت عيناها بالدمع: وأنا كمان بحبَّك يا أحمد.

اقتـرب ولثم شـفتيها بقبلة طويلة.. أغمضت عينيها وتركت النشـوة تجتاح كل خلية فيها قبل أن يعتصر يَدها.

– بُكرة زي دلوقت.. ما تتأخريش.

انسحب وابتسامة وَعد واثِقة تغزو وجهه فصَعد السور برشاقة ورفع يده مودِّعًا.. ظلَّت في مكانها متيبسـة تداعـب الطين بين أصابع قدميها حتى اختفى.

في اليوم التالي.. قبل الفجر

قفز السور ووقف خلف الشجرة التي شهدت قُبلتهما.. لمَّا اعتادت عَيناه الظلمة راقب مَدخل القصر وسَتائر شرفتها.. لَبِث في مَكانه دقائق حتى اطمأن للسكون قبل أن يلتقط حجرًا صغيرًا ويقذفه تجاه النافذة.. ارتطم بخفوت.. لحظات واقترب وَهَج شـمعة يتراقص ومن ورائه ظِل أزاح الستارة.. ميَّزها فرفع يَده في إشارة.. رَمقته بنظرة طالت حتَّى أشار إليها ثانيًا.. بجمود لم تُحرِّك سـاكنًا.. لم يفهم.. قطب جَبينه وفتح يديه

٢٤٠

فـي استفهام.. ترقرقت عيناها ولـم تتحرك فتقدَّم خطـوة.. خطوات.. حتَّـى بـات في منتصف الحديقـة الوارفة.. رفع كفَّه إليها فهزَّت رأسـها نافية.. تعرَّق جَبينه من إشـارتها.. أنزل يَده وتسمَّر محدقًا.. ظل يُراقبها حتَّـى أدنت الشـمعة من شـفتيها وأطفأتها بنفخة قبضت صدره.. سَـاد الظـلام ولم يبـق إلا ضوء قمـر أحدب ميَّز حـدو جَسـدها.. لحظَات وأسدلت نازلي السَّتائر ثم أغلقت النافذة.. ساد الـ ممت إلا من صوت أوراق الشـجر تتحـرك علـى الأرض قـرب قدميـه.. تمالـك نفسـه ثم انسـحب.. يلتفت كل لحظـة علَّها تفتح النافذة أو تضيء الشـمعة.. لم تفعل.. صَعد جذع الشـجرة المائل ثم اعتلى السـور.. نظر نظرة أخيرة إلى النافذة المعتمة ثم قفز.. دس يديه في جيبيه وابتعد.

أمر سلطاني كريم

نحن فؤاد الأول سلطان مصر

«رسمنا بما هو آتٍ»

«المادة الأولى»

عُين عبد الرحيم صبري باشا وزيرًا للزراعة.

«المادة الثانية»

«على رئيس مجلس وزرائنا تنفيذ مرسومنا هذا»

صَـدر المرسـوم بسـراي القبة بتاريـخ ٢١ مايو سـنة ١٩١٩ من أصلين يُحفظ أحدهما بديواننا والآخر برياسة مَجلس النُّظَّار.

فؤاد

٢٤ مايو ١٩١٩

سراي البستان بباب اللوق

بـلا زينـة أو أعلام كَان حال الشـارع المواجه للسـراية يُنبئ منذ أيام بحُضور سَامٍ وضيافة عالية المَقام، سَاد النشـاط في الأجواء فكُنسـت الأرض وغسـلتها الميـاه، مَصابيـح الأرصفـة جُليـت واشـتعل غَازها فأضَاءت الأرض ببقع هَادئة كل بضعة أمتار، بَسـط الفرّاشـون سِـجَّادًا أحمر عَريضًا أمام الباب الرئيسـي ورَصُّوا بطول الشَّـارع وعَرضه أواني الـزرع والورود، رجـال البوليس والخاصة السـلطانية انتشـروا في كل مَـكان ومن ورائهم ذئاب مكتب الخدمات، يَطوفون بين الناس مَسـحًا وتدقيقًا، أغلقوا الشـوارع المُحيطة وأبعدوا أصحاب الجلابيب وفتشوا الأفندية والعربات.

في تمام الثامنة قلَّت الحَركة وساد الصمت.. اشرأبت الأعناق جِهة اليسـار حين لاحت خيول التشريفة من بعيد تسير أمام العَربة السلطانية المَجـرورة بحصانيـن.. انفتـح الباب الرئيسـي للسـراية فوقـف رجال الحاشـية فـي صَف مُنضبـط يُحـاذون مُقدمـات أحذيتهـم اللامِعة إلى خط أصفر مَرسـوم أمامهم قبل أن يخرج التشـريفاتي ثم الشماشـرجي يتبعهما السُّـلطان فؤاد في بَدلة سـوداء مُرصَّعة بالنياشـين والميداليات يقطـع صَدرها وشـاح أخضـر عريض، فـي أكمامـه أزرار معدنية ذهبية

عليها اسمه ويَعلوه التاج، وفي كفِّه اليسرى قفاز أبيض، وقف فؤاد أمام الباب مُشبكًا يديه خلف ظهره يتطلع للموكِب بجبين ازداد عبوسًا حين لَمح المُصوِّر يُعِدُّ الكاميرا لالتقاط صور تذكارية، نهاه بإشارة من يده فاختفى حين توقفت العَربة الرئيسية أمام المَدخل، هَرع خادم إلى باب العَربة وجَذب من تحته سلَّمًا ذهبيًّا صَغيرًا له ثلاث درجات وفتح الباب، اقترب السلطان من العَربة ومَد يده ليد أنثى في قفاز، استندت عليه ونزلت الدَّرجات في فستان أبيض متلألئ رفع ذيله من ورائها أربع فتيات صَغيرات، أمام وجهها ياشمك أخفى فمها وأنفها وفوق رأسها ثبت تاج مرصَّع بالألماس، انحنى الحاضرون إجلالًا قبل أن يَدخل العروسان القاعة الرئيسية في صمت.

الحفل كان محدود الحضور، ضم فقط أمراء الأسرة وأقارب العروس ورجال الحاشية والوزراء، على أضواء الشموع جلسوا إلى موائد رُصَّت بالورود وأشهى المأكولات، عُقد قران وقُطِّعت كعكة من ستة مستويات قبل أن تعزف الفرقة السلطانية ألحانًا ناعمة لتشيكوفسكي وموتسارت، بعدها توسط العَروسان القاعة، جلسا إلى مائدة توالت العائلات الاقتراب منها لتقديم هدايا الزفاف الثمينة من السَّاعات المرصَّعة والمُجوهرات المَختومة بحرفي فاء لفؤاد، ونون، لنازلي، قبل أن ينتهي الحفل بعد سَاعتين ليقوم العَروسان إلى العَربة السلطانية التي ستحملهما إلى سراي القبة حيث ستقضي نازلي ليلتها الأولى، ضربت سنابك الخيل الأرض فتحرك الموكب مُسرعًا في نفس اللحظة التي انكسر فيها ضِلع أحمد كيرة تحت وطأة قبضة حديدية كفَّ عن مقاومة صاحبها من دقائق!

قبلها بسَـاعة كان يَسير هَائمًا مُخترقًا الشوارع.. يَسد أذنيه عن أخبار الزواج السُّلطاني التي تسرَّبت إلى الأفواه وملأت الآذان.. زواج فؤاد.. مـن نانـا.. عَاقدًا العَـزم على إيجـاد إنجليـزي ثمين يَسـتدرجه إلى فخ ليقتله.. أو يتركه عن طيب خاطر ليُجهز عليه.. سيان.. فالقاتل والمقتول يتلـذذان كل علـى طريقته.. المُهم أن ينسـى.. ينسـى أن ناناته اختارت منذ اليوم أن تُصبح سـيِّدته.. سُلطانته التي ستتجمل للسُّلطان وتتعطر.. وترتـدي وتقلـع.. تتركـه ينهـش جلدهـا.. يَعـب رَحيقها.. يسـتعبدها برضاها ويُودِعها حرملك مُغلقًا لا تدخله الشمس إلا بإذن الستائر.

«اللعنـة عليـك يـا نازلي !لِـمَ ضحيتي بي وبنفسـك؟ لـم اقتلعتي جفوني بسكين بليد؟».

أوقفته الأسئلة في منتصف حارة ضيقة مُلاصقة لكافيه إيچيبسيان.. بَحث عن الإجابة تحت قدميه حتَّى وجدها.

« أنت يا نازلي؛ الأفعى والتفاحة مَعًا».

قالها وأشـعل سـيجارة حين انتبه إلى وجود شخصين يسدَّان مُقدمة الحَـارة.. بِغال مكتب الخدمات لهم هيكل مألـوف ورائحة لا تُخطئها أنف مُدرَّب.. التقط بعدها حفيف الخطوات خلفه فالتفت ببطء.. زميل ثالث يحكمُ غلق الفخ على بُعد أمتار.. قياسًـا كان الاستسـلام حتميًا.. لكـن المقاومـة واجبة تحليـلًا للمَاهية التـي يقبضها هـؤلاء الأوغاد.. سَـحب أحمد نفسًـا مـن سـيجارته حين تحركـوا.. أخـرج أحدهم من معطفه هراوة خشبية وارتدى آخر قبضة حديدية فوق أصابعه.. من نوع الأسـلحة أدرك أحمـد أن اللقـاء درس تأديبي.. ثقيـل.. كان ذلك حين بـات الأول على بعد مترين.. رفع هراوته ليهوي بها على رأس أحمد..

تفاداها الأخير قبل أن يقذف سيجارته في وجهه.. ضربت ما بين عينيه فنثرت شظاها ففزع وكان ذلك كافيًا ليهديه أحمد لكمة عَانقت ذقنه العريض.. انثنى ألمًا وسقطت هراوته حين طوَّح زميله قبضته المُدرَّعة بالحديد.. تركت على الحائِط علامة غائرة وشرارة قبل أن يُودِعه أحمد لكمة في رقبته لم تعجبه فأهداه أخرى أقنعته بالسجود.. كان ذلك حين استعاد ذو الهراوة توازنه ووقف متحفزًا فتدخَّل الواقف في الخلف وهَوى على أحمد بقالب طوب صَغير أصاب مؤخرة رأسه.. ارتجَّت الحارة وتفككت البلاطات المُحدَّبة تحت قدميه فاستند على الحائِط.. ثم عانق خدّه الأرض.. تكالب عليه الثلاثة ركلًا وتهشيمًا حتى انفجرت الدماء.. كسروا ضلعين وثلاث أصابع ثم ختموا الأمسية بركلة أخيرة في وجهه بعد أن انحنى أحدهم وهمس: المرَّة دي إنذار.. المرَّة الجاية رقبتك.

أظلمت الحارة حوله إلا من وجه نازلي.. كما رآها أوَّل مرة في حديقة بيت سعد.. كانت تبتسم.

في خجل...

انقضت دقائق قبل أن يَصِر الباب الجانبي للمَسرح.. أضاءت لمبته المتَّسخة بَلاط الحَارة الضيِّقة فتسرَّب عَبق الرواد ونغمات المسرح المتداخلة قبل أن تنزل السلَّم قدمان رقيقتان مَصبوغتان بالأحمر.. مُضطربة ترتعش تبتغي خلوة صَغيرة في حِذاء فضِّي وفستان أسود صَدره واسِع، ووجه أخفاه قناع من أقنعة فينيسيا التنكريَّة المَكسوة بالريش.. مشت خطوات تتحامل على ساقين واهنتين قبل أن تستند

الحائِـط وترتـج فتفرغ عصارة معدتهـا.. بقايا أفيون في دمهـا تثير ثورة أخيـرة.. هدأت أنفاسـها من بعد سُـعال عنيف فمسـحت فمها بمنديل حيـن التقطـت مـن ورائها أنَّـة خافتـة.. ضيَّقت عينيهـا فميَّزت جَسـدًا متكوِّمًـا.. نظرت حوله فلم تجد أحدًا فمدَّت خطواتها فزعة نحو سـلَّم الكافيـه.. صعدتـه قبـل أن تتأمل المَسـجى باستسـلام.. نفسـه اليائس ودمـاؤه النازفة من تحته أبطأت حركتها.. بتردد نزلت السـلَّم.. اقتربت منه في حذر تتلفت حولها.. وَكزته بمقدمة حِذائها فاهتز ولم يَستجب.. انحنت عليه تفحَص أنفاسـه الخافتة فتأثرت من وجهه المُهشَّـم وعَينيه المغلقتيـن بـورم ينمو.. تنهَّدت في حيرة ثم حَسَـمَت أمرها.. أجلسـته بصعوبة فصَرخ من ألم ضلوعه المَكسـورة قبل أن يُوارب عينيه.. أدرك قناعهـا للحظات ثم غاب ثانيًا.. نظرت إلى مَلامِحه مليًّا تقيس خطوتها التالية ثم تحَاملت وأسـندته.. في صَحوَة اسـتجاب لها فاتكأ إلى كتفها كاتمًا صراخه.. صَعدت مَعه السـلم واتجهت به إلى غرفتها الصغيرة.. ضَربت الباب بظهرها وأسجَته على كنبة صَغيرة تنام عليها قبل أن تهرع لطلب استغاثة.

أنهـت بديعة فقرتها وأتت.. تأملته عن قرب ثم لامَسـت طرف ذقنه ونظرت في جيوبه.. وجدت فيها نقوده وسـاعته وبطاقة عمله بمدرسـة الطب فالتفتت لورد التي باتت لينا:

- بيشـتغل حكيم! هايدا مو ضربوه عشـان يسـرقوه.. هايدا انتقام.. لازم نتصل بالبوليس.

فتـح عَينيـه بصعوبة وقبض علـى أصابعها برفق قبل أن يشـدِّد عليها ويهز رأسه نفيًا: بوليس... لأ.

عَاجلتها لينا: مُستعدة أخليه في غرفتي لحد ما يقف على حيله.

نظـرت إليها بديعة للحظات قبل أن تتأمله ثانية ثم حَسَـمت أمرها.. اسـتدعت طبيبًـا يونانيًـا تعرفـه.. طلبـت منه عِـلاج الشـاب المَجهول والكتمـان فاسـتجاب.. صَـرخ أحمـد حين شـد صَدره بربـاط ضاغِط لتلتحم الضلوع وغطى وجهه بشاش مُعقَّم بعد أن مَسحه بمَرهم مرطِّب يُهدئ الأورام ثم حَقنه بمُهدئ سيفيق منه بَعد يوم.

تولـت لينـا من بعـد فقرتهـا كراقصـة ومُردِّدة كـورال خلـف بديعة العنايـة بأحمـد.. تركت له غرفتهـا وأتت له بالطعام والشراب وغيَّرت الشـاش فـوق جرحه أربعـة أيام دون أن تسـأله عمَّا ألمَّ بـه رغم فضول نهـم يَجتاحهـا.. تنظر إليه وهـو نائم فيخفت فيها اشـمئزاز الذكور التي ورثتـه من زبائن بنبة ويَعلو شـغف يتأكَّد كلَّما انقشـع الـورم عن وَجهه وظهرت مَلامحه.

فـي اليوم الثالث نظر إلـى عَينيها وهي تعتني به فارتعشـت أصَابعها اضطرابًـا.. ابتسـم بحـزن ثم التقط عدد الرابع والعشـرين مـن مايو من جريدة البورصة «La Bourse Egyptian».. طلبها حين انجلت غشاوة عينيه جزئيًّا.. قلَّب أوراقها حتى توقف عند خبر:

> **«إن حضرة صاحب العظمة مولانا السـلطان «فؤاد الأول» سـلطان مصـر المعظَّـم قد نظـر بعيـن الحكمة العاليـة الدينيـة إلى وجوب التمسـك بما وصى به الديـن الحنيف من أمر الـزواج والاهتمام به فعقـد قرانـه على سـليلة بيوتات المجد والشـرف حضـرة صاحبة العظمة السلطانية نازلي عبد الرحيم باشا صبري».**

سـطور قليلة قرأها عدَّة مرات حتى حسبته يَحفظها ليُسمعها قبل أن يقطع القصاصة من الجريدة ويضعها في محفظته.

في اليوم الرابع لمَّا جلست بجانبه لتغيير شاش صَدره كانت المَسافة كافية ليَمسح فيها مَلامحها.

وكافية لكسر حاجز الصمت بينهما.

- الدكتور قال إنك راح تعيش.

- وده خبر كويس؟

- المفروض.

- اسمك؟

- لينا.

- شامية؟

- من ماردين.

- جيتي بعد المذابح؟

بدون أن تنظر في عينيه هزَّت رأسها إيجابًا ثم أردفت: أهلي ماتوا بالوَبا الإسبنيولي.. هنا في الأزبكية.. والسِّت بَديعة عَطفت عليا وشغلتني مَعاها في الفرقة.

- البقية في حياتك.

انهمكت في ربط الشاش على أصابعه المكسورة متصنِّعة الانشغال.. سَاد الصمت للحظات قبل أن تقطعه:

- وأنت... شو قصِّتك؟

لم يجبها ولم تكرر السؤال.. شرد في صورتها بين أبويها على ظهر الباخرة.. ألصقتها في طرف المرآة الكبيرة.

- أكيد رحلة قاسية إنك تسيبي بلدك وكُل حَاجة بتحبيها.

- مَصر قسيت عليا أكتر بكتير من سوريا.

- هي قاسية فعلًا... قالها بشرود قبل أن يبتسم: على فكرة صُوتك حلو.. سمعتك مرَّة.

- السِّت بديعة كتير بتسيبني أغني لحالي.. لما تقوم بالسلامة أعزمك في الصالة وبتسمعني عن قرب.

انتهت من تغيير الشاش بآلية وسَاعدته في الاتكاء على الوسادة ثم انسحبت.. قبل أن تصل إلى الباب تكلم.

- بنت كُنت بحبها هي سبب الحادثة.

توقفت ثم التفتت.. أردف:

- كنت فاكرها بتحبني... لغاية ما جالها عَريس أغنى.

استحثته بصَمتها أن يُكمل.

- ومش أي غني.. أغنى واحد في مصر.. هي دي القصَّة الحقيقية.. الشاطر حسن وست الحسن عمرهم ما اتجوزوا.

- لكن هادول ناس كانوا قاصدين يموتوك! ليش ما تبلغ البوليس؟

فلتت ضَحكة رغم آلام وجهه: أصل جوزها وأبوها... هما البوليس.

- كنت كتير بتحبها؟

- يمكن لأن في حياتي ما حستش الحُب اللي حسيته مَعاها.

- يمكن تسامحها؟

شرد للحظات: ربنا اللي بيسامح.

ابتسمت مخففة: الله راح ينسِّيك ويطيب خاطرك.

- مُتشكر يا لينا.. لولاكي ما كنتش...

نظرت في عينيه للحظة وابتسمت: اشكر الله.. والست بديعة.. والصُّدفة.. بعد إذنك.

في اليوم التالي سَاندته إلى تليفون طَمأن به عبد الرحمن فهمي وعَم إسحاق ولم يذكر مَا حدث.. أخبرهم بنية غيابه لأمر عَائلي وأغلق الخط قبل أن تزيد استفسراتهم.. أما والدته فتلقت رسالة فيها كلمات مقتضبة.. أخبرها بسفر مُفاجئ خاص بمدرسة الطب وأرسل مبلغًا يكفيها أسبوعًا.. تلقته بقلق لم تخفه وجلست شاردة تناجي صورة أبيه على الحائِط.

بعد أيام بدأ التعافي يزحف ببطء.. انقشعت الأورام جُزئيًّا من وَجه أحمد وإن تركت مسحة بنفسجية.. أما الأصابع المكسورة والضلوع فجعلت حركته عسيرة مؤلمة يلعن الكون ومن فيه إذا عطس أو سعل.. زارته بديعة مَرتين لتطمئن على حاله ولسماع قصته.. وأدركت أن هناك المزيد خلف الرواية الرومانسية الركيكة التي طرحها لكنها اكتفت بابتسامة سياسية مَنعًا لإحراجه وربتت على كتفه متمنية الشفاء.. أما لينا فكانت مَلاكًا حَارسًا أرسله الله.. تُنهي فقرتها خلف بديعة قبل الفجر لتأتيه بالفاكهة والسَّجائر والجرائد.. يقضي الليل في قراءة نهمة لمَا يحدث في البلد خارج الغرفة.. وتقضي هي ليلتها على كُرسي في ركن لا تُبارحه.. تتأمله متصنعة مُطالعة مجلة موضة.. ثم يتبادلان حَديثًا عَامًّا يَهربان فيه من البَوح بمَكنون مُؤلم يَكاد يفيض منهما.

حكى لها عن سَعد والثورة.

وحكت هي عن والديها ورحلتها المريرة هربًا من ذبح عشيرتها.

لم تحكِ عن العهر.

ولم يحكِ عن القتل.

تبكي فيُضحكها.

ويشرد بعيدًا فتُرجعه إلى الغرفة.

لا تفسر له لِما تعيش في كافيه «إيجيبسيانة» سجينة بلا قضبان.

ولا يفسر لها كيف استحال حبّه خيانة وخيبة أمل.

قبل أن تستسلم أعينهما للنوم..

في اليوم الذي استطاع فيه المشي اتكأ على حَائط الممر المفضي إلى الصالة.. جَلس إلى البار فطلب كأسًا وانتظر.. دقائق وأعلن المقدِّم عن الفقرة.. خرجت بديعة متوسطة فتياتها وكانت لينا في الصف الخلفي.. تتلوى ببراعة في ديكولتيه أسود وتنورة قصيرة وشراب من الشبك.. أثارت انتباهه فشرد في تفاصيلها وتباطأ الزمن.. لم تكن تلك الشاحبة الرقيقة التي تُعاني في شد رباط صدره وترتعش يدها بملعقة الشوربة وهي تؤكله.. رآها لأول مرة امرأة كاملة.. فاتنة تكوي صدرًا وتُركِع عاشِقًا تحت قدميها.. تُكرر كلمات الجوقة بعيون لامعة خلف قناعها المَكسوّ ريشًا.. قناع يضاعف فتنتها أضعافًا.. لمحته من خلال العيون المثقوبة فرفع يده بتحية فابتسمت في سَعادة قبل أن تنتهي الفقرة.. مَشت إلى البار دون أن تنزع قناعها.. لفَّت إليها الرءوس وتلقت ثلاثة

عروض بالاستضافة فلم تستجب.. تجاهلتهم واستوت فوق الكرسي العالي بجانبه.

- ليش قمت من سريرك؟

- كنت عاوز أعرف بتعرفي ترقصي ولّا لأ.

ضحكت: عَجبتك؟

- عَجبتيني.. مش عارف لو ما كُنتيش بتشتغلي أرتيست كنتِ هاتعملي إيه؟

- وَعدت «أبونا» في البطرخانة مرَّة أروح الجَمعية الخيرية الأرمنيَّة أشتغل مع المِحتاجين.

- فرق كبير!! وبعدين؟

- طلعت بعرف أرقص.

ضحكا ثم سكتا.. نظر في عينيها: هَاتفضلي لابسة المَاسك؟

- ما بحب الناس تعرفني.

- أنت فنانة ولازم الناس تعرفك.

- برَّه المسرح الناس ما بيعنيها أنا مين.

ارتشف من كأسه رشفة ثم رمقها للحظات طالت قبل أن يسألها: أنت هربانة من إيه؟

لاذت بزحام الصَّالة فرارًا من الإجابة ثم رجعت: هربانة من بلدي.

- أنتِ تقريبًا مش بتخرجي من الكافيه؟ سَمكة خايفة تخرج من الميَّة.

- الدنيا بين حيطان الكافيه.. من ورا الماسك.. أجمل.. أأمن.

- ولمَّا تغيَّر الفرقة نِمرتها ويشيلوا الماسكَات؟

أشارت للقناع: الماسك مو هادا اللي على وجهي - ثم نظرت للناس حولهما- كل هدول الناس لابسين ماسكات.. أنت نفسك عايش بماسك!

نظر في عينيها كثيرًا قبل أن يتكلَّم: عندك حق...

ثم سَحب نفسًا لصدره وابتسم: مُمكن أبقى أعزمك على الغدا مرَّة؟ هاتبقي معايا.. مش هاتخافي.

- أنت خلاص راح تمشي؟ اتعافيت؟

- أنا أحسن كتير.. مش ممكن أتقّل عليكِ أكتر من كده.

قاطعته: ما حدا قال إنك تقّلت.. خليك.. لحد ما تقدر تقف على حيلك.

- عندي التزامات لازم أقوم بيها.

ضربها الشرود.. تابعت يد الساقي وهو يخلط الخمر وترقرقت عيناها.. سحبت دموعها الكُحل ونزلت من تحت القناع إلى ذقنها.. كانت تعلم أنه استغنى عنها.. استغنى كما استغنى العالم بأكمله من قبل.. مد يده ومسح دمعة من على خدِّها فقامت فجأة.

- هاشوفك؟

سألها.

- أنت بتعرف مكاني.

قالتها وابتعدت.. أنهى كأسه ثم رجع الغرفة.. دَس قُصاصة الجريدة في جيبه وارتدى مَلابسه بصعوبة قبل أن يكتب رسالة للسيدة بديعة.. شكرها على المَعروف الذي قدمته وفتح الباب فوجد لينا أمامه.. نظر في عينيها لدقيقة قبل أن يَمد يَده ويُزيل القناع عن وَجهها.. لاحت عيناها اللتان اختلطت فيهما الدموع بالمساحيق فتلاحقت أنفاسها وتعالت قبل أن تنغرس في حُضنه.. أغمضت عينيها وكتمت نفسها قبل أن تبتعد سنتيمترات وتطبع قبلة طويلة على شفتيه.. تركت عبقها في أنفه ونكهتها في فمه وندبة بحجم رَصاصة في قلبه قبل أن تبتعد رَكضًا.. لم تنظر وراءها حتى اختفت.. ظل أحمد في مَكانه مُحاولًا استيعاب اللحظة التي انقضت قبل أن يُلقي على الغرفة التي ضمَّت ألمه وراحته نظرة أخيرة ويغلق الباب.

«لا يجوز لمصري حُر أن يؤلف الوزارة في ظل الحماية البريطانية على مصر».

سعد زغلول باشا

رقم «٣٨٧».. «عاجل»

من الجنرال سير أ.هـ. أللنبي إلى إيرل كيرزون

- في الساعة العاشرة والنصف من صَباح اليوم ألقيت قنبلة بمنطقة جناكليس على سيارة رئيس الوزراء «محمد سعيد باشا» ولم يُصب.. تم القبض على أحد المتطرفين[(١)] ويُدعى «سيد علي محمد».. طالب بالمعهد الديني بالإسكندرية وجارٍ التحقيق معه.

- العمليات الإرهابية بدأت تستهدف الوزراء المصريين جرَّاء تصريح «سعد زغلول» الذي اتهم فيه من يتولون المناصب في ظل الحماية البريطانية بالخيانة.

أللنبي (فيلد مارشال)

المندوب السامي

---

(١) المتطرفون: مُصطلح يُطلق على كل من يُطالب بالاستقلال التام أسوة بسَعد زغلول وأعضاء الوفد.. أما المُعتدلون فهم من يؤمنون بوجود إنجلترا كحامٍ للبلاد لكنهم يطالبون ببعض الحقوق المعقولة وهو ما يسمى بالاستقلال الذاتي.

سري.. نمرة ٢٤

القاهرة في ٢٠ نوفمبر سنة ١٩١٩

سعادة سعد باشا زغلول

- الشعب متهيِّج جدًّا بما يراه يوميًّا من تعسُّف الإنجليز واستهتارهم بمطالب المصريين الحقة واستهتارهم أيضًا بأرواحنا.. الجيوش الإنجليزية تطلق الرصاص بلا حساب وبلا مبالاة ولا يعلم إلا الله نتيجة هذه المأساة فنسأل الله الخلاص.. لكن ما يعزينا هو أن الروح الوطنية عالية جدًّا ومتماسكة.

- استقال أمس «محمد سعيد باشا» من رئاسة الوزراء اعتراضًا على حضور لجنة «ملنر» الإنجليزية إلى مصر للتحقيق في الحوادث الأخيرة منذ نُفي الوفد إلى مالطة، في محاولة لإدانة المصريين وتغليظ العقوبات عليهم وتضييق الأحكام العرفية.

- وقد أعد «محمد سعيد باشا» بيانًا للسلطان فحواه أنه لا يقبل بوجود تلك اللجنة في ظل الظروف المضطربة التي تعانيها البلاد، وأن وجودها للتحقيق سيزيد من حالة الاضطراب ويهيج المصريين مما لا يدع مَجالًا للمساعدة في التهدئة.. وطلب الإعفاء من منصبه.

- تم الاتفاق على تعيين «يوسف وهبة باشا» خلفًا له.. استياء شديد في صفوف الأقباط والبطريركية الأرثوذكسية بسبب قبوله المنصب في هذه الظروف وتم إصدار بيان إدانة ضدَّه.

- نعتقد أن السبب الرئيسي لتعيين قبطي هو بث الفتنة بين عنصري الأمة الأصليين وبذر النفور، لذا أجمعنا كلمتنا على إسناد منصب وكيل الوفد الشاغر - لظروف اعتقال الوكيل الحالي - إلى قبطي أيضًا لنرد كيد الإنجليز إلى نحورهم ونُعلمهم أن مصر للجميع.

عبد الرحمن فهمي

القاهرة في ٢٢ نوفمبر سنة ١٩١٩

رقم «٤٠٦»..«عاجل»

من الجنرال سير أ.هـ. أللنبي إلى إيرل كيرزون وزير الخارجية

- قُتل اليوم الكابتن «صمويل كوهين» من ضباط الجيش بوحدة العمال بجوار مستشفى شبرا وتمكن المنفذون من الهرب.

أللنبي (فيلد مارشال)

المندوب السامي

سري.. نمرة ٣٥

القاهرة في ٢٣ نوفمبر سنة ١٩١٩

سعادة سعد باشا زغلول

- أُطلق الرصاص اليوم على خمسة جنود بريطانيين بجوار مَصلحة السكك الحديدية بالقاهرة.. أصيب أحد الجنود إصابة خطرة وفر الفاعلون.. وفي نفس اليوم قُتل ثلاثة ضباط بريطانيين بجوار قشلاق العباسية.

- نرجو التعجيل بتوفير المبالغ اللازمة للأعمال السرية.. فقد صرفت من جيبي الشخصي أكثر من ١٤٣ جنيهًا في فترة لا تتعدى شهرين.. هناك صعوبة في طلب المزيد من أموال التبرعات لأن أمين الخزانة يطالبني بإيصالات دفع موقعة من سعادتك شخصيًا!

عبد الرحمن فهمي

القاهرة في ٢ ديسمبر سنة ١٩١٩

مـن الجنـرال سـير أ.ه. أللنبـي إلـى إيـرل كيـرزون وزيـر الخارجية.. رقم «٤١٨».. «عاجل»

– قُتـل ضابطان بريطانيان بجوار مَحطـة كوبري الليمون بالقاهرة.. هرب الفاعلـون.. الاغتيـالات تتطـور تطـورًا سـريعًا مـع ملاحظة أنهـا تقتل ضُباطنا وتكتفي بإرهاب المصريين المتعاونين!

أللنبي (فيلد مارشال)
المندوب السامي

القاهرة في ٧ ديسمبر سنة ١٩١٩

من الجنرال سير أ.هـ. أللنبي إلى إيرل كيرزون وزير الخارجية.. رقم «٤١٩»..«عاجل»

- وصلت لجنة «ملنر» إلى القاهرة ولم يُعلن عنها في الجرائد إلا يوم الوصول تحسبًا للاضطرابات، تم تسكينها في فندق سميراميس مع حراسة مشدَّدة.

- أصدرت أوامري للحكومة المصرية والدواوين بتحضير ملفات الحوادث المصرية وشهادات الشهود من تاريخ ٨ مارس الماضي حتى الآن وتم تجهيز مكتب بوزارة المواصلات لتسهيل عمل اللجنة.

- تزامن وصول اللجنة مع وصول رسائل تهديد بالقتل للوزراء المصريين وبعض المسئولين ذوي الشأن، عَثر كل وزير على مكتبه أو في البريد الخاص على رِسالة مُلخصها أن التعاون مع اللجنة والاستمرار في المنصب سيعرِّض حياة الشخص المَعني للخطر، والإمضاء منظمة «اليد السوداء».

- تم اتخاذ اللازِم من تدابير أمنية مشددة وجارٍ التحقيق مع الموظفين المرافقين للوزراء.

أللنبي (فيلد مارشال)

المندوب السامي

نمرة ١٥

القاهرة في ٧ ديسمبر سنة ١٩١٩

أرجو الالتزام فيما يخص لجنة «ملنر» بالمقاطعة وعدم التعاون أو إبداء طلبات، والتمسك بالمفاوضات مع الوفد فقط.

سعد زغلول باشا

القاهرة في ١٥ ديسمبر سنة ١٩١٩

من الجنرال سير أ.هـ. أللنبي إلى إيرل كيرزون وزير الخارجية.. رقم «٤٣٦»..«عاجل»

- في الساعة العاشرة والنصف من صباح اليوم ألقى قبطي قنبلتين على رئيس الوزراء «يوسف وهبة باشا» أثناء سير موكبه ولكنه أخطأه.. تم القبض على الفاعل واسمه «عريان يوسف سعد».. اعترف بجريمته بلامبالاة وجارٍ التحقيق معه بسجن الاستئناف للوقوف على باقي أعضاء المنظمة الإرهابية.

- صرَّح المتهم بأنه قصد اغتيال رئيس الوزراء لأنه مَسيحي مِثله كيلا تستغل بريطانيا الحادثة لإشعال الفتنة بين المسلمين والأقباط.. ونبحث مع السلطان الحُكم الرادِع لأمثاله.

- أعضاء لجنة ملنر يواجهون مشكلة حقيقية في التواصل، سَادت المقاطعة بين المصريين الذين يرفضون الحديث أو التعاون ويجيبون على أسئلة أعضاء اللجنة دائِمًا بعبارة مستفزَّة: «اسأل سعد زغلول»!

أللنبي (فيلد مارشال)

المندوب السامي

سري

٨ يناير سنة ١٩٢٠

من الجنرال سير أ.هـ. أللنبي إلى إيرل كيرزون وزير الخارجية.. رقم «٤٦٦»

- ردًّا على الاستفسار الخاص بالمنظمة المتطرفة التي تستهدف ضبَّاطنا والمسئولين المصريين.. فإن منفذي الانفجارين الأخيرين اللذَيْن تم إلقاء القبض عليهما مؤخرًا اعترفا - بعد ضَغط - بأسماء تم التحقق من أن بعضها غير حقيقي وبعضها لم يستدل على مكانه مثل «سيد الباشا وأحمد كيرة وعبد الحكيم محمود».. وجارٍ البحث عنهم.

- وبالتعاون مع مكتب الخدمات السرية تبيَّن أن منظمة «اليد السوداء» المتطرفة تتكون من خلايا عنقودية منفصلة / متصلة لا يعرف فيها الفرد سوى الشخص الوحيد القائم بالتكليف وإصدار الأمر.. وغالبًا يكون اسمه مُحرفًا.. نجحوا في شهرين فقط في قتل سبعة وعشرين جنديًّا من جيشنا.

- نرجو إحكام السَّيطرة على مُراسلات «سعد زغلول» فإن الشك قائم بضلوعه في التحريض على التطرف.

أللنبي (فيلد مارشال)

المندوب السامي

سري.. نمرة ٨٦

القاهرة في ٢٨ يناير سنة ١٩٢٠

سعادة سعد باشا زغلول

– هناك شخصان سيحومان في الفترة القادمة حول أعضاء الوفد لادعاء المُساعدة في العمل الوطني، إنما لم يأتيا إلا للتجسس لصالح الإنجليز فأرجو الحذر.. ملحوظة: مُرفق صورتهما وبياناتهما.

– نشط قلم المطبوعات نشاطًا زائدًا في مُراقبة الجرائد والتضييق عليها، فهو يستدعي أصحاب الجرائد ويهددهم بالقتل إن لم يعتدلوا في لهجتهم ويحذرهم من التعرض للحالة العامة ووضع الحماية وأخبار الوفد.

– النقدية المتاحة على وشك النفاد لتضييق السلطة الإنجليزية على جَمع التبرُّعات.. أرجو مخاطبة الأمة في خطابكم القادم حول أهمية مساعدة الوفد.

– ألقى مَجهول قنبلة على سيَّارة إسماعيل سرِّي باشا وزير الأشغال في منطقة المُنيرة.. لم تتم إصابته.

عبد الرحمن فهمي

أبشاق الغَزال.. مَركز بَني مَزار.. المِنيا

بمرور الأيام لم يعُد لأم يَاسين شَاغِل سوى مُتابعة من أرسلوه لها بَدلًا من ابنها، خَيال المآتة الذي فاق خيالات الغِيطان صَمتًا وموتًا، طائِف يَجول ببُطء قُرب التُّرع وأطراف الحقول ثم يَجلس فلا يُحرِّك الهَواء فيه سوى الجِلباب، صُورته وَسط أهل البلد الصَّغير بدأت تدنو من صُورة المَجذوب لولا مَكانة آل فهمي بينهم وهيبة رُجوعه الأليم من الحَرب الكُبرى، مَنبوذ تخافه الأمَّهات على أبنائها، وغريب ينزوي عنه رفاق ما عادوا يَعرفونه، لا يمشي إلا وتتبعه أمُّه على مَسافة، تُراقب سلوكه الغريب منذ عاد، تكلِّمه فلا تسمع منه سوى كلمات مُشتتة، ترجوه الزواج من حَليلات العَائلة أو بنات الجيران فيأبى إباء الرهبان، أو العَجزة! تسأل الأولياء في أضرحتهم: «**هل خَصَوْه الكفرة المَلاعين؟ هل بدَّلوه؟ هل لَبِسه عِفريت جثم عَلى صَدره ولف خَطمه على قلبه ليمنعه من الزواج؟**»، مَلأت البَيت بخورًا في حَضرته وصَنعت له حِجابًا رفض أن يُعلِّقه فخيَّطته في جِلبابه سرًّا، ابتهلت وتضرعت إلى الله: «**فلتُحي ياسين ولدي الذي أعرفه.. أو ليمُت كَريم السيرة كما ظننت لسنين أنه مات**».

هكذا ظل الحَال يَسير من سيئ إلى أسوأ.. يزيدها انطواؤه كربًا على كَرب.. حتَّى أتى يَوم غفلت عنه دقائق فاختفى.. لمَّا قاربت الشَّمس المَغيب ولم يَعُد اشتعلت قلقًا.. خَرجت تبحث عَنه بين الحقول في

لَوعـة تتزايد حتَّى سَـمعت جلبة في أرض ليسـت بأرضه.. أرض وقف أصحابهـا على مَسـافة منه يراقبونه بحَـذر.. مَا إن رأوهـا حتى أكبروها وطلبـوا العون على إخراجه بسـلام.. نظرت إلى بكريهـا بقلب يَحترق ثـم اقتربت.. كان الأخير فارجًا سَـاقيه وبهِمَّة لم تعهدهـا منذ عاد يَرفع فأسـه ويرشـقه في الأرض حفرًا.. رُكبتاه كانتا تحت مسـتوى السَّطح.. نادت فلم يستجب.. مُنهمكًا لم ينتبه.. يتمتم بكلِمات مُسترسلة.. يُكلِّم شَخصًا يَرقد في الحُفرة التي تتَّسِع بين قدميه.

- ياسين.. ياسين!!

نادتـه بحدَّة حيـن باتت على بُعد أمتار منه فبتر حَركته وتوقَّف.. رفع رأسه ونظر إليها بهدوء ثم ابتسم ابتسامة عصبية.

- بتعمل إيه في أرض وهدان يا ياسين؟ سألته.

أجابهـا بعد دقيقة: أصل عَطيَّة ابن أبو وهدان كان... كان اِصَّيَّر على رُوحه... جَبل ما الرصاصة تصيبه.

اقتـرب أهـل الأرض مُنتبهيـن حيـن مـرَّ ذِكـر الرصاصـة بآذانهم.. منصتين لاسم ابن لهم ذهب مع ياسين ولم يعُد.

- وأنت شُـفت فيـن عطيَّة ابـن أبو وهدان يا ياسـين.. مِش جُولت يا ابني إنَّك فارجته وركبت الجطر؟

سألته أمُّه فرفع فأسه وضرب ضربتين في الحفرة ثم توقَّف.. نظر لها وللناس بعينين متحجرتين ثم أردف:

- لازمن أغسِّله.. ما يصحِّش يجابل ربُّنا بجلابية نِجسة.

خَرج والِد عطيَّة من الجمع واقترب من ياسين: أنت شُفته يا ابني؟ شفت عطيَّة؟ عطيَّة انطخ؟ الله لا يسيئك انطج.

- ياسين.. رُد يا ولدي... أنت جابلت عطيَّة؟

سَقط الفأس مِن يَد يَاسين في الحفرة.. أخذ ينظر إليه ثم رفع كفَّيه وتأملهما كأنهما نبتتا للتو من ذراعه قبل أن يَخرج مِن الحُفرة وَسط ذهول أصحاب الأرض والأب المكلوم.. بهدوء سَار خارجًا من الغيط متمتمًا في سرِّه:

«أول واحِد كان شعبان ابن معوَّض البجَّال.. تاني واحِد كان عطيَّة ابن أبو وهدان.. تالت واحِد كان عويضة ابن مَرعي».

لم تتمالك الأم نفسها.. وضعت كفَّها على فمِها تمنعه من الصُّراخ وواست صاحب الأرض بدموع ودعوات قبل أن تجري مُحاولة اللحاق بياسين.

الأربعاء ١١ فبراير سنة ١٩٢٠

«أمر كريم إلى رئيس الحكومة»

«حضرة صَاحب الدولة رئيس الوزراء»

المنة لله وحده، بما أنه في الساعة العاشرة والنصف من مساء الأربعاء المبارك الموافق ١١ فبراير سنة ١٩٢٠، قد من الله علينا بولد ذكر أسميناه «فاروق»، فقد استصوب لدينا إصدار أمرنا لدولتكم، إحاطة لعلم هيئة حكومتنا بهذا النبأ السعيد، وتعميم نشره في جميع أرجاء القطر، وأنه أسأل الله القدير المنان أن يجعل هذا الميلاد مقرونًا باليُمن والإسعاد للبلاد والعباد من فضله وكرمه.

إمضاء

فؤاد

كافيه «ريش»

جو القبو كان حَارًا خانقًا، لا شأن له بمَوجة البرد التي اجتاحت البلاد منذ بداية فبراير، جَلس إسحاق على كُرسيه العَالي أمام منضدة ينظف خزانات مُسدسات إنجليزية ويَحشوها.. غَنيمة آخر عملية وزاد للعمليات القادمة.. فيما استقر عبد القادر على كرسي قصير يهز قدميه في رَتابة وينقر بيَديه المِنضدة في مَلل:

- هو عريان يوسف سَعد اللي ضرب رئيس الوزارة ده تبعنا؟ إيد سودا برضه؟

- ما أعرفش.

- يا عم إسحاق! ده أنتو نصارى زي بعض؟

نظر إسحاق للسقف وزفر في يأس: والإنجليز كمان نصارى.. قلت لك ما أعرفوش.

- مش مآمن لي أنت!

لم يَعره اهتمامًا فأردف عبد القادر:

- طب واللي رَمى قنبلة على وزير الأشغال في المُنيرة؟

- ما أعرفوش.

- هو إيه أصله ده؟

- كل حَاجة بتتعرف بمعاد.

- يا مقدِّس إسحاق أنا من يوم ما جيت وأنت بتقول الكلام ده!

- أنا لسَّة ما قدِّستش.. ناولني الفُرشة.

ناوله عبد القادر فرشة رفيعة دسَّها إسحاق في فوهة المسدس لتنظيفه.. استطرد عبد القادر:

- هو فيه عَملية جاية؟

- المسدسات لازم تبقى نضيفة حتى لو مفيش عَملية.. واسكت شوية عشان أركز.

زفر عبد القادر ثم قام من مكانه وأشعل سيجارة.

- الأوضة مكتومة.. اطلع اشرب سيجارتك برَّة.

خبط عبد القادر الباب مُستاء حانقًا وخرج إلى الصالة.. جلس إلى البار وطلب كأسًا وهو يستعرض ثمانية أشهر قضاها في ذلك المكان.. نائمًا في قبو فوق مَطبعة وفي يده مسدَّس.. ثمانية أشهر يستمع لأغاني الصبر من الفتى محمد عبد الوهاب ولم يقتنع.. ثمانية أشهر تم فيها تنفيذ أكثر من عَملية ولم يُشارك في أي منها.. كانت الحجَّة دائِمًا إدمانه الكوكايين.. **«أنت لست متِّزنًا.. الأمر لا يحتاج لقوة بل هدوء أعصاب لا تملكه، وتهور تمتلئ به عيناك حين تستنشق البودرة البيضاء»**.. الآن وقد استشفي منه لا زالت مشاركته مؤجلة! اللعنة على أحمد ويده السوداء.. المتأنق يُصبره بحجج مائعة ويقطِّره عم إسحاق بكلمات

مُبهمة وحِكم بائدة عن الصَّبر.. شعور قاتل أن يقضي وقته في حِراسة مَجموعة ساكنة لا تتكلم.. مُمرضة مُسنة وقِبطي يجيب أسئلته بقطَّارة.. وصَعيدية! تسقيه نارًا.. تتجاهله.. تتحاشاه.. نافرة منه بلا سبب كفرس بري.. الرفض! شعور مُهين لم يجرِّبه من قبل.. فقد الإلحاح سِحره عند أهدابها.. ولم يفلح استعراض العضلات مَعها.. حتى لَحن الكلمات لم يفد والتجاهل لم يثنها أو يرقِّق لها قلبًا.. مَنيعة دولت.. حَصينة كقلعة في جزيرة.. باردة صلبة.. وجَميلة.. لونها ضرب من الجنون.. عيناها بحر رائق لا يهزَّه موج.. ورفضها... لا يزيده إلا شغفًا واهتمامًا.. وولعًا.. حتَّى بهية القعر تلميذة بنبة وما لنصفها التحتاني من تأثير خاص عليه؛ بَطل سِحرها.. لم تعُد تُغريه أن يقربها.. كل النسوة بتن فواكه معطوبة فقدت طَعمها.. مُقارنة بدولت.

لم ينتشله من جزَّات أسنانه سوى أحمد الذي دخل الكافيه.. أشار إليه بعينيه فتبعه.. في القبو ارتمى أحمد على كرسي وفي يده جريدة فتحها ليطالع ما فيها باهتمام.. أشعل عبد القادر سيجارة رغم نظرات عم إسحاق.. لَحظات لم يستطع فيها كبح عصبيته.. انفجر بغتة:

- أنا مش هاكمِّل اللعبة السودة دي.. شوفوا لكم حَد يُحرس المَكان؛ دي شغلانة عيِّل صُغيَّر.. أنا وافقت آجي هِنا عشان أشتغل.. وبطَّلت البودرة عشان أشتغل.. ونِمت أُرديحي في التربة دي باحرُس المطبعة عشان أتنيل أشتغل.. مش كلام ده.. أنا مش صغير عشان أشوف عيال قِلَّة تروح تنفذ عمليات وأنا قاعد هِنا في دار مُسنين.

رماه إسحاق بنظرة ضيق ثم عاد لعمله فأردف عبد القادر: والنبي يا عم إسحاق ما تبص لي كده أنت بالذات.. أنت بتِنقطني بالكلام أكنّي

مـش فاهـم حاجـة.. أنا أبـو المفهومية.. وأبويا اتقتل عشـان البلد دي.. يَعني تصحوا كِده وتشوفوا حل في الموضوع ده أحسن يمين الله...

قاطعـه أحمد بـدون أن يرفع عينيه عن الجريدة: مـش أنت الوحيد اللي مـات لـه حد عشـان البلـد.. إذا كنت محتـاج العملية دي عشـان تنضف سيرتك وسط أهلك يبقى أنت جيت للمكان الغلط.

ترك أحمد كلماته تخترق صدر عبد القادر قبل أن يُردف:

– أنا مأخَّر مُشاركتك لغاية دلوقت عشان ما ينفعش ننفذ عملية بدافع الانتقام.. اللي بنعمله ده بنعمله عشان البلد.. الاستقلال.. الانتقام لوحده هايحولك لوَحش.. إحنا مِحتاجين ذكاء مش عَضلات.

حدجـه عبد القادر بغضب وشهيق متحفِّز.. أغمـض عَينيه وألقى برأسـه إلى ظهر الكرسي محاولًا استيعاب السـؤال المفاجئ.. سَاد الصمت للحظات قبل أن يعتدل وينظر في وجه أحمد: مفهوم.

– مَحمَّد شفيق باشا.

– نعم!

– وزير الزراعة.

– ماله؟

– هاننفذ فيه عملية بعد أيام.

أخرَسَت الكلمات عبد القادر.. ظل يحدِّق في أحمد غير مستوعب فأردف عم إسحاق:

– مالك؟ اتخرست يَعني لمَّا جه شُغل!

- ما اتخرستش ولا حاجة.... قدَّها وقدود إن شاء الله.

أغلق أحمد الجريدة بحنق استشعره عم إسحاق الذي التقطها وفتحها ليقرأ فيها خبر ولادة ولي العهد.. ابن نازلي.. أدرك ما يضطرم في نفس زميل الكفاح فطوى الجريدة بأسى ونظر لأحمد الذي تحجَّرت عيناه ثم قام وواجه عبد القادر.

تلاحقت أنفاس عبد القادر وانتفخ أنفه نهيجًا: خلِّيها على الله.

أردف أحمد:

- من بكرة هانبدأ التدريب.. نام بدري ونتقابل بعد الفجر في الغابة المتحجّرة في المقطَّم.. دلوقتي سيبني شوية مع عم إسحاق عشان عندنا شغل.. لو حد جه من المجموعة خليه يستنى بره لغاية ما أخرج.

كاتمًا أنفاسه خرج عبد القادر من القبو بعدما تلقَّى دعوة إلى القبر.. في الشارع أمام الكافيه أشعل سيجارة بيد لأول مرة ترتعش.. أحكم كوفيته ودَعك يديه تثبيتًا ثم سب نفسه مرَّة قبل أن يسب الإنجليز مرَّات.. تطلع إلى الشارع كأنه يراه لأول مرة.. دقائق وانتشله مَجيء دولت.. تباطأت خطواتها حين اقتربت منه.. كان عليه أن يؤمِّن طريق دخولها.. نظر إليها بقلق لم تعهده فيه.. لم يقترب منها كما كان يفعل.. لم يتصنَّع جَسَده الحركات ليجذبها.. لأوَّل مرة تلمح في عينيه الحاجة إلى صديق لا الشوق والهيام.. اقتربت.

- فيه حد جوَّة؟ سَألته.

- عم إسحاق وأحمد.. بيتكلموا في شُغل.. استني لما يخرج.

لاحظت أصابعه التي تُمسك السيجارة.. ترتعش وهي تقترب من فمه.

- أنت عيان؟

هز رأسه نفيًا.

- إيدك بتترعش.

- خليكي جوة عشان البرد.

- أنا مش بردانة...

قالتها فساد الصمت.. لاحظت نظراته للشارع والمَارة بشرود. سألته: حصل حاجة أنا ما أعرفهاش؟

لم يرفع عينيه عن الشارع.. زفر دخانًا واضطرابًا وجوعًا لحياة قديمة انتهت: الدنيا صغيرة أوي.. الواحد بيتهيأ له في لحظة إنه فاهمها.. وفي لحظة... يكتشف إنه مش فاهم حاجة خالص!

- أنا مش فاهمة!

- ولا أنا.

- ... !!

- ما تزعليش مني إذا كنت ضايقتك قبل كده.

- ...!!! ليه بتقول الكلام ده؟

- أهُه... ما تزعليش وخلاص.. أنا عمري ما كنت بعاكسك.. أنا فعلًا كان نفسي...

- ....؟؟

- كان نفسي أتعرف عليكِ في ظروف أحسن من كده... استني أحمد لما يخرج وبعدين ادخلي.

قالها وعبر الشارع.. دسَّ يديه في جيبيه ومَد خطواته مُبتعدًا يداري عينين رقرقهما الدمع.. ظلَّت تتابعه في حيرة وتستعيد كلماته حتى اختفى.

في الغرفة انتهى إسحاق من تنظيف المسدسات وتزويدها بالرصاص وهو يتأمل أحمد الغارق في أفكاره شاردًا تُدير أنامِله رصاصة بحركة سَريعة منتظمة وهو يطالع باهتمام جريدة «المسلَّة» السَّاخرة التي يُحررها «بيرم التونسي».. سأله إسحاق:

- فيه إيه؟

- نظر له أحمد قبل أن يَطوي الجريدة ويناولها له.. قرأ إسحاق أربعة أبيات كتبها بيرم التونسي نكاية في ولادة فاروق ابن فؤاد ونازلي:

الوزة من قبل الفرح مدبوحة والعطفة من قبل النظام مفتوحة

ولما جت تتجوز المفضوحة قلت اسكتوا خلوا البنات تتستَّر

عقَّب إسحاق: بيرم ده مش هايجيبها لبَر لغاية ما مكتب الخدمات ينشّوه.. هو ماله ومال إن السلطانة خلفت بعد سبع ولَّا تمن شهور؟! مَا فيه ابن ستة وسبعة.. إوعى يكون ابنك يا نمس؟

لم تُضحك الدعابة أحمد.. أردف إسحاق: بزيادة يا ابني.. كُنت متخيل إيه؟ هاتختفي من حياتك زي دخان السيجارة؟

لم يُجبه.. تنفس بعمق وأغمض عينيه.

– انساها يا أحمد.. واحدة وراحت لحال سبيلها.

– نسيتها.

– تكدب على عمّك إسحاق!

– أنا بقيت أكره الجرايد.. عشان ما أشوفش اسمها.

– لو بتحبها اديها عذرها.. المُلك له تحكماته.

– أديها عذرها؟ دي باعتني يا عم إسحاق!

– ويا ترى كنت هاتحكيلها عن حياتك؟

سَقطت الرَّصاصة من بين يدَى أحمد على الأرض.. نظر إسحاق في عينيه وهز رأسه:

– لأ طبعًا.. كانت هاتفضل طول الوقت متجوزة واحد تاني.. فوق يا أحمد.. أنت حبِّيت.. واتعميت.. اتهيأ لك إنها ممكن تيجي معاك الأوضة هنا وتطبع منشورات.. تبات معاك في بنسيون وتاكل أي حاجة عشان خاطرك.. تنزل مَعاك مظاهرات وتشيل علم.. ما قدَّرتش المَسافات صح.. ركبت بريمو وتذكرتك ترسو في ترماي مش رايح حارتك اللي اتولدت فيها.. ويمكن يكون ماعندكش تذكرة أصلًا.

– هي كمان حبِّتني.

– هي كمان ما قدَّرتش المسافات.. لغاية ما جه السلطان.. فكَّرت في نفسها.. انساها.. ركِّز في طريقك اللي اخترته.

سكتا.. طرق الصمت أذنيهما حتَّى قطعه أحمد بزفرة حارة: أنا تعبان يا عم إسحاق.

- فيه يا بني شعرة بين النسيان والغفران.

- مش قادر أغفر.

- يبقى الانتقـام هايحولك لوَحش.. أنت اللي لسـة قايل.. انسـاها يا ابني عشان تعيش.

هـز أحمد رأسـه ثم التقط الرصاصة مـن الأرض وقام.. دسَّها في خزانة المسـدَّس وشـد الأجزاء وصوَّب في الفـراغ.. في وجه لا يريد أن يُمحى.. ثم أنزل الفوهة وأدار المسدس ليناوله لإسحاق ثم خرج.

❈

الغابة المُتحجرة.. جبل المقطَّم

قبل الشروق بدقائق

الشُّعاع الأبيض المُشرَّب بزُرقة السَّماء رَسَم على الأرض ظِلالًا مُبهمة تتحـرك ببُطء، أغصَان وجـذوع مُتناثرة تحجَّرت منـذ ملايين السـنين في الـوادي، صنعت طُرقًا وحَواجز ومَغارات، تتخلل الرياح المَسافات بينها فتحدث صَفيرًا وسط ضباب يهيم قرب الأرض ليخفي نصف السيقان.

وقـف عبد القـادر متدثرًا بمعطف وكوفية وفوق رأسـه كاسكيت صـوف لـم يغنِهِ من برد، أطراف أنفه وأذنيه تكاد تقع من الصقيع، عانى ليشعل سيجارة وسط الريح وسبَّ أحمد كيرة في سرِّه ثلاث مرات قبل أن يظهر الأخير، مُرتديًا زي صَعيدي ملتحفًا بشال أخفى نصف وجهه ويحمـل فـي يده مشـنة فوقها منديل، بـلا كلمة تأمل المكان من حوله مُستكشفًا قبل أن يكشف وجهه ويقترب.

– مالقيتش غير الحتَّة دي نتقابل فيها.. أنا نشفت م البرد.

لـم يجبه أحمد.. انشـغل بإخـراج منديل مَحلاوي كبير من جيبه.. فتحـه وأخـرج منه عدَّة صـور ناولها لعبد القـادر.. صـورًا ملتقطة في شـوارع لرجال غلاظ يرتدون السـترات فوق جلابيبهم وفوق رءوسهم طرابيش مستقيمة ملقاة إلى الخلف.

- مين دول؟

- دي صور المخبرين اللي ممكن تقابلهم يوم التنفيذ.. عاوزك تحفظهم كويس عشان لو قرب حد فيهم أو اشتبه فيك قبل وصول الهدف هاتلغي العملية.. حطّهم في جيبك.. تحفظ أشكالهم كويس وترجعهم لي تاني.

دسَّهم عبد القادر في جيبه بعدما قلَّبهم سريعًا حين أخرج أحمد من سيالته مسدَّسًا.. أخرج ساقيته وأدارها ليطمئن على سبع رصاصات تبيت بداخلها قبل أن يُغلقها ويُمسك المسدس من ماسورته ويناوله لعبد القادر.

- قلت لي إنك بتعرف تضرب نار؟

- كان معايا رشاش «مادسِن» ألماني.

- المسدّس حاجة تانية.. محتاج قرار صح لأن طلقاته محدودة.

جذب عبد القادر إبرة الضرب وصوَّب على زجاجة بيرة فارغة وقريبة نسبيًّا.. وأطلق طلقتين.. أصابتها الرصاصة الثانية فتناثرت شظاياها بدوي مزعج.. نظر لأحمد في سخرية فالتقط أحمد منه المسدَّس وصوبه إلى غُصن رفيع متحجِّر يبعد عنهم مسافة كبيرة.. جذب الزناد وأطلق فأصابه قبل أن يُعطي المسدس لعبد القادر.

- هاتحتاج شوية تمرينات عشان المُسدس خفيف عليك.

- هو أنا هانفذ العملية بالمسدس؟

- لأ.. بالقنبلة.

– أمال إيه لازمة المسدس؟

– يعني.. يمكن تعرف تهرب.

ابتلع عبد القادر ريقه فجلس أحمد على صَخرة وأشعل سيجارة فيما بدأ عبد القادر التصويب على أهداف من الشـجر المتحجر.. بعد عشر رصاصات وإرشـادات من أحمد تركزت في طريقة الإمساك الصحيحة بالمسـدس وتنظيـم النفس تمكن من إصابة أهداف بعيدة نسـبيًّا قبل أن يلقِّنه أحمد بعض التعليمات بشأن زر الأمان وإخفاء المسدس وطريقة فكِّه أجزاءً والتخلص منه في حالة التتبع.. حين انتهيـا دسَّ أحمد يده تحت منديل المشـنة والتقط عبوة أسـطوانية متوسـطة الحجم.. ناولها لعبد القادر:

– دي عروستك.

– ....!!

نظر عبد القادر للعبوة بروع فأردف أحمد:

– لو خفت منها مش هاتعرف تستخدمها.

بحذر التقطها عبد القادر من يده.. وزنها.. تأملهـا كما يتأمل المَرء حَبل مشنقته أو رصاصة أخيرة في مسدَّس انتحاره.

– هاحس بحاجة؟ سأل عبد القادر.

– القنابـل دي بتنفجـر قبـل مـا توصـل الأرض.. قبل ما تسـتوعب هاتكون في عالم تاني.

– ....

- لسَّة القرار في إيدك!

- أنا مش متردد.

التقطها أحمد من يده بحذر وابتعد خطوات قليلة إلى سفح مُنحدر يطل على واد صخري متوسِّط العُمق.

- ركِّز كويس.. عشان تخلط المحاليل جوة العبوة لازم تشد الحبل ده الأول.

وأشار بيده إلى دوبارة غليظة تتدلى من منتصف القنبلة.

- لما تشد، السوايل بتختلط.. أنت كده في مرحلة الخطر.. أي رجَّة غير محسوبة هاتنفجر فيك.. سنة خمستاشر شاركت زميل ليا في رَمي قنبلة على السُّلطان حسين كَامل.. كنا بنجرَّب القنابل هنا في الغابة برضه.. وفي يوم اتأخر لحظة في رمي قنبلة.. انفجرت بَدري.. شظية منها قطعت صُباعه ده.

وأشار لإبهامه ثم أشار إلى صدغه: وعملت لي الجرح ده.

ابتلع عبد القادر ريقه: وصاحبك ده مات؟

- لأ.. عايش.. مَسجون مؤبد في سجن طره.. راجل.. عذبوه رفض يعترف عليا... المُهم.. رَمْيتك لازم تكون هادية.. استعمل تقل القنبلة في إنَّك تمرجحها مَرة وترميها على المكان اللي هايكون فيه الأوتومبيل بعد ثوانٍ.. لاحظ إن الموكب بيمشي بسرعة ستين كيلو في الساعة على الأقل.. يعني لازم توصل العبوة في نفس وقت مرور الأوتومبيل.

وضع أحمد القنبلة بحِرص على الأرض ثم التقط حجرًا أرجحه في الهواء مرة قبل أن يرفعه عاليًا مُستغلًّا ثقلًا ويطلقه من يَده ليسقط على بعد عشرة أمتار منه.

- فهمت؟

- فهمت.

- داري روحك ورا الجذع اللي هناك ده وركِّز مَعايا.

ابتعد عبد القادر قبل أن يستتر أحمد خلف صخرة كانت يومًا شجرة.. تابعه عبد القادر وهو يجذب الدوبارة الغليظة قبل أن يؤرجح يده في الهواء بالعبوة فيلقيها عاليًا ويحني رأسه.. قبل أن تلمس الوادي بمتر واحد انفجرت مُحدثة دويًّا شديدًا وصدًى ضرب سفح الجبل فتردد في الفراغ.. سَاد الدخان الخانق للحظات قبل أن تبدده الريح.. خرجا من ساترهما يَسمَعان طنينًا يصم الآذان.. طل عبد القادر على مكان الانفجار فرأى حفرة حديثة تتصاعد منها الأدخنة.. بهدوء سأله أحمد: تجرَّب؟ هز عبد القادر رأسه موافقة دون أن ينبس بكلمة.. ناوله أحمد عبوة أخرجها بعناية من الحقيبة.. التقطها عبد القادر في حذر ولم تبارحها عيناه.. أشار أحمد إلى الدوبارة الغليظة ثم ابتعد في هدوء وأشعل سيجارة قبل أن يستتر خلف شجرة.. لحظات ووقف عبد القادر خلف الصخرة.. نظر لأحمد الذي ابتسم وهز رأسه محثًّا إياه أن يلقيها.. سَحَب عبد القادر نفسًا إلى صدره ثم جذب الدوبارة بحذر وأرجح يده ثم طوَّح القنبلة في الهواء بصرخة عصبية وارتمى على الأرض بسرعة حاميًا رأسه بيديه.. لم يحدث انفجار.. ظل على هذه الوضعية لدقيقة كاملة حَابسًا أنفاسه حتى لكزه أحمد بمقدِّمة حذائه:

- قوم.

- ما انفجرتش!!

- لأن فيها ميَّة.

وقف عبد القادر بحذر ونظر للعبوة التي نثرت المياه حولها قبل أن ينظر لأحمد بغضب: هو إيه أصله ده؟

- بقـول لـك صديق ليا طـار صُباعه في غلطة.. أقـوم أناولك قنبلة حقيقية في أول مرة تدريب؟! المرة الجاية ترمي واحدة حقيقية.

قالها أحمد وتركه مُحاولًا السَّيطرة على غَضبه.. التقط بقايا العبوتين ووقف بجلبابه المَكسو بالتراب كفلاح انتهى من بذر أرضه حين اقترب عبد القادر.

- ليه قررت إني أنا اللي اقتل الرجل ده بالذات؟

- عملنا قرعة على اللي يقتله وطلع اسمك.

- بس كده؟!

- بس كده.

- يعني صُدفة؟

- كل القرارات التاريخية مبنية على الصدف.. الحرب نفسها قامت صدفة.

- وليه الراجل ده بالذات؟

- بعـد ما رمينا القنبلة على الوزير اللي قبله كش واستقال.. اتهزِّت الـوزارة والإنجليـز اتجننوا.. مَا حـدش قابل يمسـك المنصب

فـي ظل الحماية.. حتى لما السـلطان عمل مَعاش مُسـتديم مدى الحياة للوزرا عشان يغريهم والإنجليز زودوا الحراسات عليهم.. برضه الناس لسَّـة بترفض.. خايفين.. مسـمينَّا المتطرفين.. ييجي محمد شفيق وسط كل ده ويقبل تلات وزارات يباشرهم في وقت واحد.. أشغال وحَربية وزراعة!

- يابن الكااااالب.. طب وبالنسبة لي.. لو نَفَدت؟

- مـن القنبلـة وحــرس الوزيــر؟ دي القصــة التانيــة اللـي هاندرسها تَمام.

التقط أحمد غصنًا يابسًا ورسم على الرمال دائرة كبيرة.

- إحنا مَسـحنا المَكان واخترنا موقع التنفيذ.. ميدان الضاهر.. عند ناصيـة الشـارع ده مـع آخـر تـرام ١٧.. ده طريق الهدف مـن بيته للوزارة كل يوم.

ثم نغز الأرض بنقطة بين مُربعين رسمهما على أطراف الدائرة.

- هاتقـف هنـا.. بين دكان ماتوسيان بتـاع الدخـان.. والمراحيض العامة.. عشـان تكون مدَّاري من اليمين والشمال.. الساعة تمانية ونـص بالظبط بيخرج الوزيـر من بيته.. تسعة إلا تلت بيكون في الميدان.. هاتكون متنكّر.. حضّرنا لك هدوم سـفرجي.. تلبسـها فوق هدومك العادية.

- اشمعنى سفرجي؟

- هاتفرق معاك؟

- لأ.

– سفرجي عشان طبيعي إن السفرجية الصبح بينزلـوا يشـتروا طلبـات البيـوت.. قبـل نص ساعة من وصول الهـدف هايعدي جنبك واحد يسيب لك السَّبَت ده.. وقبل وصول الوزير بدقيقة هايعدي قدامك موتوسيكل فيه واحد مننا.. هايرمي تحت رجلك جُرنـال.. ده مَعناه إن الموكِب على بعد لحظات منك وإن الهدف في الأوتومبيل اللي وراه.. أول ما تشوفه ترمي القنبلة.

سكت أحمد للحظات نظر فيها إلى عينَي عبد القادر اللتين لم ترمشا قبل أن يرسم على الرمال أربعة شوارع متفرعة من الميدان.

– لو حرس الوزير ما قدروش عليك – وأشـار في الرمال إلى شارع خلـف نقطـة وقوف عبد القـادر– هاتهـرب مـن شـارع النزهة.. تجري بأقصى سرعة.. بعد ناصيتين هتلاقي على شمالك خرابة.. ترمي فيها هدومك والمسدس.. هايلقطهم منـك زميل هايكون مستنيك.. وتمشي بعدها عادي وما تبصش وراك.

– أروح على فين؟

– هاتعرف بعدين.

لاحت ابتسامة على وجه عبد القادر من بين غبار المعركة التي دارت نظريًّا أمام عينيه فأمسك أحمد بقدميه وأنزله من سماء الأحلام.

– ده طبعًا لو نجيت من القنبلة ومن الحرس.

اكفهر وجـه عبد القادر وكسته الجدِّية قبـل أن يسأله:

– ولو اتقبض عليا؟

– دي القصَّة التالتة.. تحت الضغط طبعًا وارد تتكلم؟

- أنا راجل ابن راجل.

- الإنجليز ما عندهمش حدود للتعذيب.. إحنا فعليًّا مالناش تمن بالنسبة لهم.

- أنا بِعت نفسي للموت.. هاحضن قنبلة وأقف قدام الرصاص وعملتها قبل كده.. مِش هاتفرق لو عذبوني.

- هانشوف.. ركِّز معايا.. لو الوزير عَاش.. يبقى أنت حاولت تهدده وتخوفه عشان وافق يقبل الوزارة وخان البلد.. يَعني ماكانش فيه نية تقتله.. مَفهوم.. وده مُمكن يخفف الحُكم من إعدام لأشغال شاقة.. افتكر.. الاعتراف بنية القتل يعني إعدامك.

- ولو مات؟

- مش هانقدر نهرب من الإعدام.. وسَاعتها يبقى تقول إنَّك قتلته عشان يبقى عِبرة للي يمسك الوزارة في فترة الحماية.. ولو ما قدرتش تستحمل التعذيب الورقة دي هتلاقي فيها تلات أسماء ممكن تذكرهم.

- أفتن؟!!!

- تفتن إيه! دي أسماء بعض الخونة اللي عاوزين نتخلص منهم..

- فهمت.. وأنت هاتكون فين؟

- مش هاسيبك لحظة.. فيه حاجة كمان...

قالها وأخرج من جيبه قرصًا صغيرًا جدًّا لونه أبيض مغلفًا بسيلوفان داكِن.

- في حالة التعذيب الشديد أو التهديد بالقتل.. ده قرص سيانيد.

- سِم؟

- تلاتين ثانية بالظبط.. مش هاتلحق تحس بحاجة.

- ما يلزمنيش... التنفيذ إمتى؟

- لما القنابل تجهز.

ساد الصمت لحظة فتوقَّفت الريح احترامًا قبل أن يُردف عبد القادر:

- أحمد.. لو مت...

عَاجله أحمد: أمَّك والحتة كلها هاتعرف دورك يا عبد القادر.. والأهم من ده كله بلدك.. مش هاتروح هَدر.

هز عبد القادر رأسه وزفر نفسًا حَارًّا يحرر به التوتر حين ربت أحمد على كتفه.

- كفاية عليك كده النهاردة.. بُكرة نعاين مكان التنفيذ.. وبالليل عازمك على العشا.. أهم حاجة تحافظ على هدوء أعصابك.

كان يعرف أن كلماته لا تبث طمأنينة في شخص تقرر مَصيره مقدمًا.. السائرون إلى الموت دائمًا يتبعون الخطوات نفسها.. سيودِّع النوم عَينيه.. سينظر للشوارع والناس كأنه يراهم لأول مرة.. ستنتابه فرحة مُبالغة يتبعها صَمت مُطبق ووجوم.. سيختم إنجيلا أو قرآنًا أو توراة ويبتهل في كل لحظة.. أو يطوف ببنات الأرض جميعًا يشرب من رحيقهن ليُخفف روعه.. كل من ودعهم أحمد بعدما أعدَّهم لم يخرجوا عن ذلك الخط.. وفي النهاية.. إما إلى سجن.. وإما إلى قبر.

ودائمًا كان القبر أخف وطأة.

بَرد فبراير أخرج من الأفواه بُخارًا وأخفى أيدي المَارة في السُّترات، كان الوقت قـرب المَغرب حين وصل أحمد وعبد القـادر إلى ميدان الظاهـر، في خُطى متمهِّلـة اقتربـا من مكان إلقـاء العبـوة المُحتمل، استوعب عبد القادر جغرافيا المكان قبل أن يتمشيا في شـارع النزهة حتى رأيا الخرابة، تمم أحمد على خط السير قبل أن يشقَّا طريقهما تجاه بار «كافيه إچيبسيان»، كان عبد القادر على مَوعد عشاء على شرف قيامه بالمهمة، طقس يحرص عليه أحمد مع كل روح قبلت التضحية بنفسها من أجل الاستقلال، وداع بسيط ورسالة شكر وتقدير من المنظمة إلى فرد لا يكاد يعرف من الأعضاء أكثر من أربعة أفراد.

قُرب ناصية شارع المغربي المُطلَّة على مَيدان إبراهيم باشا وحين انحرفا ليعبرا الشارع استوقف عبد القادر النِّداء: عبد القـادر أفندي... التفت الأخير فوجده.. يقف في بقعة مظلمة أمام جدار.. اقترب.. لم يفلح الشال العَريض المَكبوس تحت طربوشه غير المُستوي في إخفاء وجهه المتعجن كشـمعة ذابت فوق جذع يابـس ولا عينه التي احترقت فابيضَّـت.. بث النفـور في وجه أحمد الذي تفحَّصه بشـك قبل أن يمد يده إلى عبد القادر زاحفًا:

– عاش مين شافك يا عبد القادر أفندي.

اقتضى الرد من عبد القادر لحظات حاول فيها تخطِّي بشاعة التشوُّه في وجهه واستحضار كلمات تنهي اللقاء بسرعة:

- أهلًا يا سلامة! بتعمل إيه هنا؟

- درب طياب زبونه شاحح.. بقالي فترة باجي أسحب من هنا.

- الرزق يحب الخفِّية.. سلم على نسوانك.

- ما اتعرفناش بالأستاذ!

نظر عبد القادر لأحمد الذي أجاب سلامه بلا تردد: فهمي.

- عاشت الأسامي يا فهمي أفندي.. مفيش كده أبدًا لطف ومفهومية.. إحنا لازمن نتعرف.. تشرفني مرة في البيت.. فركة كعب لغاية درب طياب.. مَحسوبك سَلامة النِّجس...

باستغراب نطقها أحمد: نِجِس!!

- عدم اللامؤاخذة اسم اتعرَفْت بيه من صغري.. شقاوة عيال.. دلوقتي بيقولوا سلامة المَحروق...

قاطع عبد القادر فيض التعارف فسَحَب أحمد من ذراعه:

- يَدوبك يا سلامة عشان عندنا مشوار.. سلامو عليكو.

مدَّا خطواتهما ابتعادًا.. عبرا الميدان واتجها صوب شارع وش البركة.. تبعهما سَلامة رافعًا ذيل جلبابه.. أسرع حتى لحق بهما:

- خدوني معاكم.. كده كده رايح وش البركة.

لم يعره عبد القادر انتباهًا ولم يشأ أن يفتعل شجارًا أو ينهره فسلامة إن كان يجيد في الحياة شيئًا من بعد القوادة فهو التجريس.

بعد بضع خطوات بدأ سلامة في الثرثرة، يلغو كببغاء حَبيس، حَكى عن بنبة التي باتت أكثر عصبية وتحكُّم، وعن سنية «السودا» التي أصابها داء الزهري وكيف سَرَّحوها من الخِدمة بذكاء قبل أن تحتضر أمامهم وتلوث الفراش وسمعة البنسيون، ثم حكى عن السوق من بعد الاضطرابات وكيف ابتعد جنود الإنجليز عن درب طياب خوفًا على أنفسهم من العمليات الانتقامية التي ينفذها «المتطرفين المخابيل» **الله يخرب بيت أهاليهم**، قبل أن يسأل عبد القادر فجأة عن ورد إن كان لمحها، اكتفى عبد القادر بهزة رأس نافية وكانا قد وصلا إلى البار فترك أحمد يبتعد عدَّة خطوات والتفت لسلامة ووضع يده على كتفه:

- سلِّم على بنبة.

أخرج سلامة من جيبه ورقة صغيرة وسحب عبد القادر خطوتين بعيدًا عن أحمد: مش عاوز كوكو؟

- لا أنا خلاص.

دسَّها سلامة في كفِّه: دي واجب من عندي.

نظر عبد القادر للورقة التي استقرت في راحته بتردد ثم التفت لأحمد الذي وقف أمام البار ينظر للافتة عليها صورة بديعة مصابني قبل أن يرجع لسلامة الذي أردف: النبي قِبل الهدية.

- ماشي يا سلامة.. تُشكر.

ربت عبد القادر على كتفه وابتسم مضطرًّا وابتعد قبل أن يستدركه سلامة: لو.. لو شفتها.. ابقى ادِّيني خبر.

رفع يده فانكشف نِصف وجه ذائب فامتعض عبد القادر:

- ماشي يا سلامة.. ماشي.

ابتسم سلامة في ود وأخفى وجهه ثم عبر الشارع إلى ناصية مقابلة للبار.. استقر ورمى شباكه.

- مين النجس ده؟ وإيه اللي شوِّه وشُّه كِده؟

سأل أحمد فأجابه عبد القادر: قصَّة طويلة أحكيها لك بعدين.

بَعد أن أوصَد مِزلاج الحمَّام وَقف عبد القادر أمَام مِرآة وأسند يَديه عَلى حَافة الحوض، على ضوء اللمبة الصفراء تأمل عَينين تشعبتا بعروق حمراء وسَواد جرى تحتهما، شفتين بهت لونهما ويَدين ترتعشان، الأرق كان قد نخره كشجرة مريضة تقاوم السقوط في أي لحظة، مُنذ عَرف بالمهمة المُوكلة إليه غادره النوم بلا رجعة، أن يعرف مِيعاد مَوته، أن يُقتل أو يَعيش مشوَّهًا في غياهِب سجن، أن يَهرب، أكثر مِمَّا هو هَارب، تلك كانت قائمة الاختيارات الإجبارية التي عليه أن يواجهها بعد أيام.

لم يَشعر عبد القادر يومًا بما يشعر به الآن رغم ماضيه مع البوليس والإنجليز، الألم يغزوه كمِسمار طويل بارد يخترق الضلوع، ضيق صدر وثقل لم تعد تحتمله الأكتاف، وفوران يجري في عروقه ليسعر ويحرق، هياج، هياج اسمه دولت، القلق والخوف من الزمن القصير المتبقي هيَّج ذكورته وبث فيه رغبة مَحمومة ناحيتها، يُريد أن يندفن فيها، يَختبئ، يبكي بحرقة ويصرخ، مرة أخيرة، قبل أن يودعها.. مدَّ يده وفك البابيون الذي يطبق على رقبته وحرر الزر، شَهق نفسًا طويلًا إلى

رئتيه ثم أخرج من جَيبه ورقة سلامة الصَّغيرة، أفرغ المسحوق الأبيض فوق الحوض ثم سجد بأنفه خشوعًا، كاد يستنشق أولهما قبل أن يمسك برأسه ويقوم، ضَرب الحائِط بقبضته ثلاث مرات ثم نظر لنفسه في المرآة، مَسح دَمعة لاإرادية وهو يرمق البودرة، قبل أن يُبعثرها بكفَّيه وينثرها، سوَّى بعد ذلك قميصه بسُرعة وعقد البابيون ثم أسكت نهيجه بصَفعة على خدِّه، غَسَل بعدها وجهه بالماء ثم خَرَج.

صَوت الموسيقى بدا أضعافًا مضاعفة في أذنيه، أبواق حَرب تزوم، تماسك وتخلل الرءوس حتَّى وصل لمنضدة بَعيدة نسبيًّا عن المَسرح جلس إليها أحمد، بلا كلمة ارتمى بجانبه وأشعل سيجارة، لفَّهما الدخان وصَخب الموسيقى وصَمت احترمه أحمد قبل أن يبدأ عبد القادر في ثرثرة طائشة تتخللها ضَحكات عَصبية وحركات يَدين كافح أحمد كيلا تُطيح بزجاجة النبيذ المفتوحة، حَكى ذكريات طفولته ونشأته، اجتر كيف كان مهابًا، قدوة أقرانه من أبناء الحي ومَحطَّ حَسدهم، حكى عن نسوته اللاتي هِمن فيه عشقًا وعن مَعاركه ضد أنداد أذاقهم الهزيمة بقوته المفرطة، ثم اكتأب حين جرى لسانه بذِكر أبيه، سَكت واكفهر وجهه، شرد، ثم هرب ثانية إلى مغامراته مَع فتيات الحي ونسائه، شَرب خَمس كئوس نبيذ قبل أن يغطِّي أحمد حافة كأسه السادسة بأصابعه.

- كفاية يا عبد القادر عشان نعرف نروَّح.

تحولت ثرثرته فجأة إلى سيرة بيت بنبة وعاهراتها، وعن قصَّة تشوُّه سلامة بالنار من مصباح الكيروسين، وعن ورد التي لم يقابلها أحمد، ضَحك بهستيريا قبل أن يَصمت تمامًا، نزل الطعام في الأطباق حين

بدأت فقرة بديعة مصابني في العزف، انسابت الفتيات كالمياه الجارية يُحطن بديعة من كل جانب، وفي الخلف، دائمًا في الخلف، كانت ورد تتفتَّح، ورد التي نسيت اسمها للمرة الثالثة من «فارتوهي» الأرمنية إلى «ورد» المصرية ثم «لينا» الشامية، مَسحت الصالة من وراء القناع قبل أن تعلو شفتيها ابتسامةٌ حين وقع بَصرها على أحمد فرفعت ذقنها تحية، ابتسم الأخير ثم تابع عبد القادر الذي تأرجح بين متابعة الفرقة والرَّغبة في الثرثرة ليُطمئن نفسه، أكل جُزءًا من شريحة اللحم ثم تيبس كتمثال لم ينتهِ منه نحَّاته، ينظر للشوكة بين أصابعه حتى طقطق أحمد إصبعيه فتنبَّه.

- أنت شامم؟

- أنا مبطل البودرة من زمن.

التفت أحمد ليتابع لينا بين الراقصات تتماوج.. عُصفور يَشتهي قفصه الاختياري.. كان قد دأب على زيارتها أسبوعيًّا.. تنتهي من فقرتها فتأوي إلى منضدته.. يتبادلان حديثًا مفتوحًا وأخبارًا طازِجة.. عن كل شيء.. إلا عنهما.. وخاصة الماضي.. اتفقا بدون أن يتفقا على أن يغلقا سيرته ولا يتطرقا إليه طالما أرادا الاستمرار في اللقاء.. لا هو يُريدها أن ترى الدماء على يديه ولا هي تريده أن يخوض مِترًا في أوحال ماضيها ببيت العُهر.. اكتفيا منذ زمن بانجذاب صَامت ورغبة ناضجة تعي تمامًا أن الوقت غير مناسب إلى أن يُصبح.. مناسبًا.. وأن أي كلمة حب ستعني حتمًا بداية سريعة لنهاية.. مع كل لقاء تزداد فيه حفرًا ويزداد هو مَعها شوقًا وتعوُّدًا.. لم تُمحَ ذكرى نازلي فيه.. ظل تخوين الأنثى حَاضرًا لا يختفي وإن وهن.. كانت تطرق على قلبه كنقاط المياه.. نقاط مُلحَّة متواصلة مستمرة.. نقاط بعد وقت تفلق الحَجَر.

انتشله من شروده صوت عبد القادر الذي عبَّ كأسه السابعة.

- مرافقها بقالك كتير؟ ولَّا حُب؟

التفت إليه أحمد: ...!!

- المزمازيل اللي عينك ما فارقتها لحظة.. أم ريش أسود دي..

- لينا؟ لا.. دي صديقة عزيزة.

- صديقة!! مفيش هنا أصدقاء.

- مُمكن تمسك نفسك عشان هاتخلص نمرتها وتيجي تقعد معانا شوية؟ مش عاوز لخبطة في الكلام.

- يعني آخر مرة هاكون مَعاك ومش عاوز تفتح لي قلبك؟

- أنا ما قلتش إني بحبها.

- مش لازم تقول.. عينيك فاضحاك.

- أنت سكران.

- أنا ما بسكرش.. أنت مَكسوف.. بقة بذمتك جايبني من قفايا لغاية هنا عشان تعزمني ع العشا؟ أنت جاي تشوفها.

- أيوة جاي أعزمك ع العشا.. وأشوفها.. فيها حاجة؟

- مفيش.. بس برفكس المزمازيل.. عود يوناني أكيد؟

- ....

- تبقى إيطالية.. العود ده إيطالي.

بنفاد صبر ألقاها أحمد: أرمنية.

- أيوة منا كنت لسَّه هاقول.. باين.. صحيح أنت مش متجوز ليه؟

- ما أنت مش متجوز.

- آه بس أنا مدلَّع نفسي.. ما أنا حكيت لك.. إنما أنت بحس إنَّك من البيت للشغل وم الشغل للبيت.. وساعات بتموِّت في الإنجليز.. ههههههه.

- أنا مش فاضي للحب.

- مفيش حد مش فاضي للنسوان.. أنت حاجة من اتنين.. يا حبيت ولا طولتش.. يا مالكش فيه.

رمقه أحمد بلا تعبير فدس عبد القادر وجهه في الطبق دقيقة قبل أن يرفعه ثانية: تفتكر ربنا هايسامحني؟

- ... على إيه؟

- أصلي حاسس إن عمري ما انتبهت له.. أستغفر الله العظيم يا رب.. أقصد يعني.. عُمري ما حسِّيته حقيقي.. مَوجود في سابع سما طبعًا فوق العرش وتحفّه الملايكة ولا تدركه الأبصار وليس كمثله شيء.. أنا حافظ نُص القرآن لغاية سورة النمل.. لأ استنى! العنكبوت.. بس مش عارف ليه ربنا بالنسبة لي أستغفر الله العظيم زيُّه زي ملك الإنجليز كِده.. عارف إنه موجود بس مش ممكن أفكر أقابله.. عُمري ما شفته.. ولا هاشوفه.. بس موجود.. أنا طول عمري كنت مشغول عنه.. الفتونة.. أبويا.. النسوان.. الفلوس.. الكامب الإنجليزي.. النسوان...

قاطعه أحمد: أنت قلت النسوان مرتين!

- حاسس إني لما أقابله مش هايقابلني.. هايقول لي أمشي أجري ياض يا عبد القادر أنا ما خلقتكش.. أنت شيطاني.. ويسيِّب عليا زبانية جهنم ترنّني علقة سخنة وتولع فيا ويرموني من فوق السحابة.

- طب وهاتعمل إيه؟

- هارجع أقعد عند بنبة.. وأشتغل معرَّص مع سلامة النجس.. ما هو أكيد هو كمان هايطِّرد بوشُّه الملخفن ده.. أقعد أطير كده عنده في سقف الشقَّة.. وأزوم بصوت عالي وأرعب النسوان.. بالذات بهية القعر.. أصلها مفترية أوي بنت الكلب.. بس عليها حتِّة...

قاطع خواطر النبيذ تصفيق رواد القاعة حين انتهت الرقصة.. انسحبت الفرقة وانسكب الستار على المسرح وكان آخر ما رأى أحمد نظرة وعد من صاحبة القناع.. «أنا آتية».. هدأ التصفيق فظهر صوت عبد القادر الذي لم يتوقف عن الكلام:

- رُحت راقعه قلم كوَّعه زي أسير يوناني وقع في إيد الترك.. وهَبشته لوكّامية طرقعت عِضام وشّه وبعدين جرجرته م الجاكتَّة وقلت له إياك أشوف وش أمَّك هنا تاني يا خبؤ.

- أنت بتتكلم عن إيه؟!!!

- عن سعيد جرح اللي ضربته في الزرايب.

- أنت إيه اللي ودَّاك الزرايب.. مش كنت بتتكلم عن ربنا؟

- أيوة صحيح.

– أنت بتضحي بنفسك عشان بلدك.. وده وزنه كبير عند ربنا يا عبد القادر.

– يَعني هايقابلني؟

ابتسم أحمد: هايقابلك.. ومش هايقول لك امشي اجري ياض يا عبد القادر أنا ما خلقتكش!

شردت عينا عبد القادر في الفراغ وارتعشت ابتسامة في عينيه حين اقتربت لينا.. في منتصف طريقها ابتسمت لأحمد قبل أن تتفحص بعينيها الجالس بجواره.. أبطأت خطواتها للحظة حين تأملت وجه عبد القادر ثم توقفت بغتة.. رَمَقها أحمد باستغراب قبل أن يَرفع يَده مُشيرًا لها أن تقترب.. كمِسمار غُرِز حتى رأسه في الأرض لم تتحرك.. انتبه إليها عبد القادر ولم تزدها نَظرته إلا إصرارًا على الانسحاب.. الهرب.. نسيت أنها ترتدي قناعًا.. أنها لم تعد ورد.. قام أحمد فرفعت كفَّها تستبقيه.. اقترب فتوترت أطرافها.. رواد منضدة بجانبها لاحظوا ارتعاش أصابعها في استغراب.. قام أحمد فابتعدت خطوة.. عبث وجهه استغرابًا وحدَّق في عينيها حين دارت على عقبيها.. استبَقها حتى التقط عضدها.. التفتت.

– فيه إيه؟ مالك؟

– تعبانة.

– حاسة بإيه؟

– دايخة شوية.

– تعالي اقعدي واشربي حاجة مُنعشة...

قاطعته: ما في داعي.. أنا رح أروّح...

قاطعها: مفيش داعي إيه! أنا مش هاسيبك تمشي وأنت تعبانة.

كان ذلـك حيـن بـرز عبد القادر مـن وراء كتـف أحمد.. نظـر إليها بابتسامة ثملة قبل أن يَمد يَده:

– كينيـش.. بيس.. يك؟ ثم نظر لأحمد وترجـم: يعني كيف الحال بالأرمني.

رمقته ورد للحظات ثم أجابته: أحمد الله.

– بتتكلمي عربي!! إيه يا مزمازيل! أنا شكلي يخوِّف أوي كده؟ اسم القمر إيه؟

استغرق الرد منها نصف دقيقة: لينا.

سلمت عليـه فلثـم يدهـا تحيـة.. لـم تملـك رفاهية الانسـحاب.. تقدَّمهمـا عبد القادر إلى المنضدة فجلسـوا.. صَبَّ عبد القادر لها كأس نبيـذ فامتنعت.. أنفاسـها تهدَّجت وهي تتابعه من خلف القناع.. ابتسـم فأوْلَت وجهها شـطر الصالة المفتوحة متفادية النظر في عينيه حين لمح في عنقها «ثلاث حسنات متجاورة» ثلاث حسنات لفتت نظره من قبل!! في رقبة أرمنية شقراء.. صَعد بعينيه فلمح لون الذهب في منابت الشـعر يقاوم الصبغة السـوداء.. نزل إلى رسـغ مكتظ بأساور لم تخفِ أثـر جرح انتحـار قديم.. طار الكحول من رأسـه دفعة واحـدة.. رمقها لدقيقتين وهي تسـتمع لكلام أحمد قبل أن يهمس بخفوت حين التقت أعينهما: ورد! نظرت إليه ففهمت قبل أن يقاطعهما أحمد: حاسة بإيه؟

نظـرت إليه ولـم تُجبه.. كانت تنتظر ضربة اسـتباقية مـن عبد القادر لكنه لم يفعل.. رمقها طويلًا ثم نظر لأحمد الذي لم يقرأ في عينيه شيئًا حين عزفت الفرقة لَحنًا من موسيقى الفالس.. ترقص؟ على غير عادتها طلبـت من أحمد.. اسـتغرب طلبهـا وإن لبَّاه بـلا تفكير.. قامَـا تاركين عبد القـادر الـذي لم يرفع عينيه عنها.. يسـأل نفسـه: «**هـل يعرف أحمد تاريخها؟ هل يحبها؟**».. لم يجد إجابة فصب كأسه الثامنة.

توسَّـطت ورد المَرقص بين ذراعَـي أحمد قبل أن تدفن نفسـها فـي حُضنه.. لحظات من التمايل غير المتماشي مـع إيقـاع أغنيـة It's time to say good night قبل أن يسألها: مَالك النهاردة؟

- مين هادا الشخص اللي أنت قاعد مَعه؟

- صديق.

- من وين بتعرفه؟

- بتشبّهي عليه؟

هـزَّت رأسـها نفيًا ولـم تعقِّب.. تنظـر لعبد القادر فتهـرب بعينيها.. صدَّرت إليه ظهر أحمد متوارية من عينيه الثاقبتين فسألها:

- فيه حاجة مزعلاكي؟

- بفكر أمشي من هون.

- هاتروحي فين؟

- كل مرحلة وإلها مطالبها.. عم بافكر أرجع سوريا.

- سوريا؟!

- بلدي.. رح أكون على راحتي هناك.

- ده كلام فارغ.. الأتراك مش هايسيبوكي في حالك.

- ما عم بحس بأمان طول الوقت.. عم بحس إني بختنق.. ما عدت قادرة اتنفس.

- أمان! أنت تقريبًا مش بتخرجي من البار يا لينا!

أشاحت بوجهها: الظروف بتتبدل.

صَمَتا فاشتعل الصِّراع في نفسه كما اشتعل منذ تسعة أشهر.. البحث عن تعريف لوضعه من بعد نازلي كان أمرًا مُعقدًا.. يحتاج لقاموس لم يُكتب بعد.. سأل نفسه مرَّات: «**هل يُحب لينا؟ هل يشتهيها؟ هل يستأنس بها فقط؟ أم هو التعوُّد؟**» كانت لخفَّتها تتأرجح بين كل تلك المعاني ولا تملأ واحدًا.. إلا أن فكرة فراقها كانت بثقل مِكواة حديدية استقرَّت بين رئتيه.. مِكواة سَاخنة.. ضاق صَدره واتقدت فيه عَصبية كبحها بصعوبة.. ضَغط على يديها فنظرت في عينيه.. «**أنا خايف أحبك**».. ردَّدتها نفسه وقرأتها ورد فرنا ببصره بعيدًا يشتكي إلى الموسيقى.. «**نازلي أهدتني رابطة عُنق.. ساعة جيب «زينيث» موديل السنة.. ومنديل مذيَّل بأول حرف من اسمها.. الـ N الملعونة.. قبل أن تأخذ روحي.. ثقتي في الحب وفي نفسي.. ولدغة لن أُلدغها مرَّة أخرى فأظن يومًا أني أهل للارتباط.. اخرجي يا نازلي من رأسي.. ابتعدي.. فليأكلك هنيئًا مريئًا من زار شفتيك بعدي.. سيكتشف بصماتي في أول قبلة.. امنحيني الفرصة كي أحيا ثانية**».

- تتجوِّزني؟

صفعته ورد من وراء القناع وفي عينيها دموع تترقرق ثم أردفت:

- خدنـي من هون.. ودينـي لمطرح ما حدا بيعرفـه.. ما عُدت أوثق بحدا غيرك يا أحمد.

تجمَّد.. تيبس.. سَحَب نفسًا لم يخرج وضَرب على قلبه ضَربة أخيرة لعل أحدًا يفتح الباب.. قرأتْ في عينيه ترددًا.. رفضًا.. رمقته بشـك ثم اشـتمت رائحة حَرق ومَرارة تأكلها.. سَـحَبَت أصابعها من بين أصابعه فتركها تنسـلُّ.. ابتسمت بألم.. قبل أن تبتعد.. وقف عبد القادر مُحاولًا اسـتيعاب الموقف.. ظل أحمد في وضعه وسط الراقصين وحيدًا حتَّى لفَت الأنظار قبل أن ينتشله عبد القادر.. أرجعه إلى المنضدة فجلسا.

- زعلتها؟

- ...

- مالك؟

- مفيش..

- اسمها لينا؟ ده اسمها الأصلي؟

- بتسأل ليه؟

- لا.. أبـدًا.. أصل الأرتيسـتات دايمًا يغيروا أسـاميهم.. تعرفها من قد إيه؟

أجابه بشرود: تسع شهور.

- بتحبها؟

صَبَّ أحمد كأسًا تجرعها دفعة واحدة ثم ترك الحِساب على المنضدة وقام: يلَّا بينا.

قبل دقيقتين كانت ورد ترمق انعكاسها في مِرآة غُرفتها الصغيرة التي آوت أحمد أيامًا حتى استشفي.. لم يتخذ الأمر أكثر من دقيقة تفكير.. رائحتها فاحت وقريبًا سينجذب الذباب.. عبد القادر سيفشي حتمًا ماضيها.. أفضل لها أن ترحل بكرامتها.. أن تهرب مرة ثالثة.. أخرجت حَقيبتها التي أتت بها من قريتها المنكوبة في سوريا.. لملمت مَلابسها ودست فيها الصورة التي تجمعها بأبيها وأمها.. كتبت خِطابًا للسيدة بديعة شكرت فيه كرمها ورحمتها واعتذرت عن الاختفاء المفاجئ.. أغلقت حقيبتها وتركت قناع الريش بجانب المرآة قبل أن تتسلل من الباب الخلفي للبار.

حين خرج أحمد وعبد القادر إلى الشارع توقفا تحت يافطة اتقاءً للمَطر الذي انهمر بشدَّة.. لحظات واستدار أحمد إلى عبد القادر مُجيبًا:

- مش عارف.

- مش عارف إيه؟

- مش عارف إذا كنت بحبها ولَّا لأ.. سَاعات بحس إني بحبها.. وسَاعات بخاف من الفكرة.

مَطَّ عبد القادر شَفتيه لمَّا لم يجد ما يقول: «**مَاذا لو عرفت يا صديقي أن حبيبتك تخفي عنك اسمها الحقيقي وماضيًا غامضًا وراءه؟!**»، كان ذلك حين لَمحها عبد القادر تخرج من الشارع الضيق المجاور للكافيه حاملة حَقيبة متوسطة وتحمي رأسها من المطر بجريدة.. قبل أن يَلمَح سلامة النجس في الجهة المقابلة.. يقف عند الناصية يبادله الابتسام بنصف فَم.. بَطؤ الزَّمن وخفتت الأصوات بَغتة.. سَلامة أدار رأسه ناحية اليسار.. ناحية ورد.. سيعرفها.. سيَعبر الشارع رَكضًا ناحيتها وهو يَستل مِطواته المقوَّسة من جيب جلبابه.. سيُدركها قبل أن تُدرك المسكينة اقترابه.. سيشل ذراعها بيد وباليد الأخرى سيَغمد نصله بين ضلوعها.. ستسقط ولن تلفظ أنفاسها الأخيرة قبل أن يُمزِّق وَجهها ويَسلخ جِلده.. ستختلط دماؤها بالمطر قبل أن تتسرب بين البلاط المحدَّب.

- سلاااامة...

ناداه عبد القادر فالتفت إليه.. لم يُمهله وقتًا للإجابة.. أراد أن يشغل عينيه فعَبر الشارع رَكضًا بين الحناطير وعربات الدوكار تاركًا أحمد خلفه.. مُتابعًا بعينيه ورد التي توقَّفت والتفتت بفزع حين سَمعت اسم سَلامة.. كان ذلك حين لمحها الأخير.. تلاقت عينه السليمة مع العينين الفيروزيتين فتعارفوا.. جزعت ملامِحها حين حدجها سلامة بظفر.. ذئب عثر على حَمَله الهارب.. حمل أشعل فيه النار قبل أن يفر بين الأشجار.. فجأة وقبل أن يَصل إليه عبد القادر رَكَض المُشوَّه.. فزعت ورد فتسمَّرت مَكانها وسَقطت حقيبتها على الأرض بجانب قلبها الذي تدحرج تحت الرصيف.. تابع أحمد عبد القادر الذي انطلق وراء

سلامة.. ثم رأى ورد.. لما أصبح سلامة على بعد أمتار أخرج مِطواته.. تحركت ورد كغزالة متأخرة فجرى أحمد ناحيتها في اللحظة التي طوَّح عبد القادر سَاقه بين سَاقَي سَلامة الذي تعثَّر فسقط أرضًا.. ارتمى عبد القادر فوقه حين قفزت ورد في حنطور مر من أمامها.. أمرت العَربجي بالسرعة فضَرب كُرباجه في الهَواء قبل أن يَصل أحمد.. نظرت إليه من بين خصلاتها المُبللة.. شاهدته يَركض خلف العربة رافعًا يَده مُشيرًا إليها أن تنتظر.. أن لا تترك طعنة إضافية بين ضلوعه: «**لينا استني**».. صرخ فهَمَست: «**إسمي مش لينا يا أحمد**».

ابتعد الحَنطور ولم يَستطع أحمد مُجاراته.. كان ذلك حين هَوى عبد القادر على وَجه سلامة بلكمة ثم جرَّه إلى حارة بين بنايتين.. سمَّره في الحائِط بقبضته ثم أطبق على عنقه المَعجون قبل أن يُخرج من جيبه مطواة مكسوَّة بالصدف محفورًا عليها شعار الجيش الإنجليزي.. وضعها تحت ذقنه فصَرخ بحَشرجة قبل أن يَهمس في أذنه:

- اسمع يا بغل البرك.. أشوفك تحوم ولَّا ألمحك تحرجم هنا تاني هالخبط خلقتك أكتر ما هي ملخبطة.

- ده أنت طبَّختها من الأول بقة عشان تلهف البت؟! اتفقت معاها تولع فيَّا وعَمَلت النمرة دي عشان تخلع بيها م البنسيون.

لَمح عبد القادر أحمد قادمًا فضغط على عنق سلامة: لو شفتك هنا تاني الدبان الأزرق مش هايعرف لك طريق جرَّة.. هايجيبوك من الشفخانة يا ابن المحروقة.. غور.

وأطاح به عبد القادر فسقط في بركة مياه مطر.. وقف متألمًا يُلملم جلبابه المبتل: ماشي يا عبد القادر أفندي.

ثـم ابتعـد أمتـارًا إضافيـة أبلغتـه مأمنًـا فرفع الشَّـال من فوق رأسـه المشوَّه وأردف:

- ومَاله.. ياما وراك البنات غلبت رجالة بشنبات.

التفت إليه عبد القادر: يلَّا يا ابن المرة.

غاب سلامة في ظلمات الحارة حين اقترب أحمد.. رمق عبد القادر باستغراب فعاجله:

- كان عاوز يبيع لي بودرة.

- الشخص ده يعرف لينا؟

- لينا مين يا عم أحمد؟

أمسـك أحمد بتلابيبه: أنت بتكدب يا عبد القادر.. المعرَّص ده كان بيجري وراها ليه؟ إنطق؟

بنفـاد صَبر زفر عبد القادر وهو ينظر فـي عينَي أحمد.. لحظة طالت أدرك خلالها أنه لن يستطيع المُضي في تغطية ورد أكثر من ذلك.. انتزع ياقته من بين أصابع أحمد:

- ما اسمهاش لينا يا أحمد..... ما اسمهاش لينا.

فـي اليوم التالي سـيفجِّر عبد القـادر ثاني قنابله فـي الغابة الحَجرية بالمُقطـم.. بَعـد قنبلته الأولى التي فجَّرها أمـس بين ضلوع أحمد حين سَـرد له قصَّة لينا التي كانت ورد.. ورد التي قابلها في بيت بنبة.. عاهرة مـن عاهراتهـا.. عـرض لـه ماضيهـا المأسـاوي مـع أسـرتها ومحاولة

انتحارهـا.. ولم يَحك بالطبع عـن وَطئها أو قضائه ليلة كاملة نائِمًا على ظهرها.. سَـمع أحمد دوي الحقيقة في أذنيه ولـم يُعقِّب.. بلا ردَّة فِعل هز رأسه بهدوء وأردف:

- بكرة مَعادنا في نفس المكان الساعة ستة.. سلام.

افترقـا فتابعـه عبد القـادر وهـو يبتعـد حتـى اختفى فهمس لنفسـه: «ديك أم غباء أهلي».

قبل الشـروق حضر أحمد.. كان يرتدي زي عامل من عمال العنابر وفي يده حقيبة حديدية ترقد بباطنها العبوة الناسـفة ومن ورائه أنثى في حَبَرة وبرقع.. اقترب غير بادٍ عليه أثر مما سَمِع أمس.. وضع حقيبته على الأرض وسط الضباب الخفيف وفتحها حين أنزلت دولت برقعها.. لم تتحدث.. تفحصت المكان من حولها هاربة من عينَي عبد القادر اللتين لم تغادرا وجهها.. أزاح أحمد شريحة حَديدية تحمِل المعِدات وأخرج من تحتها الموت في عبوة.. وضعها بحرص على الأرض ثم أخرج زي السـفرجي في كيس وناولـه لعبد القادر الذي أفاق من شـروده ووضعه أمـام صدره قبـل أن يُلاحظ رغيف عيـش إفرنجيًّا (فينـو) موضوعًا في الجيب حين أردف أحمد:

- بكرة التنفيذ.

برقت عينا عبد القادر: بكرة؟ بكرة بكرة؟

- الوقـت ضيّق وكل ما اتأخرنا البوليـس ومكتب الخدمات بيغيروا خطوط السير والشوارع.. بُكرة سـبعة ونص الصبح هاتكون في الميدان.. بين دكان ماتوسيان بتاع الدخان و...

أكمل عبد القادر: والمَراحيض العَامة.. عشان أكون مدَّاري يمين وشمال.

– الساعة تمانية ونُص بالظبط يخرج الوزير من بيته.. تسعة إلا تلت يكون في الميدان.. قبلها بنص ساعة هاتوصلك العبوة من زميل.. تكون أنت واقف زي ما اتفقنا.. تستنى الجرنال اللي هايترمي تحت رجلك...

أكمل عبد القادر وعيناه لا تفارقان دولت: بعدها بدقيقة ييجي المَوكِب.

– تمام كِده.. تنفذ وتدخل شارع النزهة.. تِرمي مُسدسك وتغير هدومك في الخرابة اللي شفتها وتخرج.. تمشي لآخر الشارع وتركب الترام.. أما لو شكيت إن فيه حَد بيلاحقك ومش هاتقدر تهرب.. فاكر مَدرسة الهلال اللي شاورت لك عليها بعد حوالي تلتوميت متر من الميدان؟ بوَّاب المدرسة زميل.. هايساعدك توصل من غير شوشرة.. لدولت.

نظر عبد القادر إليها حين أردف أحمد: دولت مُدرِّسة في المَدرسة دي.. هاتخبيك بمعرفتها لغَاية مَا الشوارع تهدى وبَعدين تخرج.

أجابه عبد القادر بشرود: مفهوم.

– دولت جاية النهاردة عشان تنسق مَعاها وتراجع التحرك.. وعشان تسألك يعني في حالة... عن وصيتك إذا حبيت توصَّل حاجة للوالدة أو إخواتك.

ثم ابتعد أحمد ليتيح مساحة من الحرية.. حاول عبد القادر التماسك ثم تكلم:

- سلِّمي لي عليها.. وقولي لها إني مش عَيل طايش.. وإني أخدت حق أبويا.. وإني.. بَحبّها رغم الجفا.

التقطت دولت كلماته في ثبات ظاهري قبل أن يَسود صمت قطعه أحمد:

- عَاوزك تجرب العبوة دلوقتي عشان نتأكد إن كل حاجة ماشية تمام.

بثبات سَحَب عبد القادر عَينيه من عَينيها والتقط العبوة من الأرض.. للحظات هَاجمه هاجس أن يفجرها في المسافة بينها وبينه علَّها تصطحبه إلى ملكوت لا تملك فيه رفضًا أو نفورًا!

ابتعد أحمد ومن ورائه دولت.. تواريا خلف صخرة.. وزن عبد القادر العبوة ثم جذب الفتيلة وطوَّح القنبلة إلى الوادي الصخري الجاف وانحنى.. دوى الانفجار وتعفَّر الهَواء للحظات قبل أن يَموت الصدى ويَسكن الوادي.

- أشوفك بكرة.

قالها أحمد بعد أن جَمَع شظايا العبوة وأغلق حَقيبة المُعِدات.. رَحَل مع دولت تاركًا عبد القادر ليتحرك بعدهما بدقائق تمويهًا.. ظل يرمق دولت التي أسدَلت البُرقع على شَفتيها وأنفها وابتعدت حتى باتت كعود كبريت قبل أن تختفي.

السبت ٢١ فبراير ١٩٢٠

٧:٣٠ صباحًا

مَسـجِد الظاهـر بيبرس كان مَحفوفًا بالنخل من كل جَانب، يتوسـط الميـدان بأسـوار مُرتفعـة أخفت من هيئتـه ما يدل على أن هـذا المكان كان مَسـجِدًا، لا مئذنة ولا قبَّة، فقد هَدَم الفرنسيون مئذنته سنة ١٨٠١م واسـتخدموه كقلعـة حَربية مـدَّة وجودهم في مِصر، ثـم حوَّله الإنجليز حين أتوا بجيوشـهم إلى مذبـح للحيوانات قبل أن يتم العفو عنه وتُغلق أبوابه على خليط من روائح الروث والدم.

عبد القادر كان واقفًا كما اتفق، أمام المسجد، بين المَراحيض العَامة ودكان ماتوسـيان للدخان الذي اشترى منه علبته الأخيرة، بَدت مَلابس السُّفرجي عليه كأنها ستتفتق في أي لَحظة وتطير أزرارها لتُصيب المَارة، يترقب ما حَوله في صَمت، أنفاسـه بَطيئة وشفتاه تتحركان بآيات القرآن هَمسًـا مُجاهِدًا لتذكُّر ترتيبها، يَكاد يَسـقط ميتًا من شدَّة اختلاج صَدره، يُقاوم ضَربات قلب تتسـارع في اضطراد ووسَاوس قاسية تنهاه عمَّا هو مُقـدم عليه، تسـتعرض بطولاتـه البائدة علـى الأرض، وفوق السـرير، تسـتدعيها ذاكرته حادة واضِحة، في كَامب الإنجليـز، فوق فتيات بنبة، وفي معارك الحارات بجانب أبيه، ثم تُسمِعه الوساوس نعيه بصوته:

«رحمة ونور على روح المرحوم عبد القادر شِحَاتة الجن!!».

ثم تحكي له الوساوس عن الأوقات التي ستفوته من بعد الموت، عن بلده الذي سيتطهر من الأنجاس قتلة أبيه ومتوِّجيه بإكليل العار بين أهل حيِّه، وتتحاكى عن «النتايات» التي سيرثها غيره ويرتعون فيهن كيفما شاءوا، عن سيرته التي ستنطمس كشواهد القبور المنسية وعن الجائزة التي ستُمنح لمن يَعثر على رأسه من بعد الانفجار.

وعن دولت.

دولت التي لم يستطع أن ينتقل بها من مَرحلة الصَّيد إلى طور العِشق.. لن يترك فيها بصمة أو يغرس فيها زرعة.. ستتزوج غيره ولن تُسمِّي ابنها بعبد القادر.. **ديك أم الحياة كلها**.. ينفض هواجسه فتعاود الإلحاح عليه كالذبابة.. تنفخ فيه الجنون.. اهرب.. **انفذ بجلدك.. أهي مُوضة السنة أن تموت أيها الأبله؟! هل الكفن هو البدلة الجديدة التي ترغب في اقتنائها؟ سيكشطون أمعاءك من على البلاط المُحدَّب بِسكين بسبوسة وستلعق القطط ما تبقى منك...**

لحظات وقاطع هواجسه المتشابكة كالأغصان عَربة يَد تحمل أسبتة من كل الأشكال والأحجام.. يَدفعها عجوز بسيط لم يكن من الصعب إدراك أنَّه إسحاق.. مُمارسًا دوره الطبيعي في الحياة.. عجوز سخيف يَحمل الموت بين يديه.. اقترب من عبد القادر وأبطأ.. **سبت يا ابني ؟** سأله ولم ينتظر إجابة.. التقط من العَربة ثلاثة أسبتة من الخوص مُغلقة بغطاء.. عَرَضَها على عبد القادر الذي رمقه قبل أن يَختار أكبرها حين نَصَحه إسحاق أن يلتقط المتوسِّط.. أخذ عبد القادر السَّبت وناول إسحاق كل النقود التي كانت في جيبه.. ابتسم الأخير قبل أن يَرحل جارًّا عربته.. وَضع عبد القادر السبت بهدوء على الأرض ثم

رفـع غطاءه.. العبوة كانـت ملفوفة في ورق أصفر.. تشـبه لفَّة لَحم مِن الجزَّار.. فَـضَّ الورق من حولها وعاين الدوبـارة الغليظة الخارجة من منتصفها قبل أن يضع السبت بين قدميه ويُخرج ساعته لينظر فيها حَصرًا للوقت المُتبقي من عُمره.. عُمره الذي يَنقص مع كل ثانية يومًا كاملًا.. عقـرب ملعون يركـض كأرنب يفر من صقر مُحلِّق.. ترك سـاعته وتابع السـيَّارات والحناطير الداخلة للميدان بقلق سَـحق كيانه.. يرمق المَارة مترقبًـا ظهـور أفراد مكتب الخدمـات الذين سيتنشَّـقون رائِحة الخوف فيـه كالـكلاب المسعـورة.. قبـل أن يَعقـروه.. اسـتحالت الأرض من تحتـه جَمـرات يقف فوقها كفقـراء الهنود.. يتصبب العـرق رغم برودة الطقـس.. ظل على تلك الحال حتى برز من الشـارع ضابط إنجليزي.. تفتتت رئتا عبد القادر وتبدَّدت أنفاسـه حيـن رآه يُعدِّل من وَضع البيريه فـوق رأسـه قبل أن يتجه ناحيته فـي خطوات واسِـعة.. تحفَّزت خلاياه فحمل السَّـبت بيد وبالأخرى تحسَّـس المسدَّس الموضوع في ظهره.. لما أصبح الضابط على مسـافة مترين منـه جذب عبد القادر إبرة ضرب النـار.. كان ذلك حين رفع الضابط رأسـه ونظر لعبد القادر الذي تنفس الصعـداء وهـو يتابع عينَـي أحمد من تحـت البيريه ترمقتـه في هدوء.. **ديك أمَّـك يـا أحمد**.. زفرها عبد القـادر تمتمة حين ألقـى أحمد بإهمال جريـدة كانت تحت إبطـه قُرب قدمي عبد القادر.. كانت تلك الإشـارة تعني أن الموكِب قادِم بعد دقائق مَعدودات.. هَزَّ أحمد رأسـه طمأنة ثم كبس البيريه على عينيه واختفى في شارع جانبي حين ارتفعت طقطقات الموتوسـيكل تتعالى قادمة نحو الميدان.. التقط عبد القادر السَّـبت من الأرض وأخرج اللفافـة الصفراء مِنه قبل أن يلف الدوبارة على أصابعه

مُتحفزًا.. في اللحظة التالية بَرز موتوسيكل يَحمل الضابط الكشاف.. اقتحم الميدان يفرق الناس ببوق عالٍ ومن ورائه موتوسيكل آخر عليه ضابط يَحمل رشاشًا مُعلقًا بحزام إلى صدره.. ثم ظهرت السيارة.. سوداء لامعة ماركة كاديلاك.. تسير بسُرعة وتحمل بداخلها المَوت.. استعد عبد القادر لسحب الدوبارة حين أصبح الموكب على مرمى البصر.. ميَّز الوزير من بين الزجاج متدثرًا بكوفية وميز بجانبه سكرتيره أصلع الرأس.. حين أصبحت السيارة على بعد ستَّة أمتار التقطت عيناه رأسًا صغيرًا.. رأسًا فوقه شعر مَعقود بضفيرتين في نهاياتهما شرائِط حمراء.. نزل عبد القادر تحت الرصيف مقتربًا.. مِترين إضافيين تأكد فيهما أن في السيارة طفلة.. أُسقط في يده فتيبس.. أصابعه قابضة على دوبارة العبوة لا تتحرك.. اعتصر الحَبل الذي يفصِل بين الحياة والموت.. بين عبد القادر والمرحوم عبد القادر.. ثوانٍ ومرَّت السيارة من أمامه.. رمقته الطفلة في بَراءة قبل أن يَختفي ضجيج الموتوسيكلات ولمعَة الكاديلاك ووجه غريمه الذي كان منشغلًا في حديث مع سكرتيره.. دقيقة وقفها عبد القادر مُحاولًا تدارك أنفاسه قبل أن يُرخي أصابعه عن الدوبارة ويَضع القنبلة في السَّبت ويَرحل.. حسب تعليمات إجهاض المهمة تخلص عبد القادر من ملابسه ثم توجه إلى قهوة بميدان العباسية.. هُناك وجد أحمد جَالسًا في بدلة عادية بجانب فِنجان من القهوة وطاولة مفتوحة، وَضع السَّبت تحت الكرسي وجلس فالتف أحمد وفتح الطاولة ثم التقط حجرَي النرد.. اتخذ الأمر مِن عبد القادر دقائق لينقشع عنه الذهول قبل أن يتكلم:

- أنا...

قاطعه أحمد: صح إنك ما نفَّذتش.. الأطفال مش هَدفنا.

– لا أنـا كنـت هاقولـك إن أنـا كنـت هاضربـك بالنـار وأنـت بالبدلة الإنجليزي.

– تضرب ظابط من غير ما يتعرض لك؟ وإنجليزي؟

– أعصابي ما كانتش مِستحملة.

رَمـى أحمـد حَجرَي النـرد فأتى بواحدين فنظر لعبد القـادر: المرَّة الجَاية مـا تتسرعـش.. ولَّا مَفيش مرَّة جاية؟

رمقـه الأخيـر لدقيقـة كاملـة قبـل أن يلتقـط الحجريـن ويلقيهما.. استقرتا على ستتين فابتسم ثم أردف:

– زي ما إحنا.. بالنسبة للأمانة؟

– سـيبها في مَكانهـا تحـت الترابيـزة لمـا تقـوم.. بُكـرة مَعادنا في نفـس الوقـت والمكان.. هتلاقي شـنطة جنب رجلـي فيها اللبس الجديد.. شِد حيلك.

هز عبد القادر رأسه وقام.. تابعه أحمد حتى اختفى.

الأحد ٢٢ فبراير ١٩٢٠

قبل سَاعة من مرور محمَّد شفيق باشا وزير الأشغال كان عبد القادر قد استقر في مكانه بين دُكان الدُّخان والمَراحيض العامة، يَرتدي زي عَسكري بوليس كَاملًا وفي يَده عَصا رِجال الدوريات، كأس النبيذ التي احتساها فجرًا كانت مُفيدة في تهدئة أعصابه بجانب سيجارة مستوردة سَاعدت في تنظيم أنفاسه، كُلَّما تمتم بالفاتحة على رَوح أبيه تذهل عيناه في منتصف قراءتها ويتشتت تفكيره فينسى أين توقف فيُعيد قِراءتها من البِداية حتى ينفد صَبره فيسبَّ الدين! ثم يستغفر الله فيقرأ الفاتحة.

مرَّت ربع ساعة مَارس خلالها فحص المَارين قبل أن تلتقط عَيناه مُخبرًا من مُخبري مَكتب الخدمَات، عَرفه من الصور التي زوَّده بها أحمد، لفَّ الرجل حول المِيدان ثم توقف ونزل عن الدراجة، عَدل من طربوشه ومَسَح بعينيه الميدان تأمينًا قبل أن ينظر لعبد القادر مَليًّا ثم يُحيِّيه بهزة رأس، ردَّها الأخير وهو يَلف العصا بثًّا للثقة، كان ذلك حين اقترب ماسح أحذية عجوز سخيف يَحمل الموت بين يديه، لم يكن بالطبع سوى إسحاق، اقترب من عبد القادر وأبطأ، وَضَع صندوقه بجانب قدم الأخير ثم سأله: تلمَّع يا حضرة؟ لم يردف عبد القادر..

عينـاه لم تفارقا مُخبر مكتب الخدمات، رفع قدمه على الصندوق فأخذ إسحاق يُلمِّع الحِذاء مُندمجًا قبل أن يَهمس:

- اعمل نفسك بتديني فلوس.

أخـرج عبد القـادر نقـودًا ناولهـا لإسـحاق الـذي قـام وابتعـد كأن عبد القـادر قـد أمـره بشـراء شـيء.. أنـزل عبد القـادر قدمـه وفحَـص الصُّندوق بطرف الحذاء فوجد العبوة الناسـفة مُستقرة بداخله.. سَحَب نفسًا عميقًا ونظر للمُخبر فلم يَجده.

- صَباح الخير يا شاويش.

التفت عبد القادر بجانبه فوجد المُخبر.. تمالك نفسه فلكز الصُّندوق بين قدميه وأغلقهما إحكامًا ثم استدار: صَباح الخير يا حَضرة.

- أنت تبع إيه؟

أجابه عبد القادر بثقة حَاول تأكيدها بهزَّة من عَصاه: تُمن الأزبكية.

- اسم الكريم إيه؟

ارتجل عبد القادر: إسحاق.

- إسحاق إيه؟

- إسحاق... حنا.

- إسحاق.. حنا؟ عَاشت الأسامي!

قالها الرجل مبتسـمًا وهو يتأمل مَلامِح عبد القادر وجَسده المَفتول قبل أن يردف:

- وأنت قديم بقة في الأزبكية؟

- يوووه.

أشـاح الرَّجل بوجهه جِهة الميدان ثم أشـعل سـيجَارة تأمَّل من بين دُخانها جَسـد عبد القـادر المَفتول الذي لا يتفق مـع هيئة تلك الفئة من رجـال البوليس المهمشـين، تابع خيـط عَرق مضطربًا يَسـيل من تحت طربوشه على ذقنه فسأله:

- أنت مع البكباشى سِراج عبد العال بقة؟

هز عبد القادر رأسه مُغمضًا عَينيه تأكيدًا: أيوة.

ألقـى الرجل سـيجارته والتفت لعبد القادر: لكن البكباشـى سِـراج عبد العال اتنقل الصعيد من تلات سنين!

تحسَّـس عبد القـادر مُسدسـه الموضـوع فـي حـزام خصـره وهـو يرمـق المُخبر.. لحظة لـم تطل قبل أن يقاطع حديثهمـا ضابط بريطاني بلهجة صَارمة:

- ماذا تفعلون هُنا؟

اعتـدل المخبر كمـن مسَّـته الكهرباء ثم أجـاب: أنا من قـوة مُراقبة المَنطقة يا فندِم.. مَكتب الخدمات.

- هل تُدركان أن مَوكب الوزير على وشك الوصول بعد دقائق؟

أجابه المُخبر وقد توغَّل الارتباك فيه: أعرف يا فندم.

- إذن لماذا لم تتخذا أهبة الاستعداد؟

- يا فندِم أصل الفرد ده...

قاطعـه الضابـط الإنجليـزي بصرامـة: لا وقـت عنـدي للترهات.. تفضلا كلٌّ إلى موقعه.

تيبس المُخبر.. بدَّل نظره بين الشاويش المَشكوك في أمره والإنجليزي الغاضِب الذي نهره: هيَّا.. تحرَّكْ يا أبله.

عَبر المُخبر الميدان ثم وقف في مكان يكشف القادم من الشارع.. لم تترك عيناه عبد القادر الذي اقترب منه الضابط الإنجليزي وهمس:

- كنت عاوز تضربني بالمسدس إمبارح هه؟

ابتسم عبد القادر ولم يُعقِّب فأردف أحمد:

- مَوكب الوزير جَاي بعد دقيقة واحدة.. أنا وراك.. ما تخافش.

هزَّ عبد القادر رأسه حين سَمع الطقطقة ثم بَرز موتوسيكل الضابط الكشَّاف ومن ورائه موتوسيكل يَحمل رشاشًا مُعلقًا إلى صدر ضابط آخر.. ثم لاحت السيَّارة السوداء.. لامعة مَاركة كاديلاك.. تهدَّجت أنفاس عبد القادر فانحنى على صُندوق التلميع.. سَحب العبوة وأمسك بالدوبارة.. جحظت عينا المُخبر وهو يتأمل زميله المزيف.. نزل عبد القادر تحت الرصيف مُقتربًا من خط سير السيارة.. نظر خلف الزجاج فشاهد الهدف وبجانبه سكرتيره.. لا أطفال ولا شيوخ ولا نساء بجانبه.. بلغت ضربات قلب عبد القادر حد الجنون فتلجَّم لسانه حتَّى عن نطق الشهادة.. كان ذلك حين عَبَر المُخبر الشارع مُسرعًا الخُطى.. مُتأخرًا.. مِن مدخل بيت يَحتل ناصِية شارع النزهة تابع أحمد ما حدث.. حين باتت سيارة الوزير على بعد أربعة أمتار من عبد القادر جَذب الدوبارة فأيقظ العبوة النائمة.. رَفع يَده عَاليًا ملقيًا بها تجاه السيَّارة وهو يتأمل وجه الوزير الذي جحظت عيناه.

قبل أن يدوي الانفجار...

انفجار أرعَش زُجاج الفَصل الذي تدرِّس فيه دَولت بمَدرسة الهلال.. كانت جَالسة على كُرسيها خَلف مَكتب خَشبي بجَانب سبُّورة لم تكتب عليها سوى تاريخ اليوم.. ٢٢ فبراير ١٩٢٠م - ٢ جمادى الآخرة ١٣٣٨هـ.. شَاردة في سَاعة حائِط مُعلَّقة تأملت فيها عقرَب الثواني حتى دوى الانفجار.. ارتج الفَصل فنفضت التلميذات ثرثرتهن وقُمن بفَزع يتكوَّمن وَراء النوافذ العالية يُتابعن الشَّارع الذي يركض فيه الناس ناحِية الميدان.. غرقت عَينا دولت ففتحت كفَّها عن صُورة صَغيرة.. صُورة لعبد القادر يقف باعتزاز أمام سيارته الكروسلي التي طالما تحدث عن أمجادها.. صورة تركها يَومًا على كَنبة الحَنطور سَهوًا أو عَمدًا.. تأملت ابتسامته الواثِقة قبل أن تتمالك نفسها وتقوم ناحية النافذة مزيحة الفتيات لتبدو طبيعية في رد الفِعل.. وربَّما تلمحه يَركُض ناحية المدرسة يَطلب الاختباء.. أقسمت.. لو عاش لتكف عن صدِّه بجفاء.. لتكف عن مُقاومته فمُقاومته لم تزدها سوى رغبة فيه.. تفحصَّت وجوه الناس الراكِضة تبحث عمَّن يَسير عَكس اتجاههم.. ناحيتها.. لَحَظات ودَخل الفصل بواب المدرسة يَلهث.. نظر في عينَي دولت: آنسة دولت.. المديرة بتقول محدِّش يتحرك من الفصل.. وفيه أستاذ تحت ع الباب طَالب يقابلك.

اقتنع قلب دَولت بالنبض ثانية ووافقت رِئتاها أن تتنفسا.. أغلقت باب الفصل وركضت في الطرقة الطويلة خلف البواب قبل أن تقفز السَّلالم.. كادت أن تتعثر في حَبرتها الواسِعة حتى وَصلت إلى الباب الكبير.. كان يقف بانتظارها وفي عَينيه التيه الذي رأته فيها آخر

مَـرَّة.. الذنـب الذي لن يُكفِّر عَنـه جَحيم بزبانيته.. اقتربـت منه مُحاولة استيعاب وُجوده.

- ياسين! إيه اللي جَابك يا ياسين؟ حُصل حَاجة في البلد يا خوي؟ أمي بخير؟

أفاق من شروده: بخير.. عَاوز أتحدَّث مَعاكي.

تطلعـت وَراءه بقلـق عَـارم مُتابعة الشَّـارع والمَارة الذين يُسـرعون ناحية الميدان قبل أن تُردِف: مَا جولتش إنَّك چاي يَعني!

- مَا دريتش بنفسي إلا وأنا في الجَطر.

بهلـع نظـرت وراء كتفـه: ياسـين.. مـش هَاعـرف أتحـدث مَعـاك دلوقيتـي.. ارچـع البلد الله يرضى عليك عشـان أمَّـك وأوعِدك هانزل آخر الأسبوع أتحدث معاك كيف ما بتريد.

قالتها وأمسكت بمِرفقه تدفعه إلى باب المَدرسة الكبير.

قبـل دقائق طَـار عبد القـادر ثلاثة أمتار إلـى الـوراء.. زحف بظهره على الأرض حتَّى اصطدَم بكُشـك السَّـجائر الذي تبعثرت بضاعته من أثـر الانفجار.. ارتجَّت رأسـه وصُمَّت أذناه.. تشوَّشـت عَيناه وأعمَاها الدُّخـان الخانِـق ورغـم ذلك لَمَح السيارة السـوداء تبتعِـد.. انفجرت عَجلتها الخلفية وتكسـر زجاجها ليصيب الوزير لكنها تبتعد مُسـرعة.. بصُعوبـة جلس مُحاولًا اسـتيعاب ما حـدث.. رفع كفَّه إلـى جرح في جَبهته انهمرت منه دِماء اخترقت رُموشه صَابغة المشهد أمامَه بالأحمر القانـي.. لكنه ميَّز المُخبر.. يقوم مِـن الأرض مختل التوازن ثم يتحرَّك نحوَه شَـاهرًا هِراوة غليظة يَعـرف عبد القادر تمامًا وقعها على الرأس..

نادت أعصَابه عليه لينتفِض فلم يَستجِب.. شهق نفسًا فلم يستقبله صدره.. بَات المُخبر على بُعد أمتار منه فرفع هراوته وهو يَصيح بسبَّة لم تصل إلى أذنيه.. أغمض عبد القادر عَينيه مُستسلمًا لخبطة لم تصل.. حين فتحهما وجد المُخبر متكومًا بجانبه بعد أن تلقى ضَربة رَضَّت فيه شيئًا مَا.. نظر يَمينه فرأى أحمد يَجذب ياقته مُستحثًّا إياه أن يقوم.. استجاب عبد القادر بصُعوبة وهو يَستقبل أول الأصوات في أذنيه.. خَافتة مرتعشة لكنَّها كافية ليتأكد أنه حيٌّ..

الخطة «ب».. اركض.

قام عبد القادر مُستندًا على أحمد وركضا تجاه شارع النزهة.. اخترقا ذهول الناس وفضولهم يمشون عَكس الاتجاه لا تكاد العيون تتنبَّه لهُما.. حِين بلغا الخرابة توقف أحمد على بُعد أمتار يُراقب عبد القادر الذي دَخلها.. زميل كِفاح خلع عنه سُترته السَّوداء والطربوش.. ألبسه سترة رمادية وكاسكيت أخفت جرح جبهته وأخذ منه المسدَّس حسب التعليمات.. خرج بعدها عبد القادر فأشار له أحمَد أن يُكمل السَّير في نفس الاتجاه.. مَشيا حَسب الخطَّة حتَّى لَمَحَا المَدرسة.. كان ذلك حين التقط أحمد صِياح المُخبر من ورائه.. يُزيح الناس ومن خلفه رَجلا بوليس انضمَّا إليه من العَدم وملآ الأجواء صفيرًا.. مَد عبد القادر خُطواته مقاومًا الترنح ومن ورائه أحمد.. يتابع الدماء التي تنهمر على عُنُق زميله.. التفت فوَجد المُخبر قد اقترب مع زَميليه فنظر إلى شَارع مُزدحم متفرع من شَارع النُّزهة ثم صَاح في الناس بعربية ركيكة: الرجل اللي رمى القنبلة هناك.. وأشار بيده إلى كومة من البشر يَسيرون.. هرع الناس كسِرب سَمك متناغم إلى الشارع.. سَحبت مَوجة البشر زميلَي

المُخبر وإن أكمل الأخير طريقه في نفس الاتجاه.. خلف عبد القادر.. يُوقف الناس ويتفحص الوُجوه بحثًا عنه.. خلع أحمد سُترته الإنجليزية وقبَّعته فألقاهما في صُندوق زبالة ورفع ياقته.. بدا بدون طربوش كأفندي نسي قواعد اللياقة.. سَار مُسرعًا متابعًا عبد القادر حتى أمسَك بمِرفقه وانعطف به تجاه مدخل المَدرسة.. أشار إلى الباب ثم التفت خلفه ووقف في رُكن غائر في الحائِط.. كان ذلك حين انعطف المُخبر.. انتظره أن يَعبُر أمامه ثم ناداه:

- يا حضرة.

التفت المُخبر فتلقى لَكمَة خاطفة في ذقنه أخلت بتوازنه للحظات كانت كَفيلة أن لا يلحظ عبد القادر وهو يدلف إلى المَدرسة.. تلقاه أحمد بين يديه وأسدله على الأرض ثم أشار لجَمع من الناس يقفون على بعد: يا إخوانّا الراجل سُورق الله يكرمكم.. أقرب اسبتالية.

ألقاه أحمد بين أيديهم خَائر القوى ثم عبر الشارع وتوارى خلف شجرة.. في تلك اللحظة صار عبد القادر أمام دولت وَجهًا لوجه.. كانت مُمسكة برُسغ شاب صَعيدي شارِد يَرتدي جلبابًا دَاكنًا ويَحمل مَلامِحها.. لما رأته تصارعت الفرحة في وجهها والقلق.. التفتت إلى ياسين وقالت:

- ارجع البلد الله يرضى عليك عشان أمَّك وأوعِدك هانزل آخر الأسبوع أتحدث معاك كيف ما بتريد.

قالتها ودفعته برفق خارج المدرسة مُطمئنة إياه بعينيها أن لا يقلق وأشارت لبواب المدرسة: اقفل الباب يا عم عاشور.

تابعها ياسين في ذهول وهي تُساند عبد القادر الذي يترنَّح بَين يَديها.. التفتت إليه وهزَّت رأسها بابتسامة حتَّى واراه الباب فسحَبت عبد القادر إلى غرفة تقع تحت بئر سلَّم.. أغلقت الباب عليهما وأمسَكت بوجهه تتأمل عَينه التي امتلأ بيَاضها بالدَّم، وجرح جَبهته النازف.. أنت كويس؟ سألته فهز رأسه نفيًا ثم أردف بإعياء: أنا بحبك يا دولت.. تيبست للحظة ثم أفاقت فأخرجت مِنديلًا من جيب حبرتها وكَبسته على الجرح فيما كان يتأملها بوَهَن وعينين تخبوان.. أجلسته على الأرض وراء بيانو كبير: مَا تتحركش لغاية ما أرجع.. هز رأسه بضعف فخَرَجَت وأغلقت الباب بالمفتاح.. صَعدت إلى فصلها تتأمل من شبابيكه قوَّات البُوليس وهي تمشِّط المنطقة بَحثًا.. على الرصيف المقابل كان أحمد واقفًا خلف الشجرة.. يتابع باب المدرسة والشارع والمُخبر الذي بَدأ يفيق بَين أيدي الناس.. حَاول السَّيطرة على انفِعاله حين لحِق به زميلاه مِن البُوليس ليوقفاه عَلى قدمَيه ويستفهما.. أشار المُخبر بيد إلى باب المَدرسة وبيده الأخرى للاتجاه المُعاكِس فتفرقا كلٌّ إلى وجهته.. راقب أحمد المُخبر وزميله يقتربان من باب المَدرسة حين اصطدما بشَاب صَعيدي خارج منه.. أمسكاه فبدا في أيديهما ذاهلًا مُريبًا.. خلع المُخبر لبدته من فوق رأسه وألقاها أرضًا ثم أمسك أذنيه ليفحَص وَجهه فتشنج الصعيدي وعبست ملامحه قبل أن يدفعه.. أوقعوه أرضًا وكبلوا يَديه خلف ظهره ونُفخت صفارة.. لحظات وحضر رجل بوليس آخر استلم الصعيدي.. أما المُخبر فضرب باب المدرسة عدَّة مرات.. انفتح فتبادل مع البواب كَلمتين قبل أن ينحيه بقوَّة ليَدخلا.. نظر أحمد لدَولت في الشباك.. شَحب لونها حين

فهمت.. خرج رَجُل البوليس ونفخ صفارته عدَّة مرات فجذبت زملاءه الذين انتشروا في المنطقة كالنمل.. هرولوا إلى المدرسة فهوى قلب دولت وهي تنزل السلَّم بحذر وسط موجة الطالبات تراقب البواب بين أيدي رجال البوليس يُمسكون ياقته ويُكيلون له التهديد والوعيد.. بَادلها نظرة يأس وهو يتابعهم يحومون حول الغرفة التي يقبع فيها عبد القادر.. شهروا الأسلحة وصَاحوا أن سلِّم نفسك.. وأن المَكان مُحاصر.. ثم استجمعوا أمرهم وضرب أحدهم الباب بكَعب بندقيته قبل أن يَدخلوا مُسرعين.. لم تسمع دولت مقاومة أو أنينًا.. فقط وقْع خبطة على رأس.. لحَظات من الصمت خرج بَعدها رجلان يَجران عبد القادر من قدميه.. يَداه مقطورتان خلفه وجَسده مَرخي والدماء ترسم من خلف رأسه خطًّا متعرجًا على البلاط.. بصُعوبة كتمت شهقتها تحت البرقع وتكومت التلميذات من حَولها يتابعن المشهد المثير قبل أن يتابعه أحمد في الشارع وهُم يَسحبوه إلى سيارة تنتظره أمام الباب.

سري.. نمرة ١٣٢

القاهرة في ٦ مارس سنة ١٩٢٠

سعادة سعد باشا زغلول

– غـادر صَباحًـا مـن مِيناء القاهرة الجَـوي اللـورد «مِلنر» رئيـس لَجنة التحقيقـات في أسباب الثـورة.. اتجه إلى لندن مع أفـراد لجنته بعد أن أنهى تحقيقاته والتي لم يجد فيها أي تعاون من أي مصري شريف.

– لـدي مَعلومات تفيد بأنه سـيقدِّم تقريـره للملك في لونـدره[1] ثم يفتح المفاوضات مع الحكومة المصرية متجنبًا الوفد.

– تـم تغيير أسلوب المراقبة على أعضـاء الوفـد ونتوقع اعتقـالات في المرحلـة المقبلة.. سـيتم إخطـار سيادتكم بالأسـماء المُقترحة لحل محلنا في حالة الاعتقال.

– تم إعلان الرقابة على الصحف من جديد.

عبد الرحمن فهمي

---

(١) لوندره: لندن.

لندن.. الدور الثالث من فندق سافوي

الساعة السَّادسة مساءً

انعكست صُورة سَعد زغلول على زُجاج النافذة، في كَامل هندامه رغم الإرهاق المتوغل في مَلامِحه، شَارِدًا يَحشو بفرته تبغًا وهو يَرمق جسر «واترلو» المُتهالك العَابر فوق نَهر التايمز، الثلوج كَسَت أشجار حَديقة فيكتوريا العَامرة وأسطُح الأبنية وقبعات المارَّة، أشعل تبغه ثم سَحب نفسًا وهو يُراجِع في قرارة نفسه مَا آل إليه أمر وفده، منذ حَضر إلى باريس وهم يُعاملون مُعاملة الدُّول المَغلوبة في الحرب، رُفض استقبالهم في المُؤتمر وحُرِموا من حَق تقرير المَصير الذي نالته دول أخرى أقل أهمية، هذا بخِلاف تجسُّس الإنجليز عليهم في كل لحظة ورفض مَنحهم حَق التحرُّك إلى أنحاء أوربا لإعاقتهم عن عَرض قضيتهم، خَريف سَريع زَحَف على حلم الاستقلال ونفوس أصدقائه ومُعاونيه، حَاصرهم اليأس، يلمس اصفرارهم بين يَديه يَومًا بعد يوم كأوراق شَجر مَاضية إلى ذُبول، مِما اضطره إلى فَصل بعض الأعضاء الجَزعين لتأثيرهم السَّلبي على البقية التي تقاوم الجَفاء والتجاهل اللذَيْن مَارَسَتهما وُفود الدول، رِجال بَاردون مُختالون كالإوز دعَاهم الوفد إلى اجتماعات ومآدِب موَّلتها تبرُّعات الأمة لعَرض قضية مِصر ورغبتها في الاستقلال، دعوة لم يُجبها إلا مندوب إيطاليا مُجاملة

ورفضها الباقون بدبلوماسية! أما الجَرائد فأغلبيتها مُوالية للإنجليز، تطعَن الوفد بادعَاءات فحواها أنه حَركة مُوجَّهة في الأصل ضِد المُواطِن الأوربي، وأنها ذات صِبغة دينية عُنصرية! كان ذلك قبل أن تنتهي لجنة التحقيقات بقيادة وَزير المُستعمَرات «ألفريد مِلنر» من صُنع مَلف تحقيق عمَّا حدث أثناء الثورة، وتُقرر فتح المُفاوضات مَع مِصر، ليس مع سعد زغلول بل مع الحكومة المصرية متمثلة في شخص «عدلي باشا يكن».

أيقن سَعد أن اللعبة مماطلة، سياسة يُمارسها الإنجليز منذ احتلوا مِصر، مَا أسهل صُنع شرخ بين ضفتي أمة راكِعة، حُكومة وشعبًا، أعضاء وفد، تنثر بذور الخِلاف فتتوه الآراء وتشتعل منافسات السطوة، كان عليه الاختيار، إما التصميم على أن المُفاوضات لا يَصح أن تتجاوز الوفد الذي فوَّضته الأمة بالتوكيلات، أو أن يندمِج مع مُمثِّل الحكومة الرسمي حتَّى يفوِّت الفرصة على الإنجليز في دَق إزميل الشقاق.

قطع أفكار سعد خبط على الباب، دلف شاب شعره مَفروق بسِكين ويَداه مثلَّجتان رغم القفاز الذي صَافح به سَعد:

- مَساء الخير يا سيدي.. الفيكونت[1] «مِلنر» ينتظرك في الصالون.

تبعه سَعد في طرقة طويلة ثم مِصعد نزل بهما إلى الدور الثاني قبل أن يتوقفا أمام باب جَرار لصَالون فخم، التفت الشاب لسَعد ثم

---

(١) الفيكونت: رتبة من رتب النبلاء.

ضَم كفَّيه في ابتهال مُهذَّب وهَمَس: سيكون كَرمًا من سيادتك أن تطفئ السيجارة.

رَمَقه سَعد بهدوء قبل أن يَسحَب من السيجارة نفسًا طويلًا جدًّا ثم يَدفنها في رِمال مِطفأة نحاسية محَاولًا السيطرة على أعصابه، ابتسم الشاب ثم جَذب الباب الجرَّار، في الداخل كان الفيكونت «مِلنر» يَجلس في كُرسي وثير غَاطِس من الجلد الكابيتونيه، رجل في أواخر العقد السادس، عيناه حادتان جريئتان وشاربه كثيف ينافس شارب سَعد، يرتدي بدلة كُحلية مقلمة تحتها صديري وفي يده أوراق يُطالعها عَبر نظّارة مُستديرة انزلقت على أنفه وبيده الأخرى سيجار مُشتعل!

التفت سَعد بغتة للشاب الذي طلب منه إطفاء السيجارة فلم يُدركه، كان قد أغلق الباب عليهما، انتبه مِلنر لصوت الباب فنحى الأوراق جَانبًا وقام مَادًّا يدًا كَسولة إلى سعد:

- سَعد باشا.. سعيد بمقابلتك.

- أشكرك يا سيادة الفيكونت.. كنت أظن قبل أن أدخل أنَّك لا تُدخِّن! سكرتيرك للتو طلب منِّي إطفاء...!

قاطعه الرجل: نعم نعم.. غريب أنني أدخِّن الآن أمامك.. لكنني في الواقِع أكره دخَّان الآخرين.. يَكون مُحمَّلًا بثاني أوكسيد الكربون.. عَبَق أنفاسهم.. وضَغائن يحلو لهم أن ينفسوها في سَقف غرفتي.. لكن اسمح لي...

قطَع الرجُل كلماته واتجه إلى صُندوق خَشبي فتحه وأخرج مِنه سِيجارًا ثمينًا.. التقط مقصَلة صَغيرة من فوق المكتب قطع بها طَرفه ثم لوح به إلى سَعد.

– أنت ضَيف استثنائي يا سَعد باشا.

نظر سَعد في عينَي الإنجليـزي لحظَة طَالت حتى أناخ الرَّجل السيجار بين أصابعه وابتسم ثم تمشى إلى منضدة تحمل زجاجات:

– يبـدو أنـك تفضِّـل السيجَارة المُعتـادة.. لعلَّك تُريد كأسًـا؟ نبيذ؟ سكوتش؟

– أشكرك.

– كما تريد.. كيف حال صحَّتك؟ سمعت أنها مُعتلَّة قليلًا.

– طقس لندن لا يُفيدني.. لكنني أتحسن.

– تمنياتي لك بدوام الصحَّة يا باشا.. لنجلس.

صبَّ الرجل لنفسه كأسًا ثم جلس بجانب سعد.. قرأ عِدَّة أسطر من أوراقه مُتظاهرًا بالانشغال ثم وضعها جانبًا وخلع نظارته:

– مِستر ديفيد لويد جورج رئيس الوزراء يُرسل إليك تحياته.. كان يُريد أن يُقابلك لكنك بالطبع تتخيل ازدحام جَدوله.. هَل تستمتع بالإقامة في لندن أنت ورفاقك؟

– تستطيع أن تسأل عيونكم التي تحوم حَولنا طوال الوقت.

– حِمايـة الوفـد المصري مـن أولوياتنا يا باشـا.. قل لـي.. إلى أين ينوي وَفدك أن يتَّجه بعد لندن؟ عودة إلى مِصر؟

– ليـس بَعد أن نجد مُستمعًا رشـيدًا يؤمن أن مِصر تستحق مكانها تحـت نـور الشـمس.. وأن تعترفـوا صراحـة بإلغـاء الحِمايـة بلا مماطلة أو تملُّص.

- دعنا من الديباجات السياسيَّة التي تقولونها للصَّحافيين في مآدِبكم يا باشا.. ألا ترى مَعي أن الذي حدث في الشهور المَاضية يُعد مُعجِزة.. يتم اعتقالكم في مارس ١٩١٩ ثم يتم الإفراج عنكم بعد شهر.. والآن ترون أنفسكم في لندن تُستقبلون استقبالًا لم تعهدوه.. أليست الحياة مليئة بالمُفاجآت السَّارة؟!

- أولًا.. اعتقالكم لنا ليس بمِنَّة تُشكرون عليها.. ثانيًا.. استقبالكم لنا في بلدكم لَيس مُعجزة بل هِي مُفاوضات مُلزِمة.. ثالثًا.. كلماتي تلك ليسَت ديباجات سياسية بل هي مطالب أمة وتحفظاتها على مذكِّرتكم التي قدمتموها والتي تُرسِّخ الاحتلال والحماية بمُسمَّيات مُختلفة.. نحن هنا نبحث عن حق ضَائِع وقانون يَحمي أمَّة تُعاني.

خلع الرجل نظارته وابتسم: كيف لم تهيئ لك خِبرتك الطويلة أن تعرف أن مِصر ليست بعد دولة قادرة على إدارة نفسها؟

- أقوانينك تُهيئ لك إصدَار أحكام نِهائية على الشعوب وتحديد مَصائرهم؟!

- فيما عدا الوَصَايا العشر التي نزلت من السماء كل قانون هو أمر نِسبي يتغير مع الزمن.. يَضعه الأقوى حَسبما يَجِد المَصلحة العَامة التي يَراها بشكل أكثر وضوحًا.

- مَصلحة إنجلترا الشَّخصية.

- مَصلحة إنجلترا هي مَصلَحة مِصر.

احتد سعد: تلك هي الديباجات الصحفية.

- فـي الأيـام القادِمة ستشـاهد الوَضع الاقتصادي فـي مِصر وكيف سـيتغير للأفضـل تحـت إشـرافنا.. ولا تُنكِـر أن مِصر اسـتفادت الكثيـر طـوال الحـرب.. علـى الأقـل سـددت الكثير مـن ديونها لفرنسا ولإنجلترا.

- اسـتفاد أغنياء الحرب.. أما الفقراء فأكلـوا التراب.. هناك ما يزيد علـى مليـون شَـخص أُخـذوا مـن أراضيهـم ومَاتـوا فـي خدمـة جيوشك.. الرَّب لا يَرضى عن تلك المَهانة.

- دَع الـرَّب جانبًا فلا شـأن لـه بتلك المَسـألة.. فالله لـو رآها فكرة ظالمـة لتكلَّـم.. أما عن الذين ماتوا فهي الحـرب يا عزيزي.. كما أن السُّلطة العَسكرية دفعت لهم الرواتب مُقابل خدماتهم.

- هُـراء.. ذهبـوا بالسُّـخرة وماتوا بلا ثمـن.. وجودكـم أصبح غير مَرغوب فيه.

- الوُجود البريطاني طِفل تمَّت ولادته مُنذ ثلاثة وثلاثين عَامًا الآن...

قاطعه سعد: طِفل غير شَرعي.

- لكنه وُلِد.. وكبر.. هل تسـتطيع أن تقتل طِفلًا غير شَرعي.. يجب أن تتعلـم التعامـل مَعه.. بجانب أنه أخذ علـى عاتقه إدارة بلادكم بمنتهى الحِكمة.. هل تتخيل أمر مِصر إذا دخلت الحرب الكبرى بـدون راع يَعمل على حِمايتها؟ هـل تفضِّل الرجوع تحت العباءة العُثمانيـة من جديد؟ بلادكم يا باشـا ومركزهـا الجغرافي يَجعلها عُرضة لاستيلاء كل دولة قوية عليها.

- فقررتـم أنتـم يا فاعلـي الخير أن تحتلوهـا خوفًا عليهـا.. أرجوك يـا سـيدي لا تتحايـل بالمَعانـي فأنت تعلـم أن مصر أمَّـة جربت

الاستقلال لعقود من قبل ولم تتهاو.. وكلانا يعلم أنَّكم حين دخلتم مصر دخلتم تحت غِطاء تأديب عُرابي وقمع ثورته.. والآن حجَّتكم انتهت ومَات أصحابها.. لِمَ لا ترجعون بِلادكم وتبقى الصَّداقة فيما بيننا؟

- إنَّك تطلب شَيئًا كبيرًا مُقابل لا شيء.. ماذا ستقدم مصر بالمقابل؟ صَداقة! وماذا تملك مِصر غير الصداقة؟ أي سجنون يرغب في مُعاداة التاج البريطاني بعد النصر الساحق الذي حققناه؟ بأي حال أنا لم أقابلك اليوم لنناقش فلسفة الوُجود البريطاني الذي لا تقدِّرون قيمته فلست أنا الشخص المناسب لتلك المهمَّة...

قاطعه سعد بحدَّة: ومن هو هذا الشخص المُناسب؟ مليكك چورج الخامس؟

- نعم.. ولك أن تسأله بنفسك إن استطعت.

- هذه ليست دِبلوماسية!

- سمِّها ما شئت فكما قُلت لك لم آت لمُناقشة فلسفة الوجود.

قام سعد من مكانه.. أغلق أزرار المِعطف استعدادًا لإنهاء المقابلة: حسنًا لماذا إذن طلبت الاجتماع؟

قام الرجل واتجه لمكتبه: لأن لديَّ رسالة من أجلك.. وعَرضًا.

زفر سَعد في ضيق فأردف الرجل: مِن فضلك.. اجلس.

جلس سَعد فالتقط الرجل مِن فوق مَكتبه تلغرافًا نظر فيه ثم اقترب مِن سَعد وأردف:

- اليـوم صَباحًا أرسـل لورد أللنبـي برقية من مِصـر.. بالطبع تعرف فحواها.. قبل العَاشرة صَباحًا حَدثَت مُحاولة اغتيال أخرى لوَزير الأشغال العُموميـة مَحمَّد شـفيق.. تم القبض علـى الجَاني وهو شـاب اسمه عبد القادر شِـحَاتة.. يُعاني ارتجاجًا في المُخ وسيتم اسـتجوابـه قريبًا بسـجن الاستئناف.. بالطَّبع سيَرفض الاعتراف بأنه يَنتمي لمنظمة اليَد السَّوداء.

- وما شأني بذلك؟

- هل تنكر مَعرفتك بمنظمة اليَد السوداء؟

- هل هذا تحقيق؟

- هل تدرك كيف تضر الأعمال الطائشة بالقضية؟

- لا أسـتطيع لـوم مـن يَـرى أن تولي الـوزارة بعد كل مـا حَدث في مارس الماضي هو الخيانة بعَينها.

- لا تنسَ أنَّك توليت وزارتين من قبل يا باشا.

- هـذا صَحيـح.. كنت أعمـل من أجـل مَصلحة بـلادي حين كنتم تتوغلـون فـي المَناصب التي تصُـب كلها في سـلَّتكم.. كُنا نؤمل فيكـم خيرًا ونظنكم تعتزمون الرَّحيل فـإذا بكم تعزلون الخديوي بأمـر مـن مليككـم وتولـون سَلطانًا بـلا سـلطة حقيقيـة.. رجلًا لا يمثل سيادة مصر بل سيادة إنجلترا.. أي أننا الآن نشاهد چورج الخامـس وهـو يفـاوض چـورج الخامس.. ثـم تُعلنـون الـحماية وتخوضـون بنا حربًا شـعواء كثر فيهـا جرحانا وموتانـا.. وأخيرًا تنـوون البقـاء بزعـم أن مصلحتنا مُشـتركة! أي مصلحة مُشـتركة

وأنتم تغتصبون ثلاثة عشر مليون نفس فوق ثلاثمائة وخمسين ألف ميل مُربَّع بمواردها؟ تتشدَّقون بمبدأ تقرير المَصير الذي زعم الرئيس الأمريكي أنه حق لكل الشعوب ثم تستثنوننا منه.. لا بد هنا من وقفة يا سيدي الفيكونت.. تولي الوزارة من بعد كل تلك الإهانات يُعد بالفعل خيانة لِمصر.

- إذن أنت توافِق على الاغتيالات السياسية؟

- أنت تبحث عن تُهمة لتلصِقها بالوفد.

- بالنسبة لشَخص اشترك من بعد انقلاب عُرابي في...

قاطعه سعد: حركة عُرابي لم تكن انقلابًا.. قلب وضع مَعكوس يُسمَّى اعتدالًا.

- أيًّا كان المُسمَّى.. من اشترك في منظمة تُدعى «الانتقام» بالطبع يَرى الحياة من مَنظور متطرِّف.

- مستر ملنر.. إذا كان لديك تحفظات على شخصي فلِمَ اجتماعنا؟ لِم لَم تتحدَّث مع ممثل الحكومة عَدلي باشا يَكن في ذلك الأمر؟

ظل ملنر صَامتًا يحسب كلماته حتى نغزه سعد:

- إذا كان لديك من أجلي رسالة فمن الأفضل أن تُبلغها.. لا أملك وقتًا للجدال العقيم.

- الرسالة التي أود إبلاغك بها هي أن عيوننا ترصد الاغتيالات بدقَّة وستصل قريبًا إلى خيط متين نتتبعه.. وإن لم تتوقف تلك الأعمال المُتطرفة سيكون لنا رَد فِعل ليس في صَالح وفدك أو القضيَّة.

- أهذه رِسَالة أم تهديد؟

- بل هـو الواقع الجديد.. نحـن نملك مَعلومات عـن كل العَاملين في الوفد.. بِداية من سـكرتير اللجنة المركزية السيد عبد الرحمن فهمـي لأصغـر المُعاونيـن.. صَدِّقنـي إذا قلـت لـك إن مَلفاتهـم تتضخم يَومًا بعد يَوم كثورٍ نهم يلتهم كل ما يراه.. مَسألة وقت قبل أن يتـم الـزجُّ بهم في السُّـجون.. إذا أردت بِرفاقـك خيرًا فلتوجد طريقة للتعاون.

- ومَاذا أنتم فاعلون بعد ذلك؟ أستعتقلون شَعب مِصر كله؟

- أعوانـك فـي الوفـد قـد يواجِهـون تُهمـة خيانـة عُظمـى تصـل للإعدام.. وكل من تسول له نفسه الإضرار بمَصَالح الإمبراطورية سيقطع رأسه.

- اقطع رأسًا وسينمو بدلًا منها عشرة.

- أعتقد أنك لا تُدرك خطورة ما تقول يا باشا.

- بـل أدرك كل كلمـة أتفـوه بهـا.. وقـد سـمعت رسـالتك فمـا هو العَرض؟

- حسنًا.. العرض هو العَودة لبلدك الذي بالطبع تفتقده.. زوجتك.. بيتك.. تهدئة الأوضَاع والنفوس.. العَمل على الاسـتقرار والبناء مـن أجـل المصلحـة العامـة.. المسـاعدة فـي إبعـاد رفاقك عن السجون.. ورُبَّما لاحِقًا.. المَنافسة المَضمونة على العرش.

- العرش؟

- ولـم لا؟ فكِّر جَيدًا.. ألم تحلُـم يَومًا بمِصري يتولى عرش بِلاده؟ فلاح بسـيط يَحكم بالعدل.. مَن يسـتطيع ذلك غير سَعد زغلول؟ أنـت رَجُـل ذو شُـهرة ومَكانة لا بأس بهـا.. لِم تُضيِّـع ما تبقَّى مِن عُمرِك بسَـبب العِناد؟ لِم لا تختم حياتك بمنصب مرموق واسـم يُكتَـب في التاريخ بيـن الزعماء بَدلًا من التمسُّـك بسَـراب حَالم تعرف جيدًا أنك لن تجد عِنده مَاءً.

حَدجـه سَـعد مُضيقًا عينيـه: إني أفضـل أن أكون خادِمًا في بلادي المستقلة على أن أكون سلطانًا مُستعبدًا في بلادي المحتلَّة.

- لـم تُخلِف ظنِّي.. عَنيد وحَالم وتعشـق الديباجات الصَّحفية التي تُطبع منشورات لتُقرأ ثم تُلقى على الأرض لتدهسها الخيول.. إن كُنـت خائفًـا من أن يقول المِصريون لقد لفظ سـعد زغلول مَبادئه فأنت لا تعرف الشَّعب المِصري.. عَاش السلطان مَات السُّلطان.. ذلك دستوركم.

- أنت لا تعرف شيئًا عن شعبي.

- ها أنت تقول شعبي.. هذه بداية طيبة.

- وَفِّر على نفسك كلمات لن تجني منها طائلًا يا سيد ملنر.

- بَل وَفِّر على نفسـك وعلى وَفدك عَناء تسـوُّل التبرعات والتسكُّع في أوربا لاسـتجداء التعاطُف.. أتعرف معنى أن تكون سلطانًا؟! لن تكترث للنقود مـن اليوم ولن تَعبأ بقرض بنك «كريديه ليونيه» الـذي يُثقِـل كتفيك.. ثمانية آلاف وخمسـمائة جنيه هه؟ سـتؤتى

صَلاحيات لم تُجَز لأحد من الأسرة المالكة قبلك.. نفوذ حقيقي يَجعل منك حَاكِمًا فريدًا من نوعك.. ستفعل ما تشاء كيفما تشاء.. سيُسطر اسمك في التاريخ كأول حَاكم مِصري يَحكم مِصر في العَصر الحديث.. ستُدفن وستُخلَّد ذكراك في ضريح عظيم تأتي من أجله الوفود لإلقاء نظرة على جَسدك بدلا من مقابر قريتك الصغيرة.

رَمَقه سعد للحظات بلا تعبير ثم قام.. أخرج من جيبه عُلبة سَجائره ووَضع واحِدة في فمه.. أشعلها ونفث دخانها باستمتاع في السقف ثم تمشى بهدوء نحو الباب قبل أن يلتفت:

- أتعرف.. قرض «كريديه ليونيه» أصبح سبعة آلاف ومائتي جنيه الآن.

- هل هذا هو ردّك الأخير؟

ابتسم سعد: هو كذلك.

قالها وخرج.. توقف أمام سكرتير الفيكونت ملنر.. رَمَقه بازدراء قبل أن يَسحب من السيجارة نفسًا طَويلًا ثم يُسقِطها على الأرض ويدهسها بنعل حذائه.

بَعد يومين

حمَّام الثلاثاء

البُخار كَان يَكسو الهواء السَّاكِن، تغذِّيه مِياه ساخنة تضُخها مَواسير تمُر من تَحت مُستوقد للقِمامة مُجاور للحمَّام، تشتعل فيه النفايات فتنتقل الحرارة إلى المَواسير التي تصُب بدورها في مغطس حَجري واسِع تستحم فيه الأجساد ثم تستلقي من حوله على البلاط عَارية إلا من فوط تداري العَورات، نائمة عَلى وُجوهها في استرخاء مُستسلمة لأيدي رجَال غلاظ يَفركون جلودها بليف خَشِن وأحجار تستخلص الخَلايا المُتهالكة والعَرق والإرهَاق لتبث النشوة والنشاط.

عبد الرحمن فهمي كان مُلتحفًا بشكيرًا كَبيرًا لم يُخف قلقه، يَجلس على مصطَبة حَجَرية في رُكن، صَامتًا عَابسًا كحَجَر، يتأمل رواد المَكان المُنتشين بالبخار ويتابع عَقارب ساعة نحاسية استقرَّت بجانب محفظته ونظارته، دقائق لم تطل حتى حَضَر أحمد يلف خصره ببشكير لم يخف ندبات وخياطات المعارك القديمة، أبطأ خُطواته حين التقت أعينهما فهزَّ عبد الرحمن فهمي رأسه مطمئنًا فاقترب أحمد، جَلس بجانبه بعد أن جَذب مِنشفة غطَّى بها شطر وَجهه المُواجه للمغطس وروَّاد الحمام، لَمَح عَبد الرحمن مَاسورة مُسدس مَلفوف حول فخذ أحمد فهمس بدون أن ينظر في وجهه:

- ذَاري سِلاحك.

أخفاه أحمد: ليه غيرنا مَكان المقابلة؟

- المُراقبة عليَّا اتغيَّرت.. تضاعفت.. فيه حاجة بتحصل.

- اختراق؟

- أو اعتراف.

- عبد القادر ما يعرفش حَاجة عن حضرتك.. ولو عِرف ما يتكلِّمش.. أنا واثِق.

- هو جاله ارتجاج وكان في شبه غيبوبة لغاية إمبارح.. مُمكن يكون اتكلم تحت تأثير البنج أو سَألوه أول ما فاق.. المتَّهمين بيكونوا في حالة ضعف وصَراحة في اللحظة دي.. ولو مش هو اللي اتكلم يبقى فيه تسريب حَصَل من حد تاني وده أخطر.. هو مَكان خليِّته كان فين؟

- كافيه ريش.. مع مَاكينة الطباعة.

- ودايرته كانت كَام شخص؟

- أنا وتلاتة.. مِن إمبارح وقفت نشاطهم مُؤقتًا.

- لو جِه اسم كافيه ريش في التحقيقات مكتب الخدمات هايعصروا العمال لغاية ما يعرفوا المترددين.. لازم تتقطع كل صلة بعبد القادر والمَكان.. هو كان بيبات فين قبل كِده؟

تردد أحمد حين تذكر قصَّة بيت بنبة التي حكاها عبد القادر.. أردف:

- الموضوع مُعقَّد شوية.. ناس مش هايسَاعدوه في شَهادته.

- وبيت أهله؟

- أصعب.. ما راحش هناك من سَنة تقريبًا وكُل أهل الحي عَارفين.

- لازم حد يشهد إنه كان بيبات عَنده.. لازِم تتقطع نهائيًّا كل صِلة بيه وبالكافيه.. الاستجواب هَايبدأ من بُكرة بحُضور وُكلاء نيابة مصريين وإنجليز ومِش عَارف هايقدر يِستحمل في إيديهم لغاية إمتى.. ده غير إن المحاكمة عسكرية.

أطرق أحمد برأسه للأرض.. الاحتمالات تتخبط في رأسه ككُرة تنس جُن جنونها في غرفة بلا شباك ولا باب.. قطع عبد الرحمن أفكاره: الفترة الجاية لازم يِعرفوا إن واحد بيقع بيطلع بداله عَشرة.. خصوصًا إن الوضع مع أصدقائنا في باريس مش مُطمئِن خالص.. جمود وتراجع.

توترت مَلامِح أحمد فقام وأحكم البشكير على وسطه: هادرِس العَملية الجَاية وأوافي حَضرتك بالتفاصيل.

- خلِّي بالك على نفسك.

رَحَل أحمد مُتخطيًا سَتائر البُخار وفُضول المُستلقين وسَفحًا حَادًّا لا أرض بعده.

بعد أسبوع

غُرفة التحقيقات بسجن الاستئناف

استوى على كُرسيه في هزال وضعف، الأصفاد في قدميه ثقيلة ضيِّقة ومربوطة في خصره ويديه، في مُواجهة دَائرة الضُبَّاط المِصريين بالإضافة لوكيل حِكمدار القاهرة آرثر باشا، يُترجم بينهما مُترجم مُعتمد ويُسجِّل الأجوبة كَاتب التحقيقات ومن خَلف كتفيه مُخبران غَليظان، يَصفعانه إذا تبجَّح أو تذمَّر، وإذا لم يفعل شيئًا صَفعاه ليفعل، بَدا في حَالة مُتقلبة بين الغَضَب والإعياء مِن أثر الحَجز الانفرادي وبقايا الارتجاج، حَرب نفسية مَارَسَها المحققون ببراعة استحلابًا لمَعلومات لم يَنطِق بِها رَغم فقدانه أغلب أظافِر يَديه وكيّ تمشَّى على باطِن فَخذيه، بالإضافة لكَدمات السَّحل الباقية من يوم القبض عليه والتي يَصعُب تمييزها عن رُضوض الانفجار الذي خلف له ارتجاجًا جَعله يتقيأ طوال ليلتين ويَستعِر حَرارة حتى حاصرته الهلاوس، زاره أبوه «الجِن» في الزنزانة مرة، صَامتًا مثل آخر عَهده به، صَدره وجَبهته تزيَّنا بالرَّصاصات الإنجليزية ينظر إلى شبَّاك يتسلل مِنه ضوء الشَّمس ليلًا! لم يُكلِّمه لكنه نظر إليه وابتسم ثم أدار وَجهه ثانية قبل أن تتوه ملامِحه في ظلمة الغرفة.. غفا عبد القادر بعدها ثم عاد، عَاد على صَوت نداء

حَارس يهمس مـن فُرجة في البـاب برِسـالة: «**اثبت يا عبد القـادر وانكر صِلتك بالقهوة**».

أثنـاء التحقيق كانت الأسـئلة تنطلـق منهم جَميعًا فـي وقت واحِد، كالإعـدام رَميًـا بالرَّصـاص الـكُل يتنافـس للفَـوز بالقلـب، تتنـوع استفهاماتهم بين السؤال المُباشر والخبيث، أو التهديد، أنكر عبد القادر ألف مرة وُجود شُـركاء له: «**أنا ضربت عليه القنبلة عشـان يخاف.. عشـان يراعـي ربنـا فينا وما يتـو لاش الوزارة.. طـب والقنبلة جبتها منين؟ اشـتريتها مـن ظابط إنجليزي اسـمه بيتر.. بيتر إيه؟ ما أعرفش.. تقدر توصف شـكله؟ الدنيـا كات ضلمة وكان لابـس بيريه.. طيب لون شـعره كان إيه؟ نقول طور يقولـوا احلبـوه! قُلت لابس بيريـه! كنت بتبات فين؟ كنـت ببات كل يوم في مكان.. ليلة الحادثة قضيتها في سـيدنا الحسـين.. إيه صلتك باليد السـوداء؟ «ما أعرفهمش**».

ثـم طُرِق البـاب، دَخَـل أحـد المُخبرين ليَهمـس فـي أذن الضابط بكلمَـات قـام عَلى أثرها وخَرَج، أكمَل الباقون أسـئلتهم لدَقائق قبل أن يَعـود الضابط ومعه رجل يَحمل بين ضلوعه بـذور الطاعون والكوليرا ووباء الإنفلونزا الإسـبانية، دَخل بنِصف شَـال مَكبوس تحت طربوش غَير مُستوٍ، لم يُخفِ وَجهًا متعجنًا أو عَينًا بيَّضها الحَرق، بَث النفور في وُجوه الجالسين قبل أن يقف قرب المكتب الذي يَجلسون خلفه، سَأله الضَابط الذي اصطحبه بعد أن سجَّل اسمه في سِجِل التحقيق.. سلامة عبده نجاتي.. الشهير بـ«سلامة النِّجِس».

- تِعرف الشخص ده؟

- إلاّ أعرفه.. عبد القادر أفندي.

- إحكي ظروف معرفتك بيه.. واللي أنت قلت لي عليه برَّه.

نَظـر سَـلامة في وَجـه عبد القادر المحتقن فابتسـم إليـه مُطمئنًا بفم احترقت جوانبه ثم قال:

- عبد القادر كان عِشـرة عُمر يا سَعَادة البيه.. زبوني.. راجل كسيب وغاوي.. حَاكِم أنا عَندي بيت مرخَّص في دَرب طِياب.. القصد.. عبد القادر أفندي بعد أبوه الله يرحمه ما مات في المظاهرة...

قاطعـه الضابـط آرثـر الـذي تكلـم لأول مرَّة منـذ بـدء التحقيقات: مُظاهرة؟ سألها بعربية سليمة.

- أيوة يا سـعادة الباشا.. المُظاهرة اللي كانت طالعة على بيت سَعد باشا في مارس.. حَاكِم أبوه كان فتوَّة كبير.. وشهرته الجِن.

حين تُرجِمَت تلك المَعلومة لآرثر انتبه.. نَظر إلى عبد القادر متلمسًا مَلامِح والده الذي عَرفه زمنًا قبل أن يقتله بيده.

أكمل سلامة:

- شـوف يا باشا بقى البني آدم وقِلَّة الأصل.. بعد ما مات أبوه أويناه وصَرفنا عليه لأنه ما كانش ينفع يرجع حتّته حاكِم كان بيشتغل مع مُعسكر إسماعيلية والأهالي غضبانين حبتين.. الكلام ده كان قبل مـا يهاجمـه بمترليوز.. وفي يوم أخش ع البيـه ابن الأصول ألاقيه بيحشـي قنبلة بالبـارود.. بتعمل إيه يا عبد القـادر أفندي؟ أنا لازم أمـوت الخونة اللي كانوا السبب في موت أبويا وسـمعته بيبرطم

باسم سعادة البيه الوزير.. يا عبد القادر أفندي اعقل يا عبد القادر أفندي ما يصحِّش.. راسُه وألف جزمة يعمل عَملته.. بعيد عنك يا سعادة البيه الدوي ع الودن أمر من السحر.. هو ليه أصحاب تشوفهم تشوف الخبل كِده في عنيهم ما تفهم شياطين ولّا مدرك إيه.. المهم.. رُحت طارده وقلت له هابلغ البوليس.. وعنها...

رمقه عبد القادر بلا تعبير.. خلايا جَسده كانت تستعِر ثم تنفجِر واحدة واحدة بصَوت مَسموع.. أكمل سلامة روايته في يقين:

- يقوم يعمل إيه؟ يضربني بلمبة مولعة جاز.. زي ما أنت شايف سعادتك.. عاهة مستديمة.

وكشف سَلامة عن حَرقه فامتعض المحققون وأمره الضابط المِصري بتغطية عاهته.. أردف سلامة: الله يسامحه.. ربنا كريم يا سَعادة البيه إن الباشا الوزير سِلِم ووقع البعيد في إيديكم.. كله إلا الدم.. إحنا لينا غيركم عَشان نقِل عقلنا.

وبكى سلامة بحُرقة حقيقية فصَحِبه المُخبر إلى الخارج وهو يردد أن له طلبًا عند الوزير وحلاوة سلامته من الاعتداء.

تم تسجيل شهادته وسؤال عبد القادر عنها.. أفاق من شروده بعد دقيقة وكَف عن جَز أسنانه قبل أن يصرِّح: معرَّص نجس.

تم إنهاء التحقيقات بدون أن يُسمح لعبد القادر بالاستعانة بمُحامٍ إلا بمُحامٍ إنجليزي عَيَّنوه من أجله ورفض عبد القادر الكلام معه، أضيفت شهادة سَلامة ومُخبر مَكتب الخدمات الذي ألقى القبض على

عبد القادر وعسكريّي البوليس اللذين طارداه ولم تفلح النيابة في إقناع أحد من المَارة أو أصحَاب المَحَال بالشهادة على عبد القادر لتأكيد التهمة، رَفَضوا تضامنًا مع مَوقفه، بَعدها بيَومين تم تحديد مِيعاد النطق بالحُكم، في نفس اليوم الذي حَضَرت فيه إلى سجن الاستئناف سيِّدة جميلة، طلبت مُقابلة الضَابط المَسئول عن التحقيق مع عبد القادر، جلست أمامه ورفعت الشبك من فوق عينيها ثم قالت بهدوء:

- عبد القادر شِحَاتة يبقى عشيقي.. كان بيبات عندي في الشقَّة.. وكنَّا هانتجوز.

بعد سَاعَات

استقر عبد القادر مُكبَّل اليَدين فوق كُرسي خَشبي وَسط غُرفة خَالية.. لم يقترب مِنه أحد لسَاعة زمَن سَبَّ فيها كُل مَن حققوا مَعه حتَّى أُرهِق فطأطأ رأسه على صَدره في صَمت.. لحظات والتقطت أذناه وقع خُطوات تقترب.. انفتح الباب عنها واقفة بين الضابط المِصري الذي استقبلها وآرثر الإنجليزي الذي آثر حضور اللقاء بنفسه.. تَرتدي فُستانًا أحمَر ميَّز خصرها.. في رُموشها كُحل وفي عَينيها عِشق لم يَعهده.. تنحَّى الضَابط المِصري جَانبًا فاندفعت ناحيته والأصفاد في يَديها.. قام مَذهولًا مَحبوس النفس:

- دولت!!

لم يُكمِل.. أغلقت فمه بشفتيها.. أغمضت عَينيها وتنفست فيه.. ثم سَحبت شفتيها وطَعنت خدَّيه وجَبهته وهي تزفر: «**حبيبي**» ثم تهمس بجانب أذنه: «**جاريني**».

همس عبد القادر: إيه اللي جابك هِنا؟

أجابته بصوت يُسمِع من خلفها: ما كانش ينفع أسيبك تأخد حُكم ويفتكروك مُنضم لمنظمة سياسيَّة عشان تداري قصَّة حُبِّنا.

أخرَسه تصريحها.. جَاهد عَقله ليستوعِب ما تقوله.. مَجنونة.. نطقتها عيناه فحَركت شفتيها:

- هانروح أنا وأنت في دَاهية!

نَظر خلف كتفيها لآرثر الإنجليزي الذي يَفحص مَلامِحه حين عَاجلته دَولت بصَوت مَسموع:

- أنا بحبَّك يا عبد القادر.. مش مِحتاج تبقى بَطل عَشان أحبك.. إيه اللي عملته ده يا مجنون؟

نظر إلى عَينيها التي ترقرقت مَطَرًا في صَيف قيظ! لا يُمكِن لتِلك الدموع أن تكون كَماليات مَسرحية مُتقنة.. مِثل بَاروكَة وقِناع وأصبَاغ رَخيصَة تُقنِع مُتفرجًا بأن البطلة تفور عِشقًا في البَطل.. السُّخونة التي تزفُرها.. الابتسامة المُترددة التي تُرعِش أسفل وجنتيها.. الصَّمت.. والكلمات بين الكلمات.. اللَّعنة!! أجئت الآن لتنقذيني يا خَمريَّة؟ لتقتليني؟ لا فرق.. فالأقدار شاءت أن أزهد في جميع النساء من أجل طَعنة من تلك الشفاه.. لا بَأس إن كَان وجهك آخر مَشهد في المَسرحية.. لا بأس إذا ضممتك أمام الجمهور قبل أن تنزل الستائر آخر يوم في العرض.. كأنك حبيبتي.. اللَّعنة علي اليوم الذي ظننت نفسي فيه بحَّارًا.. وأنَّك نسمة هواء تحمل عِطرًا مُختلفًا.. لم أعلم وقتها أنك مقدِّمة إعصار.

- ليه؟ ليه يا دولت؟

- مش مُمكن كنت أسيبك.

اكتفى الضابط آرثر بما رآه فسَحَب دَولت من مِرفقها وناولها للضابط المِصري الذي أوقفها بجانبه.. وَضع يَده على كَتف عبد القادر ليجلسه بحيث يَكون ظَهره إلى دَولت.. سَحَب كُرسيًّا قبالته وجَلس يُتابع وَجهيهما قبل أن يُنادي المُترجِم ويشير للكاتب أن يكتب الأجوبة وراءه ثم وجَّه كلامه لعبد القادر: منذ متى وأنت تعرفها؟

- سنة.

- هل تعرف اسمها كاملًا؟ أين تسكن؟

تردَّد عبد القادر للحظة قبل أن يُقرر حَكي قصَّته الحقيقية مَعها.. قصَّة عَاشق حفظ تفاصيل مَحبوبته وعدَّ عليها أنفاسها شهورًا:

- دَولَت عَبد الحفيظ فَهمي.. من أبشاق الغَزال المِنيا.. سَاكنة في شقة إيجَار في الضَّاهر.. مُدرِّسة إنجليزي في مَدرَسة الهِلال.. بتحب شِعر محمود سامي البارودي وعلي الجارم.. وبتسمع الشيخ سيِّد درويش ومحمد عبد الوهاب.

سأل آرثر: علامة مُميَّزة في جسدها؟

- أنت راجِل قليل الحيا.

ابتسم آرثر ابتسامة واسِعة ثم صَفعه بظهر يَده صفعة شديدة.. فتح خَاتم ذهبي يَرتديه جرحًا غَائِرًا في خدِّ عبد القادر.. نظر آرثر لخَاتمه المَحفور فيه اسمه والدِّماء التي خضَّبت حروفه فأخرج من جيبه مِنديلًا مسحه به قبل أن يَسأله:

- هل كُنت تبيت في شقَّتها يوم الحَادث؟

صَمَت عبد القادر للحَظات ثم التف لينظر إلى دَولت فصَرخ فيه آرثر: هل كنت تبيت في شقتها؟

طأطأ عبد القادر وجهه للأرض: أيوة.

– هل تنتمي هي الأخرى لمنظمة اليد السوداء؟

بعصبيَّة رفع رأسه: لا سودا ولا بيضا.. أنا فجَّرت الراجل ده عشان ترجَّعوا سَعد باشا.. ده آخر كلام عندي.

حكَّ آرثر أنفه للحظات: حسنًا.. أخرجوها.. بل اخرجوا جميعًا.

خلت الغرفة فقام ينظر إلى الشَّارع من بين حَديد الشبَّاك للحَظات ثم عَاد إلى عبد القادر الذي نزف جرحه وأردف بهدوء:

– أتعرِف؟ سـتذهب مَعك إلى المشـنقة.. فهي مُشـتركة في الجَريمة بإيواء مُتطرف ومَعرفتها بهدفه.. صدِّقني قد تكون عنوستها هي الدافـع الحقيقي خلف إحسـاس الوطنية المُباغـت الذي تُعانيه.. لو تزوَّجتك لنَسيت كُل شيء ولأرادت الاستقرار والإنجاب.. أتمنى أن تكـون قد استمتعتْ معك بـأي لحظة لطيفـة في ذلك العالم البغيض قبل أن تُفارقه.

– دَولـت مـا تعرفش حاجـة.. أنـا اشتريت القنبلـة وأنـا اللي قررت أرميها.

– يا لك من ساذج قصير النظـر.. كم تُشبه أباك!

نظر إليه عبد القادر في عدم استيعاب:

- تستغرب أنِّي أعرفه؟ سأحكي لك القِصَّة أيها البَائس.. قصَّة فتوة الحيِّ الذي لم يَكن يومًا ضِد وُجودنا.. فتوة الحيِّ الذي نال سطوة المنطقة بمباركتنا.. فتوة الحي الذي يتقاضى الهِبة الشهرية مني شخصيًّا ليشي بأمثالك من الحَالمين الذين يفسدون الحياة بخبراتهم الضئيلة وحماسهم الساذج.. ألم تسمَع منه اسم آرثر باشا وكيل الداخلية من قبل؟

توتَّرت ملامِح عبد القادر.. أردف آرثر:

- لا بُد أنه كَان يَخجل من حَكي تلك القصَّة أمامك.. لكنها الحَقيقة.. أنتم شَعب لا يَقرأ.. لا يفقه.. تأكلون وتنكِرون مثل القطط كما تقولون.. والدك كانَ يتقاضى مني شَخصيًّا راتبه الشهري منذ تولى فتونة مَنطقة النَّاصرية.. هكذا كان الحَال لسنين.. حتى تلفت خَلايا دِماغه تدريجيًّا ربما بسَبب الأفيون الذي يَمصّه أو الخمر سيئ الصُّنع.. مِسكين.. المهم أنه انقطع عن زيارتنا.. أعتقد أن السبب كان رغبته في زيادة المُرتَّب.. أو أن جِرار الفخار التي يُخفي فيها النقود لم يعُد لها مَكان تُدفن فيه.. تلك مَرحلة جديدة في عُمر كُل مُرتزق.. تبدأ لديه أعراض الإحساس بالأهمية.. تتحوَّل إلى ندِّية.. ثم عداء كَامل مَصحوب بغباء.. الجنون بعَينه.. في الأيام الأخيرة أرسلت له أكثر من مرَّة وفي كل مرة كان يَمتنع عن زيارتي.. حتى أتى يوم وجدته أمامي في مُظاهرة.

تيبس عبد القادر وتهدَّجت أنفاسه.. ذلك الرجل كان ينبش في جرح مفتوح.. بسكين صدئ.. أكمل آرثر:

- لَمَست في عَينيه دَاء السُّعار.. رَكَض نحوي كالمجنون يَبغي قتلي.. أعمى نسي سيّده.. نسي من كان يُطعِمه.. لا تأخُذ الأمر بمَحمَل شَخصي.. المَرحلة الأخيرة من دَاء السُّعار لا عِلاج لها.. مُحزِنة.. أرديته.. ارتعش قليلًا ثم زاغت عَيناه قبل أن يتبول على نفسه.. ماذا كُنت تتوقع منِّي؟ أن أتركَه يُهاجمني؟

انكسر في فم عبد القادر طرف ضرس.. نفر عِرق جَبهته وحَاول أن يقوم فتأهب آرثر ووضع طرف عَصاته المُزيَّنة بالتاج المَلكي البريطاني على كتفه ليُجلِسه:

- دعني أُكمل كلماتي حتَّى تتَّضِح الصُّورة.. يَموت الثائر «النَّبيل» مِستر «الجِن».. ويأتي من بَعده شاب مثلك ضَحل التفكير.. مُحدث في علم السياسة.. ولا يَعبأ أن يتعلم.. يَعمل مَعنا ويَكسب قوت يومه من خدمة المُعسكر.. يشتري بنقودنا سيارة جديدة وبَدلة طِراز السنة رسمها مصمم إنجليزي.. ثم فجأة تأتيه القضيَّة على طبق من فِضَّة.. الانتقام.. فيندفع كالرصاصة الطائشة بلا هدف وقد امتلأت جنباته بروح وطنية حديثة العهد.. لينتهي كِفاحه حُفرة في حائِط أو في جَسد لا يعرفه ولا يخدِم قضيَّته المزيَّفة.. ذلك أنت.. رَصاصة بلا هَدف.

كانت الكَلمات الأخيرة كَفيلة أن يقوم عبد القادر مطلِقًا صَرخة عَالية قبل أن يتلقى ضَربة من عصا آرثر أسقطته أرضًا.. ثم أردف الأخير:

- ستُعدم.. ليس لمحاولة قتل الوزير.. بل بتُهمة الغباء.

لمَّا أُغلقت زنزانته أطبَق جُفونه.. جَلَس في رُكن يتأمَّل الشَّمس وهِي تزحف نحوه ببُطء من فتحة السَّقف.. ترسِم على الأرض صليبًا

حَديديًّـا اكتسـى تدريجيًا بلون الغـروب.. لون الجَمر الـذي يتدفق في العُـروق.. النَّار التي تشـوي جوفه.. يُصلي قلبه حريقًـا كلَّما تذكَّر وجه آرثر.. الكلمات وهي تَخرج من بين أسـنانه البيضاء المستوية المثالية.. عَينيه المُسـترخيتين.. ثقته.. غطرسـته.. وَطنه الذي لا تغيب شمسـه.. تفاصيـل لحظـات قتـل أبيه التي اسـتحالت دَبابيـس حَادة وإبـر خِياطة تسـري في المرِّيء.. إحسَاس بالعَجز توغَّل حتى شُلَّت حَركته.. دُموع انهمرت ولُعاب سَـال ورَقبة طؤطئت لا إراديًّا على صَدر.. نشـيج مزَّقه فقـام يضـرب بـاب الزنزانة بقبضته حتى شُـرخ أصبعه.. ثم سـقط على رُكبتيه.. يومان بلا أكل ولا شُرب.. تَجاهلوه ثم هدَّدوه وضَربوه.. نقلوه إلى مُستشـفى وفي لَحظة غِيـاب عن الوَعي نادى دولـت.. أتوه بها في غُرفة يَقسِـمها قضبان حَديدية علها تقنعه بالكلام.. جَلست على كُرسي خَشبي أمامه.. شـعرها مَحلـوق كأولاد الملاجئ.. في عَينيها مِسـحة بَنفسـجية وفـي شـفتيها تـورم.. رَمقها مـن وراء ضَعفه فقَام من سَـريره واقتـرب بصعوبـة بسـبب الأصفـاد وهو يرمق العسـكري الـذي وقف بجانب الباب.. جَلس أمامها يتأمل وَجهها فابتسمت مُلطِّفة..هَمَست:

- مِش بتاكُل ليه؟

- ضَربوكي؟

- أنا كُويِّسة.. ما تقلقش.. أنت لازم تاكُل يا عبد القادر.

- ليه؟

- عَشان ما ينفعش تخليهم يشوفوا ضَعفك.

- إزاي تعملي كِده؟

ابتسمت ولم تُعقِّب فهَمَس: وليه اختارك أنت؟

- أحمد مالوش ذنب.. أنا جيت من وراه.

- جِيتي عَشاني؟

نظرت في عَينيه متضرِّعة أن يَصمُت.. أردفت:

- ما تصعَّبش المَوقف.

لامَس القضبان بأصابعه: دَولت! كِفاية.. أنا عُمري ما حَبِّيت حَد قدِّك.

بدون مَجهود ترقرقت عَيناها بدَمعة.. انحدرت سَاخنة.. سَقطت على أناملها فنظرت إليه للحظات طَالت حتَّى رَجع بظَهره بَعيدًا عُن شُعاع الشَّمس المَار بَينهما.. هَمَست باختناق:

- طُول عُمري كُنت عارفة إن اللَّحظة دِي هَاتيجي.. بَخاف مِنها أكنَّها الوَبا.. بَهرب.. بس كنت عَارفة إنها هاتيجي.. عَارف... أنا بهرَب مِن يُوم ما وعيت عَ الدنيا.. مِش من اللحظة دي بس.. بهرب من المنيا.. من ابن عمِّي اللي مكتوب يتجوزني.. من التقاليد.. العَار اللي بجرُّه ورايا ذنب زي ديل الفستان.. عار إني بِنت.. بنت بس! حتَّى أخويا اللي مربِّيني وعُمري ما شُفت في عينيه دَه.. ما بقيتش قادرة أشوفه.. بقى واحد تاني.. أنا قطَّعت بإيدي كُل خِيط يفكَّرني بيهم.. يِضعفني.. صمِّمت أكون عَروسة.. بَس عَروسة خشب ملوِّنة زي عرايس الأراجوز وصندوق الدنيا.. من غير حِبال تحركها.. تشدَّها.. إيه هو الحُب؟ ليه؟ يعني إيه؟ كل يوم كنت بسأل نفسي السؤال ده لغَاية ما جيت أنت... واللي كُنت خايفة

منه حَصَل.. إحساس إني بتسحب وراك.. ما أبقاش مِلك نفسي.. كان بيكرَّهني فيك كل لَحظَة ببص لك فيها.. بقاومك عشان ما أقعدش في يوم على الكُرسي ده.. أقول الكلام ده... في عالم تاني كان مُمكِن... أحبك زي ما أحب أحبك.. زي ما المفروض كان يكون.. ساعتها مكنتش هخاف أقولك.. وما كنتش هتتوجع لمَّا تسمع.

ساد الصمت.. توقفت الشمس عن الدوران وصَدئت القضبان قبل أن تتساقط على الأرض متفسِّخة.

- كُل اللي أقدر أقدمه لك.. إني أعرَّفك إنك مِش لوحدك.. وإني مُمكن أعمل أي حَاجة عَشان تِعرف... إني ما بقتش مُهتمَّة باللي رَاح.. ولا اللي جَاي.. وإن الدنيا كلها بقت لون واحد يوم ما ودَّعتك في المقطَّم.. وإن سَاعة الانفجار أنا مُتّ قبلك.. وكُونك عايش.. حتى ولو مُؤقتًا.. أحسن حَاجة حَصَلت لي.

- دولت...

- بحبك.

كان ذلك آخر ما قالته.. قامَت واقتربت من الحَارس.

- دَولت...

ناداها عبد القادر فنظرت إليه في توسُّل قبل أن يَسحَبها الحَارس من مِرفقها ويُغلق الباب.

على قلب عبد القادر.

سَراي عَابدين

في تمام الثانية عَشرة ظُهرًا رَفَع المُصوِّر الإيطالي وَجهَه إلى السَّقف الزُجاجي المُصنفر في الغُرفة الوَاسِعة، اطمأن على زاوية الضوء العَمودية ثم أشَار لمُربِّيتين تطوفان حَول المَهد المَطلي بمَاء الذَّهب كي تبتعدا، تمَّمت الأولى على المَلابس الناعمة واطمأنَّت الثانية على الشعر المَمسُوح بالزيت قبل أن تتنحيا جَانبًا، ضَبط الإيطالي وَضع المَهد في نِصف الصُّورة تمامًا وراعَى أن تظهر الناموسيَّة المُزركشة والتاج المَنحوت فوقها ثم رَكَّز البؤرة على الوَجه الأبيض ذي المَلامِح الألبانية الفِرنسية الذي طَل من بَين الملاءات المُزينة بالتاج فرفع الغطاء عن العَدسة، عَدَّ بالإيطالية ثلاث عدَّات قبل أن يَضع الغِطاء ثانية ويَهمس بالإيطالية: ممتاز.. اقتربت السُّلطانة مِنه مُبتسمة وسَألته بالفرنسية:

- ألا يَجب على الأمير أن يَرتدي مَلابس دَاكنة بعض الشيء؟ الصورة يطغى عليها الأبيض.. أخشى أن تصبح باهتة!

التفت لها المُصور وهمَّ أن يُجيب بأدب جَم حين اقتربت مِسز تايلور ضَامة يَديها إلى بَعضِها وفي هدوء أردفت:

- الأبيض أساسي في الصُّور الرَّسمية للأمراء الصِّغار.. بالإضافة أن مُواصفات الصُّورة مُتَّفق عليها مُنذ أيام يا مَولاتي وغير قابلة للتغيير.

رَمقتها نازلي بغلٍّ قبل أن تستطرِد:

- لا بـأس أن تُبـدِّل المُربيـات مَلابـس الأميـر ويتـم تصويـره ثانية بالمَلابس التي اقترحتها.

ابتسمت مِسز تايلور ابتسامة صَفراء:

- مَولاتـي.. على الأميـر الآن أن يَرتاح لأن مِيعـاد طَعامه قد حَان.. قد نجعل ذلك الاقتراح في وقت آخر.

زفـرت نازلي نفسًـا مَسـموعًا ثـم رَمَقـت صَغيرها الذي يُحـرك يَده فـي هدوء قبل أن تخـرج من الغُرفة والشـرر يتطاير مـن وَرائها، يَحرق السـجاد الأحمر وأطراف النباتـات في المزهريات النحاسـية اللامِعة، تلعن في سِـرِّها مِسـز تايلور؛ مُربية الأميـر الصَّغير والسُّـلطان المُقبِل، إنجليزيـة صَارمة لا تعـرِف مَعنى الرحمة، أتى بها فـؤاد إلى القَصر يوم بَرزت بطن نازلي لتعتني به وتُشـرِف علـى تربيته، مُنذ اليوم الأوَّل دبَّت الخِلافات بينهن وبعدما وُلِد بسـاعات قامت قيامة، فبالسـلطة المُخوَّلة من السُّـلطان إلى مِسـز تايلور كان على السـلطانة أن ترضخ.. «**نازلي.. ماذا تعرفين أنت عن تربية الأطفال؟ لازلت صَغيرة لتحملي مَسـئولية سلطان المسـتقبل.. تايلور قادرة على تنشـئة طِفل سَـليم على الطريقة الأوربية.. من فضلك لا تتدخلي في شئونها فهي تعرف ما تفعل**».

ضَاقـت حوائِط القصر بنازلي فجأة، كيف تـرى ابنها بميعاد؟ تلقمه ثديها بمِيعاد؟ وتطلب رؤيته وهو يَستحِم وقد يؤذن لها أو لا يؤذن، خوفًا عليـه مـن البرد! تحملت كثيرًا حتى أتى يَوم اشـتعلت فيه غَضبًا بسـبب ضيـق وَقـت وُجود فاروق معها، انتُزِع مِنها انتزاعًا تحت إشـراف مسـز تايلور فخَرجت مُسـرعة إلى غرفة فؤاد، اشـتكت إليـه بانفعال وصَوت

نسيَ نفسه فما كَانَ مِنه إلا أن صَفعها وأمرها بالإذعان! بَكَت نازلي كما لم تبك من قبل، أغلقت على نفسها الحَمَّام سَاعة، جلست تحت الدُّش تسد بالمياه أذنيها، مُحاولة تبريد رُوحٍ شُويت، تتحسس الصَّفعة على وجنتها وتجتر لَحظاتها مع حبيب غابت عنه؛ تمشية الشارع، الأفلام والمسرحيات، القُبلة الأخيرة في حَديقة القصر، وقوفه أسفل شُرفتها منتظرًا ولحظة إغلاقها الستائر... ثم تتتابع الخبطات على الباب لتبدد كل الذكريات وتستحثها على الخروج، أفاقت نازلي واستجابت لتجد والدها في الانتظار، حَكَت ما حدث فسَكت، ذَرع الغُرفة ذهابًا وإيابًا يفكِّر ويُقدِّر قبل أن يضم وجنتيها براحتيه وفي خُطبة بليغة يَهمس بهدوء أن ذلك أمر طَبيعي بين الأزواج، وأن المَصلحة العَامة تتطلَّب أحيَانًا، بَعض القسوة.. والتنازل: « **ثم من رآكي حين صفعك؟ ألم تكونا وحيدين في الغرفة؟ ما يحدث بين الأزواج يجب أن يظل بين الأزواج** ».

نظرت إليه نَازلي ولم تُعقِّب، عَرفَت منذ ذلك اليوم أن للقَصر قَانونًا، وأن لعَلاقتها بابنها قَانونًا، تأكُل بقانون وتخرج بقانون، وتُمارس الجِنس في وقت مَحتوم، بقانون، وأن العَرش بمَن عليه فوق كل قانون، عَرفت إحساس زائرة بيت العِنكبوت، التشبيه الذي سمعته من فم أحمد يومًا في حديقة بيتها، مُحاطة بالخيوط وحيدة خائفة، كلَّما تحركت ازدادت اشتباكًا، ترفل في ثوب أبيض مُرصَّع تتأكد يَوميًّا أنه سيصير كفنها، ففؤاد بتجربة مَع زَوجة سَابقة عارضت نزواته وذلَّته بثروتها أدرك أن المَرأة واجب أن تُقهر، وأن الغيرة عليها أمر لا مَحالة منه، خاصة إذا لم تكن رَبيبة أسرة مَالكة، جَميلة وصَغيرة، من ذا الذي يتنبأ بسلوكها خاصَّة مع فارق السِّن؟

كان عليه نبذها في رُكن مُذهب، أحاطها بسيِّدات العائلة المتلألئات، تقرأ في أعينُهن الحِقد والحَسَد والتملُّق فتبتسم مُرغمة، تَمشِي في الحرَملك شَاردة تنتظر أن تُنعِم عليها مِسز تايلور بوقت مع صَغيرها تقضيه، أو تجلس هائمة أمام المَرج الأخضر تتأمل نور الشمس وهو يَسير فوق العُشب يلامسه ويُحييه ولا يقربها، لم تشعُر بنفسها إلا وهي تكتب في ورقة، صَفحة كَاملة بخَط عَاني ليُقرأ قبل أن تطوي ما كَتبت وتُخفيه في صَدرها، بَعد يومين أتى والدها وفي عينيه غَضب لم تعهَده، سَحبها من يَدها إلى الحَديقة في صَمت وانتظر أن يبتعد الخَدَم قبل أن يُخرج من جَيبه الوَرقة التي كتبتها منذ يَومين، مَا إن رأتها حتى رَفضت قدماها حَملها فجَلَست عَلى مقعد يَسَع اثنين، جَلس بجانبها وفَضَّ الورقة يُعيد قراءة مَا فيها بعَينيه قبل أن يتكلم بدُون أن يَنظر إليها:

- تِسمَعي عَن هَارون الرشيد؟

- ...

- أشهر خليفة عَبَّاسي.. هو اللي أوحَى بشخصية شَهريار في ألف ليلة وليلة.. ومَسرور السيَّاف كان عبد عنده فعلًا.. جَعفر البَرمكي كان أهم وزير عند الرشيد.. أقرب واحد لقلبه ومن عِيلة دايمًا كانت في خِدمة العرش.. عيلة اسمها البرامِكة.. الرشيد كان عنده أخت اسمها العبَّاسة.. قالوا إنها أجمل نساء العَصر وقتها.. حَبَّها جَعفَر.. حبَّها بدون إذن الرشيد.. واتجوزوا.. فِضلوا فترة مُكتفين بالجَوابات السرِّية.. وفي يوم راحِت له.. مُتخفية.. قضت مَعاه ليلة.. ليلة واحدة.. هَارون الرشيد عِرِف.. الخليفة صعب تستخبى عنه حاجة.. عيون كتير تتمنى تخدمه.

سَكت أبوها للحظات أخرج فيها علبة ثقاب أشعل مِنها واحدًا مرَّره تحت قلب نازلي حتى اشتعل ثم تحت الرسالة التي كتبتها مُنذ يَومين.. أردف وهو يتأمل الورقة تتحول لرماد:

- عَارفة عَمَل إيه هَارون الرَّشيد؟ قتل جَعفر.. وحَبس كُل عيلة البرامكة وصَادر أموالهم.. وماتت العبَّاسة في نفس السَّنة.. اقري تاريخ يا نانا عشان تِتعلمي.

لم تَرمش.. لم تتنفس.. عيناها كانتا مُتشبثتين بفَرع شَجرة ضَعيف تحركه النسمات.. نثر أبوها رماد رسالتها في الحديقة ثم ضَم بقبضته أصابعها.. فركها بالرماد الأسود ثم ضَغَطها حتى تألمت.. لَم تئِن.. دَمعت عَيناها وتحمَّلت الألم حتى تكلم:

- الحَمد لله إن الشَّخص اللي بَعتيه بالرِّسالة هو حَد بيحبِّك وبيخَاف عَليكِ.. كَان أكسَب له يوصَّلها للسلطان.. لكِن الله بيُستر.. ده بخلاف إن الولد نفسه غيَّر مَكان إقامته... مِش مِصدَّق إن كل اللي أنت بقيتي فيه ده ولسَّه بتفكري في عَيِّل تافه زي أحمد كيرة.. أنتِ عَارفة مُمكن يِحصَل إيه لو فكَّر يبيع الجَواب دَه للجَرايد المُعارضة؟ مُتخيلة مَوقفي هايكون عَامل إزاي؟ اسم عِيلة صَبري هايتمحي من الوجود يا صاحبة العظمة.. مِش هاسمح لك بده يا نازلي.. مِش هاسمح لك أبدًا.

نفض يَده من يَدها والرماد ثم قام.. نظر إليها نظرة أخيرة ثم ابتعد قبل أن تستدركه:

- أتمنى تكون استمتعت.

التفت إليها: استمتعت بإيه بالظبط؟

- كرسي الوزارة اللي قعدت عليه سِت شهور بس قبل ما يستبدلك.

رمقها بغيظ جز أسنانه قبل أن يبتعِد، استأذن في مُقابلة السُّلطان فأُذِن له، دَخَل عليه وكَان في مَعيَّته وَزير الدَّاخلية يناقشان حركة الاغتيالات المتفشية ويتباحثان الحُكم على المَسجون السِّياسي الذي ألقى القنبلة مُؤخرًا على مَحمَّد شفيق باشا وزير الأشغال، صَرَّح وزير الداخلية بأن القضاء يَرى الإعدَام، أمَّا آرثر باشا وَكيل الداخلية الإنجليزي فرأيه أن السِّجن المؤبد أفضل.

- رأيك إيه يا عبد الرحيم باشا؟

أفاق الباشا مِن شُروده على سُؤال زوج ابنته؛ السلطان، فتدارك: رأيي من رأي آرثر باشا يا صاحب العظمة، الولد اكتسب شَعبية كبيرة، صوره بتتباع في الشوارع، إعدامه هايحوله لبطل.

أردَف وَزير الداخلية: الحُكم المُخفف هايجرَّأ ناس تانية غِيره.

قال السُّلطان: المؤبد مِش حُكم مُخفَّف.

عقَّب عبد الرحيم صبري: الولد ده أظن بيكون أضعف واحد في المنظمات دي.. أقلهم ذَكاء.. عَشان كِده بيختَاروهم دَايمًا لتنفيذ العمليات.. رأيي إن الأولى نسيب اللي زيه يتنِسوا في السِّجن.. يُخرجوا على القبور.

وَجَّه وزير الداخلية كلماته للسلطان: قرار صَاحب العظمة؟

مَسَح فؤاد شَعره بيَده قبل أن يَحسم الجدل: مِش سليم نصنع بطل من نكِرة.. مؤبَّد.

انتهى اللقاء فخرج عبد الرحيم صَبري في إثر وَزير الداخلية.. تمشيا في رُواق القصر وقبل أن يَصلا سَاحة السيارات.. انحنى الأول على الأخير وهَمَس: فاكر الولد اللي كنت كلمتك عنه يا باشا؟ أحمد كيرة...

توقف وزيـر الداخلية والتفت باهتمام: الولد اللي كان بيتساخف على صَاحبة العظمة.. طبعًا.

– أنا كنت أظن أنه تم اعتقاله.

همـس الرجـل: لا.. الحقيقـة أنـا شيَّعت لـه رجالـة مـن عنـدي.. كسَّروه تمامًا.

– هو.. الولد دَه مَعروف مَكان إقامته؟

– هو رجع عَمل حَاجة تاني؟

– وهو المَفروض ننتظر يعمل يا باشا؟ مش كان ليه نشاط سياسي؟ أكيـد لـه صِلـة بالاغتيـالات الأخيـرة.. أنـا كنـت حكيت لك ماضي والـده.. إذا أضفنا كمـان مَاضيه المُنحـرف ومُحاولاته الدنيئة إنه ينول من شرف صَاحبة العظمة...

قاطعه الوزير: واضِح واضِح يا عبد الرحيم باشا.. ده أمر ما يتسكتش عليه.. أوعدك إني هاشوف حل نهائي معاه.

أخـرج وزيـر الداخليـة ورقـة وقلمًا.. سَـطر اسـم أحمـد كيرة بخط واضِح ودَسَّها في جَيبه ثم ودَّع عبد الرحيم باشا ورَحَل.

سري.. نمرة ١٤٧

القاهرة في ١٢ يونيو سنة ١٩٢٠

سَعادة سَعد باشا زغلول

– ألقى إبراهيم حَسن مَسعود مُحاسب بوزارة الصحة قنبلتين على سيارة رئيس الـوزراء الجديد مُحمـد توفيق نسيم.. تم القبض على المنفذ وجارٍ التحقيق معه في سرايا النيابة.

– اعتقالات تعسُّفية تسود العَاصمة وتضييق على مندوبي الوفد خاصة في المُحافظات.

– صَـدر الحكم على عبد القادر شِـحَاتة صَاحب مُحاولـة اغتيال محمد شفيق باشا بالمؤبد وتم إيداعه سجن طُره.

عبد الرحمن فهمي

سري.. نمرة ١٤٩

القاهرة في ٢ يوليو سنة ١٩٢٠

سَعادة سَعد باشا زغلول

– اعتقل أمس عبد الرحمن بك فهمي.. دَاهمت السُّلطة منزله بَعد منتصف ليلة ١ يوليو.. كَمَا تم اعتقال سبعة وعشرين شابًّا من شباب الوفد.. التهمة المُعلنة في مَحاضر الضبط «إنشاء منظمة سرية باسم «اليَد السوداء» تهدف إلى خلع السُّلطان».

– أقترح تجميد النشاط السِّري حتى تهدأ الأوضاع.. نرجو إيفادنا برأيكم الكريم في المسألة وكذا الرد المُناسب لما حَدث حيث عكفت هيئة مُحامي الوفد منذ اليوم على دراسة الموقف لاتخاذ التدابير المُناسبة وإصدار بيان عن الوفد وكذا الترافع عن الزملاء المَسجونين.

– تم تكليفي مؤقتًا بإدارة سِكرتارية لَجنة الوفد المَركزية.

مُصطفى النحاس

حَديقة الأزبكية

جَلس أحمد لعَشر دقائق على مِقعد خَشبي في أطراف الحَديقة، يَقرأ جَريدة وباليَد الأخرى يأكل شَطيرة، اقترب مِنه رَجُل في منتصف الأربعينيات تحمل عَيناه حَوَلًا طفيفًا، تفحَّص رُوَّاد المَكان قبل أن يَجلس بجَانبه ويَضع على المِقعد حقيبة جِلدية كانت لعبد الرحمن فهمي، لمحها أحمد بطرف عَينيه حين خَلَع الرجل طَربوشه فكشف عن رأس طَموح للصَّلَع، دقيقة وتكلَّم بدون أن يلتفت:

- أنا اسمي مُصطفى النحَّاس.. طبعًا جالك خبر إن أنا...

قاطعه أحمد: غني عن التعريف يا مصطفى بك.. حَضرتك توليت سِكرتارية اللجنة.

- عَبد الرحمن بك كان حاسِس إنهم هايصدروا أمر الاعتقال قريِّب من بعد العَمليات الأخيرة.. سَاب لي التعليمات كُلَّها وكلِّفني أحقق اتصال مَعاك عشان نتناقش في بعض التفاصيل.. أول حاجة بالنسبة لعبد القادر شِحَاتة.. هل لَه عيلة مُمكِن نكفُلها؟

- أمّه وإخواته.

- فيه إعانة هاتُخصص لهم من تبرعات الوفد.. هاحتاج العنوان.. كان فيه كمان البنت اللي شِهدت مَعاه.. اسمها...

- دَولت.

- سَعد باشا مُهتم بأمرها بشكل شَخصي.

- دَولت مُتماسكة.. راحت شهدت بدون علمي فاستبعدتها من النشاط.. أخوها شاب غلبان قبضوا عليه يُوم تنفيذ عَملية عبد القادر ولغاية دلوقت مفيش أي خَبر عَنُّه.. يا ريت لو فيه إمكانية نعرف مَكانه...

- طالما مش مُستدلين على مكانه يبقى اللي قبض عليه مكتب الخدمات مش البوليس.. بيتاخد في الرجلين وبيتنسي في المُعتقل مَا بيتسجلش اسمه ولا يتقدم للنيابة لكن هاحاول أعمل بحث عنه.. هي بينها وبين المتهم كان فيه...؟

قاطَعه: دَولت صعيدية جَدعَة.. كانت مُمكن تِعمل كِده مَعايا شَخصيًّا.. هي بس أخطأت الحسابات.

- عظيم.. ده ينقلنا لنقطة تانية.. الفترة الجَاية لازِم...

قاطعه أحمد: لازِم نكثف العَمليات.

رَمَقه النحاس في صَمت ثم أردف: اعتقال عبد الرحمن بك زائد الوَضع غير المُطَمئِن مع أصدِقائنا في لندن يِخلِّيني أقول...

قاطعه أحمد: لازِم الإنجليز يِعرفوا إن عبد الرحمن بك مِش هو اللي ورا العمليات.. وده أدعى لتنفيذ عَمليات بشكل أوسع.

- السياسة دلوقتي بتقول ننتظر لغاية ما نشوف المُحاكمة رايحة على فين.

التفت لـه أحمـد.. فتـح صفحة فـي الجريـدة علـى عنـوان كبير.. «المؤامرة الكبرى».

- أظن اسـم القضية كفيل بأننا نعـرف المحاكمة رايحة فين.. حُكم الإعدام من أول درجة مَضمون يا مصطفى بك.

زَفر الرَّجل: عندنا مُشكلة تانية.

قالهـا والتقـط مـن حقيبتـه الجِلديـة وَرَقـة مَطويـة وَضَعهـا بجَانب سَاق أحمد.

- الإخطـار ده طِلع إمبـارح بالليل من حِكمداريـة البوليس.. اتوزع على المُخبرين.

التقط أحمد الورقة وقرأ.

سِرّي جدًّا

«أحمـد عبـد الحي كيرة، يَعمَـل كيميائي بمدرسـة الطب، خطير في الاغتيالات السياسـية، فاتح اللون، متوسط القامة وذو شارب وعمره حوالي ٣٨ عامًا.. اقبضوا عليه حيًّا أو ميتًا».

بـلا تعبيـر ابتلع أحمـد ريقه وكـوَّر ما تبقى من شـطيرته فـي الورقة وألقاهـا في سَـلَّة بجانبـه ثم وَضَع ورقـة الإخطار قُـرب النحاس الذي دسَّها في الحقيبة وأردف:

- لازم تختفي الفترة الجاية.

- عَندي صديق في الحُسين هاقعد عنده مُؤقتًا.

- المسـألة ما بقتش تغيير مَكان سكنك.. أعتقد لازم تفكر تبعد أكتر من كِده.

- برَّه البلد؟ ده استبعاد؟

- ما تفهمنيش غلط.. آخر كلمتين في الإخطار مَعناهم بيقول كِده.

- أنا مش جبان.

- ده مـش جُبن.. أنت على قايمة الإنجليـز حي.. أو ميت.. مِحتاج إيه تاني عشان تفكَّر؟

- مِحتاج أعمل عَملية جديدة.

التفت إليه النحاس.. بعصبية همس: أنت ليه مش قادر تفهم إن الدم مش ممكن يخدم المُفاوضات.. العَمليات بتزيد عِناد الاحتلال ورغبته فـي الانتقـام.. المُحتـل عنده بَدل العَسـكري ألـف وبَدل القائـد ميَّة.. العَملية الواحدة بتكلفنا كتير ومش بتؤدي لأي نتائج إيجابية بالعكس... الناس في الشارع هي اللي بتنضر واللي بيموت وينجرح من المصريين أكتـر من الإنجليز.. بُص للي بيعمِله غاندي في الهِند.. السـاتياغراها[1] بتحقق نتيجة حقيقية وبتعمل ضَغط دولي بيحرك القضية بجد.

- مصر مش الهِند.. والساتياغراها فكرة سَلبية.

- طول ما عَدوك أقوى لازم تكون أكتر دهاء.. العُنف بيأذيك أضعافه.

---

(١) السـاتياغراها: مصطلح باللغة السنسـكريتية يتألف من كلمتين «سـاتيا» وهي الحقيقة، و«غراها» وتعني الصمود والتمسـك بالموقف؛ وهي فكـرة المقاومة «اللاعنفية» التي ابتدعهـا المهاتمـا غانـدي لمقاومة الاحتلال والاسـتبداد من خـلال العصيان المدني الشامل وبدون إراقة دماء.

- ده مش رأي سعد باشا اللي في يوم من الأيام وقف ورا عرابي!

- ده رأي الوفد اللي بيحاول يحصل على الاستقلال.. ما تخليش الانتقام يعميك يا ابني.

- سيادتك عارف إن الأرض مش بتشرب الدم.

- أنا عارف تاريخ والدك.. وهو تاريخ مُشرِّف.. لكن.. لكل وقت أدان.. الثائر الحقيقي لازم يكون عارف إمتى ينشط.. وإمتى يهدا عشان المَصلحة العامة.. إحنا مش هانمول حَاليًا أي عمليات سرية.

- يِبقى هاشتغل لوحدي.

- خُد بَالك.. سُقوطك مش هايكون زي سقوط زمايلك.. سقوطك مَعناه سقوط الخيوط كلها.. أنت الوصلة الوحيدة بين المَجموعات.. ما تجازفش.. الوقت حرِج جدًّا.

قام أحمد وزرَّر سُترته: سَعد باشا إزَّيه دلوقت؟

أجابه الرجل بعد لحظات: بيحَارب.. على ترابيزة المفاوضات.

- يبقى هانفضل نحارب وَراه.. لغاية الاستقلال.

رمقه النحاس ولم يُعقِّب فأحنى أحمد رأسه في احترام: نهارك سعيد يا مُصطفى بيه.

قالها وكَبَس طربوشه مُبتعدًا.

سِجن طُرة.. جنوب القاهرة

حِيـن دَخلـت سَـيَّارة الترحيلات إلـى سَـاحة السـجن دَارت حَول نفسـها ثم رَجعـت ببُطء حتَّى بَـات بَابهـا الخلفي في مُواجهـة المَبنى، فَتَح الحرَّاس البَاب الحَديدي وصَاحوا في المَسـاجين فنزلوا تِباعًا وفي أيديهـم وأرجُلهم الأغلال توسـوِس، عَلى يَمين ويَسـار المَمر الطويل وَقـف الحرَّاس وبأيديهم قُضبان حديدية غليظة، يلوِّحون بها في طقس يُعـرف بينهـم بطابـور «الاسـتقبال»، تلقـى أوَّل المَسـاجين ضَربة على ظَهره فركض بقَدر طول أغلال قدميه فتبعه الباقون جَزعًا، انهال عليهم الحـرَّاس ضَربًـا وتحطيمًـا فـذادوا بأيديهم فـوق رءوسـهم مُراوغين، عبد القـادر كان السَّـابع بيـن زُملائـه، رَكَـض بقـوة مُتجنبًـا الضربـات بانحناءات ودَفعات بأيدٍ لا تكاد تصل إلى رأسـه لتحميه، حتَّى تعثر في أغلاله، سَقَط فحاصَرته القضبان الحَديدية ضَربًا إلى أن أغشي عليه.

حين أفاق حَلقوا شَعره بمُوسى ووضعوا في قدميه أغلالًا ثقيلة تصل إلـى ثلاثة كيلوجرامات ثم أودعوه غُرفة حَبس انفرادي.. بَعد ثلاثة أيَّام مِـن الظلمـة الحَالكة انعـدم الزَّمن، فَقـد عبد القادر القُـدرة على تفريق اللَّيل مِن النَّهار وعَدد الأيام، يلتمس أبعَاد الغُرفة الضيِّقة مَرَّة واحِدة في اليَوم حين يتسرَّب ضَوء خافت من كوَّة في بابها الحَديدي القصير عندما ينفتح ليُلقى إليه طَبق حِسـاء ورَغيف متلبِّد يسمونه «الجراية» وكُوز مَاء تجـري فوقه الطفيليات، رَفَض في أول يَوم أن يأكُل، ثم صَرخت مَعدته

ونغزتـه البرودة نِهاية اليَوم الثاني فأقبل .. فِي نِهاية اليـوم الرابـع لـم يَعد يتساءل عن طَبيعة الحِساء بَعـد أن أكَل بنَهم، كما لـم تَعُـد رائحة الدلو الـذي أُتخِـم بفَضَلاتـه تؤثر فيـه .. ثلاثة أيـام أخرى فِي الظلام وبدأت تُهاجمه نوبات الهَلوسـة، ألوان غَريبة تراها حَدقتاه، تتحرك كالسَّراب البَعيـد، تتلـوَّى كنار فِي ريح، ثـم تلتقط أذناه أصوات حَشـرات تحتك أجنحتها فينتفِض، يَصرُخ فِي الفراغ بغَضَب، ثم يَخبط البَاب بهستيريا والحَوائِط، يُنادي استغاثة، يَسُـب كُل مـن قابلهم فِي حَياتـه، وأولهم نَفسه، ثم يَبكي بحُرقة، قبل أن تنتابه مَوجة ضَحِك عَصبية تشرخ رئتيه، ثم يَسكُن، يَهمد، يتمـدَّد علـى البَلاط البَارد فاقـدًا القُدرة علـى التفكير، فاقـدًا الإحساس بالبرودة التي تطعنـه وتتخلَّـل عِظامه، يَمُـد يَده التي لا يراها إلى سَقف لا يَراه، سَقف بدأ يشـك فِي وجوده، قبل أن تتجلى دَولت، تقترب فِي سُكون وتلتقط يده، تحتضنها ثم تتلاشى.

ثم فُتـح البـاب يومًا، الشمـس كانت حَاضرة بذات نفسها، ضَوؤها أعمَى حَدقتيه فصَرَخ برُعب وضَرب الهَواء بيَده فِي هِستيريا حتَّى دَخل ثلاثـة رجـال، بهزال قاومهـم فتلقى رَكلات فـي مَعدتـه ثم سَحَبوه من قدميـه إلـى الخارج قبـل أن يُلقياه عَلـى أرض رَطبة فِي حَمَّام، جرَّدوه من مَلابسـه ثم رشُّوا فوقه بُودرة بيضاء رائحتها نفاذة وفتحوا عليه مِياهًا صَرخ مـن برودتها، أتمـوا تغسيله فوضعوا قُرصًا مُرًّا فِي حلقه ثم كفَّنوه فـي لباس من الخيش وقميص أزرق مَكتوب علـى صَدره رقم قبل أن يودعـوه غرفـة مزدوجة فِي زنزانـة لا تتعدى مساحتها متريـن ونصفًا فِي متريـن، جلس علـى السَّرير السُفلي بجانب جردل الفضلات وفي الحائِـط الأيمن فوقه كوَّة صَغيرة مُغطاة بالشبك الحديدي علـى ارتفاع ثلاثة أمتار، تطل على الزنزانة المُجاورة لها.

بَعـد أيام بـدأ عبد القادر يَستوعِب حياته الجديدة، بحـذر، فهِم من زميـل الزنزانة العَجوز أنه يسكُن فـي عَنابر السِّياسـيين، وأنه هو الآخر مَسـجون منذ سَـبع عشـرة سَـنة في تُهمة الاعتداء على ضابط إنجليزي وينتظـر إتمـام المؤبد، مِثله، عَرف أيضًا أن حياة السِّـجن تبدأ في الفَجر وتنتهـي في الخَامسـة مَسـاءً، تنطفـئ الأنـوار وتخفُت الحَركـة إلا من هَمَسَـات المَسـاجين وسـباب الحرَّاس، عَرف أيضًا أن النقـود الورقية لا قيمة لها، وأن العُملة هُنا هِي السَّجائر، مَن لا يَملك سَجَائره لا يَملك نفسَـه، والأفضـل له أن يَعيش في خِدمة مَسـجون ثري عَلـى أن يُعتدى عليه في الغداة والآصال.

بسـبب هيكله العَريض وتُهمته أوكلوه تقطيع الحِجارة في المحجر، يذهـب فـي الصبـاح الباكر ليقضـي يَومه فـي التكسـير والتحميل حتى مغـرب الشـمس، يرجع فـي طابور مـع مجموعتـه ليسـتحموا جماعيًّا ثـم يتناولوا وجبـة لا تُغني من جـوع.. لازمه الصَّمت والشـرود لأيام، يحـاول أن يتخيل انتهاء الكابوس، بَعثه من عالم الأموات، بعد خمسـة وعشـرين عامًـا، ويتخيـل دولت، ثم تسـتقر عيناه على زَميلـه العَجوز، شَـعره الأبيض وعُوده الفارغ ويَديه المَعروقتين فيَحسِـب سـنين عُمره المتبقيـة حتـى يلقاها فتتهدج أنفاسـه قبل أن يُغمِـض عينيه ويذهب في سُـبات عَميق لا يفيق منه.. ولا يريد.. حتى التقط يومًا هَمسًـا من جدار الغرفة المُجاورة.. هَمسًا ينادي اسمه:

- عبد القادر.

اعتدل عبد القادر ونَظر إلى الكوَّة العَالية فسمع اسمه ثانية.

- مين؟

- اطلع فوق.

قام عبد القادر ينظر للكوَّة الصغيرة: أطلع إزَّاي؟

- لِف طرفين البطانية عُقدة واربطهم في حديد الشباك يِمين وشمال.. مُرجيحة يَعني.

همَّ عبد القادر أن يَعود للنوم قبل أن يتردَّد، سَحَب نفسًا إلى صَدره ثم قَام، صَعَد فوق السَّرير وعَقد أطراف البَطانية بالقُضبان الحَديدية ثم قفز فوق قوسها المُتدلي لأسفل، اتزن فرمق من وَراء القضبان وَجهًا نحيلًا، عَينين واسِعتين فوق أنف حَاد وشارب رفيع، مسحة الضعف لم تُخطئها عَيناه رغم الظلمة، كان يُمسِك القضبان بيَد وباليد الأخرى الناقصة إبهامًا ناول عبد القادر سيجارة.

- امسك.

لم يتردد عبد القادر.. التقط السيجَارة وأشعلها بعُود ثقاب مَمدود:

- تُشكر.

- أنت اللي رَميت القنبلة ع الوزير؟

- أنت مين؟

- أنا واحِد عَملت زيَّك كِده من خمس سنين.. بَس أنا رَميت القُنبلة على السُّلطان ذات نفسه.

قالها ومَد يدًا بأربع أصَابع: مَحسوبك نجيب الأهواني.. مُؤبد في مُحاولة اغتيال السلطان.

استعاد عبد القادر كلِمَات أحمد في الغَابة المُتحجِّرة بالمُقطَّم:

«سنة خمستاشر شاركت زميل ليا في رَمي قنبلة على السُّلطان حسين كَامل..

كنا بنجرَّب القنابل هنا في الغابة برضه.. وفي يوم اتأخر لحظة في رمي القنبلة.. انفجرت بَدري.. شظية منها قطعت صُباعه».

صَافحه عبد القادر فأردف الرجل: أحمد إزَّيه؟

نظر عبد القادر في عينيه بثبات: أحمد مين؟

- الجَرايد بتجيني بَعد ما الظبَّاط يقروها.. الخبر كَتَب عن خَلطة القنبلة بتاعتك عَشان يِعمل سَبق.. الخَلطة دِي ما يِعملهاش في مَصر كُلّها غِير أحمد كيرة.. والعبد لله.. كُنَّا دُفعة واحدة في مدرسة الطب.. شُعبة الكيميا.

- ... أنا مِش عَارف أنت بتتكلم عن مين!

همَّ عبد القادر أن ينزل فابتسم الرَّجل مُستدركًا: أنا أخدت إعدام ولبست البدلة الحمرا شهر.. وما نطقتش.. ولمَّا اتخفف الحُكم لمؤبد بَرضه ما نطقتش.. لو كُنت عَاوز أبيع أحمَد كُنت بِعته من خمس سنين يا صاحبي.

رمقه عبد القادر لدقيقة قبل أن يتكلَّم: أنت عاوز إيه؟

- أنت عارف ليه حَكموا علينا مؤبد مِش إعدام؟

- ليه؟

- عشان اللي بيتعِدم بيعيش.. بيبقى شهيد.. بطل.. أما اللي بيتسجن.. بيموت.. سنتين كمان في طُرة وهاتفهم كلامي.

سَاد الصَّمت دَقائق تأمل فيها عبد القادر العَجوز النائم بجانبه في الزنزانة قبل أن يلتفت للأهواني:

- هو اللي إحنا عَملناه ده صَح؟

- إحنـا يا صاحبـي عَملنا الجَريمـة الوَحيدة اللي لـو كِملت المُتهم يُخـرج بَريء.. وإذا مـا كِملِتش المُتَّهم ياخُد إعـدَام.. لو كنا قتلنا السلطان وكنا مُنظَّمين كان زمانا إحنا اللي بنحكم دلوقت.

- نُحكُم؟ حتَّى لو قتلة؟

- كل اللـي قبلينـا قتلـوا عَشـان يحكمـوا.. مِـش مَحمَّد علـي دَبَح المَماليـك؟ حَد قال له تِلـت التلاتة كام؟ عَشـان تقيم دولة الحق لازمن تزيل الباطِل.. حتى لو بالدم.

- بس إحنا في السِّجن!

- وسـيِّدنا يوسف كان في السِّجن.. بس شـوف ربَّك بعد كِده علَّاه إزَّاي ونَصرُه.. أول خطوة هي إنك تتعزل عن المُجتمع الفاسِـد.. تتأمل.. تفكَّر.. لغاية ما توصل للحقيقة.

- وإيه هي الحقيقة؟

- الحقيقـة مـش تحريـر أرض مـن إنجليـز ولا أتـراك، الاحتـلال كلـه احتـلال، والأرض دي بتاعـة ربنـا، تحريـر مَصـر الحقيقـي تطهيـر النـاس من الخونـة، فكرك المحتـل بيغلبنا بسـلاح؟ أبدًا، بيغلبنـا بالرجَّالـة اللـي استعمر روحهم، الـوزرا الأنجـاس اللي لو ما قتلناهمـش يقـوّوا المحتـل والمَلِك الكَافـر، لازم يكون فيه جماعـة جريئة تقـاوم، طليعة، إحنا الطليعـة دي، وأول خَطوة إننا اتعزلنا هنا عَشان نشوف الأمور بشكل أوضح، افتكر عزلة الرسول في مكَّة تلات سـنين، كانـت المفتاح للخروج مـن الظلم، طالما ربَّك ما حَكمش علينا بالموت، يبقى شايل لنا مُهمَّة أكبر.. افهم.

- ساعات بحِس إنه نسيني.

- أعـوذ باللـه.. فوق يـا صاحبـي.. دَوام الحَـال من المُحَـال.. لمَّا تِفشـل بتفشـل عشـان فرَّطت في حقك.. نغيَّر من نفسـنا والدور هايبقـى بُكـرة ع الظالـم.. يَعني حَـد كَان يِصدَّق إن سَـعد زغلول وزير حُكومة الإنجليز اللي حَمَاه يبقى مُصطفى باشا فهمي راجل الإنجليز الأول في مَصر هو اللي يُطلب الاستقلال!

- عُمري ما فهمتها دي.

- كُل وقت وله أدان.. مَا هو بَرضه ما اتولدش وفي بُقُّه مَعلقة دَهَب.. اتسجن وشِـقي وشاف.. النهاردة السُّـلطان ذات نفسه بيكِش من اسـمه.. إحنا كمان هانخرج يا صاحبي واسمنا هايكبر.. إحنا أول ناس ضحِّينا ما تنساش.

قالها وأشار لكفِّه مقطوعة الإبهام.

- غريبة إن لسَّة فيك أمل!

- طالما ما مُتناش يبقى فيه أمل.. وهايبقى لنا شأن كبير أوي.. أوي.. هافكـرك.. وهانحرر البلد دي من الأوسـاخ.. مـش هانموت هِنا زي الكلاب يا صاحبي.

رغـم الأمل الـذي بثَّه الأهواني فـي نفس عبد القـادر إلا أن الجُملة الأخيـرة قبضـت صَدره: المـوت كالكلاب.. اقشعر بدنه حيـن تخيَّل نفسـه مُلقى فـي حَمَّـام السِّـجن البـارد وعُمـره فـوق السـتين.. مَلفوفًا فـي قُمـاش مُتِّسِـخ ينتظر اسـتلام أحد أقاربـه الجثَّة.. لاحـظ الأهواني شروده فسأله:

- أنت متجوِّز؟

أفاق عبد القادر من شروده: لأ.

- تبقى صَاحب كرسي في الأزبكيَّة.

- كُنت.. وبطَّلت.

- حبِّيت.

- إزَّاي عِرِفت؟

- الراجل ما يبطَّلش زيارة الأزبكيَّة غير لمَّا يحِب بجد.

- وأنت.. متجوِّز؟

- طَلبِت الطَّلاق من سَنتين.. حاكم أنا سِبت الطب واتجوزت.. كنت عاشق مجنون.. اتجوِّزِت هي دلوقتي ومَعاها فاروق.. على اسم السُّلطان الصُّغيَّر.

سَحَب عبد القادر آخر نفس في سيجَارته قبل أن يَطعن الحَائِط ببقاياها.. أردف:

- هاتحِب تقابلها لما تخرج؟

أجاب الأهواني بحَسم: أحِب.. عشان تِعرف إنها ضيَّعِت من إيديها بطل.. وتعرف أنها لو صِبرِت كانت نالِت.

- إزَّاي واثِق من الخروج؟

- البركة في سعد باشا إن شاء الله.

٧:٠٠ صباحًا

نادي الجزيرة.. الزمالك

كَان جَسد آرثر وَكيل حِكمدارية الداخلية مُتماسك العَضلات بالنسبة لرَجُل تجاوز الثامنة والخَمسين، مُنذ حَضَر إلى مِصر وسَكَن جزيرة الزمالك لم يتخلَّ يومًا عَن رياضة الجَري، يَستيقظ بَعد الفجر، يَجري بالبنطلون القصير لِنصف سَاعة حتى في الشتاء قارس البرد، قبل أن يَدخل النادي ليَجلس في «الليدو»، حَمَّام سباحة الكبار ومُلتقى السياسيين وطبقة الأرستقراطي، يَضع نظَّارته الشمسية فوق عَينيه، يَسند رأسه وعَضديه على حَافة الحَوض الكَبير الخالي من المرتادين مُدليًا بجَسده في المِياه الدافئة باسترخاء، يترك الشمس تخضِّب وَجهه بحُمرة على حُمرته وتصَبغ شَعره الكستنائي بلَمعة زاهية، ويمد يده بين الحين والآخر لالتقاط المكسَّرات من طبق عَامر وكأس نبيذ أحمر يرتشفه على مهل.

لحظات وحَضَر صَديق من أبناء جلدته، انزلق بخفة إلى الحوض قبل أن يطلب من النادل زجاجة بيرة، نظر إليه آرثر مُترقبًا قبل أن يتكلَّم:

- قل لي خبر سعيد.

عاجله الرجل: حصل.

اعتـدل آرثـر وارتسـمت علـى شـفتيه ابتسـامـة: لا وقـت للمزاح.. هَل...؟

- قلت.. لك.. حصل.

- وأين هي الآن؟

- مُستلقية في شقَّتي.

أغمض آرثر عَينيه في نشوة ثم زَفر:

- يا إلهي.. أتعرف.. حِين رأيتها للمرَّة الأولى لم أتخيلها سوى في بيتـي رغم حالتهـا المُزرية.. لقد حققت حِلمي يا شـيطان.. كيف فعلتها؟

- النقود اشترت المَسيح يا صديقي.

ضحك آرثر: عِندك حَق.. كَم دفعت؟

- مائـة جنيه مِصري.. أمـا الرحلة إلى الصعيـد لجلبها فكانت بحق شاقة.. لا أعرف كيف يتحمل هؤلاء البشر تلك الشمس!

- سأعوِّضك بسهرة لن تنساها ولكن احكِ لي كيف حالتها؟

- لبؤة فاتنة ستنسـيك فاتنـات لندن.. طوال الطريق لم أَستطع منع نفسي من تأمل منحنياتها المثيرة.

ضَحِك آرثر من التعبير: هل لا يزال مفتاح الحياة في يدها؟

- نعـم.. ويعلـو الرأس قُـرص رَع وثعبان كُوبرا كامل بلا شـروخ.. المِصـري القديم لـم ينس حتـى حفـر حلمَاتهـا تحـت غلالتها الشفافة.. ماذا ستفعل بها؟

- ستسافر مَعي إلى لندن بالطبع.. سيُسعد صُوفيا كثيرًا اقتناء أميرة مِصرية من الألبستر.. لها مكان خالٍ في الصالون الإفريقي.

- عليك الحذر.. فهي ليست مجرد تمثال.. إنها سِخمت يا صَديقي.. إلهة الحرب.

ضَحِكَا وقرعا كأسيهما ثم تجرعاهما قبل أن يَرفعا أيديهما عَاليًا طلبًا للمزيد.. اقترب النادِل منهما يحمل صينية.. وقف للحظات كانت كافية أن يلتفتا حين استقرت في جبهة كُل منهما رصَاصَة أرخت العضلات قبل أن يَطفيا فوق الماء.

سِجن طُرة.. التاسعة صَباحًا

عشرون مِقعدًا خَشبيًّا تراصّوا في أربعة صُفوف تحت سَقف الغُرفة الواسِعة، جَلَس أقارب المَساجين عليها وبجَانبهم سِلال تحوي مأكولات تم تفتيشها بدقة وعلب سجائر مخفيَّة، تترقب أعينهم الباب الحديدي الذي سيأتي مِنه الغائبون الحَاضرون.

دقائق ووسوست الجَنازير فانتبهت الرءوس، انفتح الباب وانهمر المَسَاجين يجرُّون سَلاسلهم كُل يبحث بعينيه عن جذر مقطوع يَصله، عمَّت الفرحة الوجوه وقام ذووهم يتلقفونهم ويحتضنونهم، ضحكات عَصَبية متألمة وأعين ترقرقت وأطفال تلعب حولهم غير مستوعبين الظرف أو المَكَان، لم يتبق غير عبد القادر، وقف وَحيدًا في بدلته الزرقاء وقد حلق شعره وازداد نحافة، يُدير رأسه في المَقاعد بَحثًا

عمَّن طلب زيارته قبل أن يَلتقط يَدًا مَرفوعة من المِقعد في رُكن بجانب نافذة، اقترب مِنها ببُطء تعيقه السلاسل، تأمل خصلة شعر تسللت من تحت وشاح أزرق رائِق وعينين برئتا من الكدمات فتكحَّلت وشفتين حَجَزتا وراءهما الكلمات، جَلس بجانبها بلا كلمة، نظر إلى لَمعة عينيها فابتسمت حتى اضطربت فأشاحت بوجهها إلى حقيبتها تُبعثر ما فيها لتُخرج له الطَّعام.

- وَحشتيني.

خفتت الأصوات من حولهما وتلاشت الجدران.. أردفت: أنت كمان... أوي.. عامل إيه؟

- بتعوِّد يوم بعد يوم.

- سِجنك مش هايطول.. أنت بقيت بطل.. بياعين الجَرايد بيبيعوا صُورك في السِّر.

- مش بافتكر الكلام ده لمَّا بحسِب فاضل لي كَام سنة...

سَكتت لمَّا لم تجد ما تقول.. لحظات قبل أن يَسألها.

- أحمد إزِّيه؟

مدَّت يَدها تحت وشاحها.. عَبثت بخُصلة فأخرجت شَيئًا أخفته في قبضتها.. نَاولته لعبد القادر وهِي تهمِس:

- باعت لك السَّلام.

رَمَق عبد القادر الحرَّاس فوَجدهم مَشغولين عنه ففتح قبضته بهدوء.. بين أصابعه استقر خاتم ذهبي.. خاتم مَحفور بحُروف

إنجليزيـة بارزة.. ARTHUR.. ضَم عبد القـادر قبضته على الخاتم ثم رَمَق دَولت بعينين لمعتا من الدمع غير مصدِّق.. هَمَست:

- النهـاردة الصُّبـح قبـل مـا أجي لـك.. أحمـد بنفسـه.. الخبـر هايتنشر بُكرة.

- أنا مش مصدَّق!

- بيفكّـرك بيوم مـا اتقابلتوا في بيت الأمَّة.. لما قال لك إنه هايجيب لك حقَّك.

ترقرقت عَيناه واهتزَّت أعصابه: هو كويس؟

- نفسه يزورك.. لكن الوضع بقى خطر.. العيون صاحية وفيه إشارة بالقبض عليه.

تأمل الخاتم ثانية قبل أن ينظر في وجهها:

- عارفة...

سكت فتركته.. جال ببصره بعيدًا قبل أن يعود إلى عينيها:

- أوقـات كتيـرة باغضب مِنـك.. بلومـك وأعاتبك أكنِّـك حاضرة قدَّامـي.. أكـن كل اللـي حَصَل فـي حياتي سـببه أنـتِ.. وبعدين أفوق.. وأقول أنتِ كنتِ أعقل.. يِمكن الزمن غلط.. والظروف.. بـس يمكـن لـو كنـتِ جاوبتينـي.. كان... أو يِمكن مـا كنتش... دولـت.. أنا حبيتك بجد... مش زي أي واحدة قابلتها وحياة من جمَّعنـا.. بس ذكرياتي مَعاكِ.. ملهاش ريحة.. ومش عارف أبطل أتوجع.. ولا قادر أبطل ألوم نفسي على اللي عَملته فيكِ.

أغمضت عَينيها مُحاولة تمالك نفسها: عبد القادر... أنا...

- أنا.. يِهمّني أعرف حَاجة.. هاتفرق مَعايا رغم إن ما بقاش فيه حَاجة مُمكن تفرق.. كلامك اللي قلتيه المرة اللي فاتت...

- .... حقيقي يا عبد القادر.

زفر وهو ينظر من النافذة إلى زَميله العجوز في الزنزانة.. يَجلس في باحة السِّجن وحيدًا شاردًا في فراغ.. ينتظر زيارة لم تعُد تأتي.. زيارة ماتت أو يئست.. اسود وجهه فعاد إلى دولت وفي عينيه ألم فابتسمت تخفيفًا:

- فرج ربنا قريب أوي.

- أنا باعرف الأخبار كُلّها وأنا قاعد هنا... هنا فيه ناس منسيين بقالهم عشرين سنة.. وفيه ناس ما بتكمِّلش.. بتموت.. بيغسِّلوهم بخرطوم ويشيَّعوا تلغراف لأهاليهم وبعدين يدفنوهم في تُرب الصدقة... مِش مصدَّق إن ممكن تكون دي نهايتي.

- دي عُمرها ما هاتبقى نهايتك.. سَعد باشا راجِع.. وكل حَاجة هاتتغيَّر.. صدَّقني راجِع.

سَاد الصَّمت بَعد كلِماتها قبل أن يُعلن الحرَّاس أن زمن الزيارة قد انتهى.. نظر في عَينيها:

- أنا طالب منك خِدمة.. ما تقطعيش زيارتي.. لغاية ما تتجوزي.

- عبد القادر...

– أتمنى لـك كل السـعادة..... رغـم إنـي مـش قـادر أتخيلك مع حَد غيري.

قبضت على أصابعه في قوَّة محاولة مَنع عَينيها من البكاء.. لحظات ونادى الحرَّاس بانتهاء الزيارة.. سلتت أصابعها منه فابتسم وهمس:

– خُدي بالك من روحك.. وقولي لأحمد إن هديته دي أغلى هدية.

اختنقت الكلمات في حلقه قبل أن يَسـحبوه إلى طابور.. لم يفارق عَينيها حتى حَالت بينهما القضبان الحديدية.. لمَّا أُغلِق عليه باب زنزانته أخرج من جَيبه خاتم آرثر.. تأمله.. ثم ارتداه وابتسامة ظفر تغزو شفتيه.

سري.. نمرة ٢١٩
القاهرة في ٦ أكتوبر ١٩٢٠
– صَدَر أمس قرار مَحكمة الاستئناف في قضيَّة المؤامرة الكبرى بالحُكم على عبد الرحمن بك فهمي بخمسة عشر عامًا.

مصطفى النحَّاس

بعد يَومين.. عَنابر السِّكك الحَديدية ببولاق

انطلقت صفَّارة انتهاء الدوام فخرج العمَّال، طُوفان من السترات الزرقاء والوجوه المغبَّرة تتدافع ببُطء في لحظة حَشر حَقيقية تفرَّقوا بعدها كلٌّ إلى اتجاه، بَعد دقائق هدأت الحركة وانتشرت الجُموع، قبل أن يُغلِق العنبر بابه خرج إسحاق، فوق رأسه قبعة وفي يَده حقيبة جِلدية صَغيرة تكفي لاحتواء عُبوة فارغة من الزنك تصلُح قنبلة، مَشى مَسافة كبيرة حتَّى ركب ترامًا قرَّبه من بَيته، هَبط مِنه في ميدان مُزدحم فوَجد عَلى الرَّصيف شَابًّا يَرتدي جِلبابًا وفي يَده جَردل غِراء وفُرشة، يَلصق إعلانًا عَلى عَامود نور، إعلانًا فيه وَجه مَألوف، اقترب مِن الشَّاب الذي أتم عَمله ونظر للورقة التي تتوسطها صورة، صورة لأحمد كيرة ترجِع لأعوَام مَضَت، كَان فيها أنحف وشاربه أقل كثافة، قرأ الكلمات المكتوبة تحت الصورة:

> **مُكافأة ٥٠٠٠ ج. م**
>
> «تُعطى مُكافأة خمسَة آلاف جُنيه مِصري لمَن يقدم مَعلومات تؤدي إلى القبض عَلى أحمَد عَبد الحَي كِيرة، يَعمَل كيميائيًّا بمَدرسة الطب، فاتح اللون، متوسط القامة وذو شارب وعُمره حوالي ٣٨ عامًا، خَطير في الاغتيالات السياسية ومشتبه في تورطه بقتل آرثر باشا وكيل حِكمدار العاصمة، كل من يقدم هذه المَعلومات يَكون مَشمولًا بالحماية التامة والسرية ولا يُستدعى أمام أي هيئة تحقيق رسمية أو قضائية».

اقشعر بَدن إسحاق فنظر حوله قبل أن ينتزع الورقة من الحائط ويدسَّها في جيبه ويَمضي مُبتعدًا.

اصطفَّت الأجسَاد في طَابور طَويل على الرَّصيف المُلاصِق للبوَّابة الخشبية الكبيرة، مَلابس رَثَّة وقبَّعات بَالية وأبدان أكلها الجُوع من وقت الحَرب ثم الثورة.. كَانت الجَمعية الخَيرية قد أعلَنت مُنذ أيام عَن تقديم إعَانة لرَعَايا الكَنيسة الأرمنية لمُواجهة البَرد، لحاف ومَصل مُقوٍّ ووَجبة مُشبِعة، تهافتت الجُموع حتَّى من غير المَسيحيين فتجاوزت الجَمعية شرط الانتماء للجَالية وفتَحت أبوابها للجَميع.. بالدَّاخل كان الدِّفء طَاغيًا والهَمَسات، الوُجوه كَالِحة واجِمَة والأعيُن جَاحِظة يَصبغها وَهَج الشُّموع بصُفرة على صُفرة الفقر، يرمقون بَعضهم في جُمود، يتكلمون بدون كلمات، ثم يبتسمون في تعاسة حين يلتحفون الغِطاء ويتلقون المَصل في أوردة نحيلة غاطسة قبل أن تُحيط أيديهم طبق الشوربة السَاخِن ويقضِمون قطعة خُبز مع مُكعَّب لحم، يتلقون وَجبتهم العَزيزة من أيدي ثلاث فتيات يقفن خلف مَائِدة تحمل القدور الساخنة ويرتدين زيًّا مُوحَّدًا، ثوبًا رماديًّا مَائلًا للزرقة وغِطاء رأس أبيض وفوق أنوفهن كمامات تحميهن من الأمراض.

لمَّا أصبح على بُعد مترين من المِنضدة نظر إلى عَينيها فوق الكمامة، لم يُخطئ الوجوم البادي في الحدقتين الفيروزتين، اقترب حتى بات أمامها وبدون أن ترفع وَجهها التقطت طبقه المَمدود وصبَّت الشوربة فيه، لمَّا تأخر عن الالتقاط نظرت إليه حتى عَرفته، ارتجفت عيناها

وتهدَّجـت الكمامة أمام أنفها وهي تتأمل ذقنـه الكثيف والنظارة الطبية المُستديرة التي يرتديها! عاجلها:

- هاستنَّاكي برَّه.

وسحَبَ طَبَقه ثم ابتعد.

فـي كَابينة التـرام جلسـت بجَانبـه، دَقائق لم يتبَـادلا أثناءهـا كَلمة، يَسترِق النظر إلى صَفحَة وَجهها ولا تلتفت، فقط الصليب فوق صدرها يَعلـو ويَهبـط باضطـراب رَغم الهـدوء البـادي عليها، نزلا ثـم دلفا إلى مَطعَم إيطالي جَلَس فيه من قبل مع نازلي، وَضَعَت كرامتها على المائدة بجانب طَربوشه، طلبت حليبًا وطلب قهوة، تأمل بشرتها الشفافة، عَينيها التي تعكس مُربعات المفـرش البيضاء والحَمراء، وأناملها الرقيقة التي ترتعش قلقًا على جوانب الكأس الفارغة.

- رَاهبة؟

هزَّت رأسَها بنعم ثم نظرت في وجهه: ليش مِتنكَّر؟

- البُوليس بيدوَّر عليا.

- عَملت شيء غلط؟

ابتسم: اتخانقت مع ظابط إنجليزي.

- كِيف عِرفت مَكاني؟

- قلتِ مرَّة إنه اتعرض عَليكِ شُـغل في الجَمعيـة الأرمنية.. فكَّرت أكيد هلاقيكي هِناك.

- ذاكرتك هايلة! شو جَابَك يا أحمَد؟

- جَاي أشوفِك يا لينا.. ولَّا ورد؟

- أرجوك.. إذا كُنت جاي تعاتب أنا فيَّا اللي مِكفيني.

- أنا مش جَاي أعاتبك.. أنا بدوَّر عَليكِ مِن آخر يُوم كُنَّا مع بَعض.. لفِّيت عَليكِ الصَّالات كلها.. مفيش مسرح ما دخلتوش.

- وشو بدك بكل ها التعب؟

- ما قدرتش أتخيل إنك تختفي من حَياتي بالسُّهولة دي.

هَربت من عَينيه إلى ما وراء زُجاج المَطعم: كلام.

- أنتِ مش فاهمة حاجة.

ترقرقت عيناها فالتفتت إليه: فهِّمني.. فهِّمني ليش في اللَّحظة اللي احتجتك فيها رَفضت تكون مَعي.. تركتني لحالي ورُحت.. فهِّمني ليش عم تتعب حالك هلا وتدور علي؟ إحساس بالذنب؟

- زي مَا عندِك الجَانب اللي بتخبِّيه يا لينا.. أنا كَمَان عندي جَانب بخبِّيه.

- والجانب اللي بتعرفوا عني طبعًا يخلِّيني مش لايقة! أنا كنت عارفه إنك رح تستعر مني وصدقني لو بقولك ما انصدمت.

- أنا عِرفت اللي اتعرضتي له.. ومتخيل ألمك.. وكفاية إنك قاومتي.. ليه ما حكتيش؟

- عُمر ما الراجل بينسى مَاضي واحدة.. مَهما حَاول يتظاهر بالعكس.. رح يضل دايمًا متذكر إنها كانت في يوم من الأيام مشاع.. وإن كل جزء فيها مش هو أول واحد لمسه.. حتى لو مو ذنبها.

- مَاضيكي ما يخصِّنيش في حَاجة.. أنا دورت عليكِ بعد ما عرفت اللي حَصَل لك.. صدَّقيني.. أنا ماكنتش أعرف إني بحبِّك.

- مو صَحيح.. أنت بتحِب واحدة تانية.

- كُنت.. كُنت بحِب.. حِلم غريب.. نسيته مَعاكِ.

أغمضت عينيها للحظات ثم تكلمت:

- إيش الجانب اللي ما أعرفوش عنَّك؟

سَحَب نفسًا ورَجَع بظهره إلى الكُرسي ينظر في وَجهٍ غزاه الألم والتخبط.. لمَّا طالت اللحظات أردفت:

- مش مُجبر تِحكي!

- أنا محتاج أحكي لأني مِحتاج أحس إني عايش.. وإني مُمكن أسند على كتف حَد.. أنا تعبت إني دَايمًا لوحدي.. تعبت من شكِّي في أقرب الناس ليا.. تعبت إني أنام بعين مَفتوحة وعين مَقفولة.. أنتِ الوحيدة اللي حسيت بالراحة مَعاها.

- إشمعنى أنا؟

- تصدَّقيني لو قلت لك مِش عارف.. يمكن عشان أنتِ البني آدم الوَحيد اللي دَخَل حَياتي من غير مَا يِستأذن.

قالها وسَكَت.. تركته ينظم نفسه حتى تكلَّم: أنا اترددت وإحنا بنرقص في الكافيه لنفس السَّبب اللي بَاعتني هي عَشانه.. كانت بتحبِّ حَد مَا تعرفهوش.. خبِّيت عَنها حَقيقتي.. ولمَّا عرفت ما سامحتنيش.

- ليش ما صارحتها؟

- ما ينفعش.

- عُمرك ما رح تنساها.

- صدَّقيني.. لحظة ما كُنا بنرقُص كُنت فِعلًا نسيتها.. بس لما سألتيني لقيت نفسي بكرَّر نفس الخطأ مَعاكِ.. بعرَّفك بشخصية ما تشبهنيش.. واحد أنا نفسي ما أعرفوش.

- على العموم ما ضَل مَطرح للحكي.. كل شيء انتهى.

- حتَّى لو مِش عَاوزة تشوفيني تاني.. أنا حَابب إنك تعرفي أحمد الحقيقي.

ارتعشت أصابعها رَغمًا عَنها.. نظرت في عَينيه دقيقة فاقترب واحتضن أطراف أصابعها براحته ثم أردف:

- أنا اسمي أحمد عبد الحي كيرة... مواليد ١٨٨٢...

لَم يَكن يتوقَّع أن يَأتي عَليه يَوم يَفتح فيه حُجراته المُظلِمة.. يُزيل العناكب التي ربَّاها وأطعَمَها بيديه لتغزل الخيوط في وجه المتطفلين.. يغلق فِخاخ الدببة ويمسح سموم الفئران المدسوسة في الأركان ثم يكنس المسامير المنثورة على الأرضية.

حَكى عن حياة أخرى غير التي حكاها لنازلي.. حَياته التي يظن أنه يعيشها.. بلا تفاصيل.. عرَّفها أن الدماء حقيقة لا تَجري في عُروقه.. بل بين يديه.. دِماء إنجليزية زرقاء وأحيانًا يضطر للدماء الحمراء إذا تضوَّر جوعًا.

عرَّفها أن حياته تُشبه كثيرًا حياة الذئاب.. وأن من يفقدهم يَوميًّا من القطيع أكثر ممن يكتسبهم.. عرَّفها أن دموعه خرافة يتداولها الناس،

وأنه بالفعل يفتقد جريانها على وجهه.. عرفها أن الحب في حياته لم يكن واردًا وأنه كَان نظرية خَرقاء تثير السُّخرية في نفسه والشعور بالضعف.. حتى نبض قلبه يومًا بلا اتفاق.. حِلم غريب مثير مزدحم بالتفاصيل.. حلم غاص فيه وثَمِل حتى تلقى طَعنة أيقظته.. قام من غفوته كَافرًا بالأنثى وبالحُب وبالحياة.. وبنفسه.. أدرك أنه الطفل الذي عَشِق القمر وظن كُل الظَّن أنه قريب حين احتوته أصَابعه فقبض ولم يجد غير سَراب وسُخرية.. ساذج أخرق أدرك متأخرًا أن القمر في السَّماء وأنه حَجر مُرصَّع بالحُفر وله وَجه مُظلم نظنه فَضاء.

ثم عَرَّفها أنها فتاة تسير على الأرض.

وأن فيروز عَينيها وذهب بشرتها والرقة التي خُرِط بها خَصرها ليسوا أجمل ما فيها.. فكم جَميلة صادف ولم يقنع القلب! وكم فاتنة قابل ولم تحرِّضه على الحياة.. تحرقه مثلها.. تغرقه فيها.. ترويه وتغسله.. تصالحه على نفسه.. مثلها.. رغبته فيها نَمَت بدون ماء.. بدون هواء.. بدون أرض.. عِشق توغَّل حتى النخاع حين ظن يومًا أنه لن يراها.

واليوم بات العشق درجات تنتهي.. عند أطراف قدميها.

سَمِعَت قصَّته فغاصَت في الكُرسي.. غَرقت حتى لامَسَت القاع ولمَّا سَكت طفت.. نظرت في عينيه ثم شهقت.. ترقرقت حدقتاها فانسلَّت أصَابعها من أصَابعه إلى الصَّليب المعلق في رَقبتها.. ضَمَّته في راحتها وهَمَست:

- حقيقتك.. مَا رح هاتغيرك عَندي.. المُهم أنت هلا هون.. لكن...

- اتأخرت؟

- ...!

ارتعشت شفتاه بابتسامة: لينا.

- ورد.. اسمي ورد يا أحمد.

ابتسم وطأطأ رأسه إلى المائدة ثم نظر وراء النافذة مُحاولًا منع عَينيه من الانفلات قبل أن ينظر إليها.. أردف:

- أنا يِمكن أسافر يا وَرد.. سَفر طويل.

- على وين؟

- لسَّة ما قرَّرتش.

- مش رَح أشوفك تاني؟

- مين عارف!

قامت.. عَدلت من وضع الوشاح الأبيض فوق رأسها والتقطت حقيبتها: تعرف مَكاني.. خلِّي بالك على نفسك.

خرجت من المطعم فتابعها من خلف الزجاج حتى تلاشت.

مِيناء الإسكندرية.. صَباح اليوم التالي

لم تُبطئ الأمطَار نَشاط عُمَّال الشَّحن والتفريغ أمام البَاخرة العِملاقة «سردينيا»، يَنقلون إلى جَوفها شُحنات قُطن وحُبوب ستصنَّع في أوربا ثم يُعاد تصديرها إلى مِصر ملابس وأطعمة.. أمام الباب الخاص بالمُسافرين وقف ضَابِط إنجليزي يفحص بدِقَّة جوازات السفر، يَمتد أمامه طابور طويل يتحرك ببُطء بسبب تشديد الحكومة الإنجليزية على السفر منذ بداية الحرب رغبة في مَنع التجسس أو هُروب ذوي المَواهب المفيدة، لَحَظات واقترب من الضابط رجل كثّ اللحية فوق عَينيه نظارة طِبيَّة مُستديرة.

- بونچورنو.

ألقاها وناوله جواز سَفر إيطاليًّا.. نظر الضابط في الصُّورة الشمسية ثم في وَجه المُسافر.

- أين تعيش في صقلية يا سنيور باولو؟

- سانتا آنا.. بقرب الكاتدرائية.

- ومَاذا تفعل في مصر؟

- تجارة حُرَّة.. لي سَبع حَاويات من الحُبوب في الباخرة.

مَد الضابط يَديه بالباسبور:

- يَحيا تشيزاري مُوري[١].

أجابه أحمد بابتسامة من خلف لحيته: يَحيا تشيزاري مُوري.

رُفعت المَرساة وحُلَّت الحِبال فتأمل الإسكندرية تبتعِد، اجتاحه الصَّمت وعانى صَدره فراغًا مُوجِعًا فأشعل سيجَارة لم يَسحب مِنها نفسًا حتى بَات الشاطئ في حَجم عُقبها، ثم انطبقت السَّماء عَلى الأرض.

في الساعات الأولى حاول استيعاب أقدار رَمَت به في البحر، يتمِّم كل سَاعة على الذَّقن المُستعار ومسدَّسه المربوط بحزام إلى ساقه ويتجنَّب الحوارات قدر المُستطاع حِفاظًا على حَصيلة الإيطالية المُتواضِعة التي يُجيدها، ثم ينزل عليه الليل فتتراءى له حَبيباته في النجوم، الأولى اغتصبها الإنجليز، الثانية تزوَّجت مَلكًا والثالثة زفَّت نفسها لمَسيح في السماء!

لمَّا رَسَت الباخرة في مرفأ صَقلية تسلَّل أحمد إلى سَفينة ألقته في ميناء «هَامبورج» ثم رَكب مَركبًا صَغيرًا حَمله إلى «إسطنبول»، ما إن لامس بلاط الشارع حتى بدأت مُهمته الأساسيَّة.. الاختفاء.

---

(١) تشيزاري موري: مُحافظ خلال الفترة الفاشية في إيطاليا عُرِف عنه الحزم في التعامل مع عائلات المافيا حتَّى سُمِّي بالمُحافظ الحديدي.

مَـرَّت الأيـام علـى مِصـر ثقيلـة، تترقَّب مفاوضـات لنـدن بفضول الأطفـال أمـام عَرائـس صُنـدوق الدمـى، معركـة مَلحمية بيـن بَطلهم الفارس الشـعبي سَـعد وغريمه الشـرير مِلنر، عَرض طويل شاق أنهك المتفرجيـن وحَطَّـم معنوياتهـم، البحـث عـن صِيغـة اسـتقلال تُرضي طرفي المُفاوضات - احتلالًا ومُحتلًا - صار سَرابًا كلَّما اقتربوا منه لم يجدوا عنده ماء، تمسـك كل من الرجلين بموقفه حتَّى انكسـرت مَائدة المفاوضات فغادر سَعد لندن عائدًا إلى مصر، استُقبِل استقبال الأبطال مُنذ وطئ الإسـكندرية وقرر اسـتئناف مَعركته من أرضه التي غاب عنها زمنًا، ومَا هي إلا أيام وفشـلت المفاوضات بين ملنر وعدلي باشـا يكن المُمثـل الحُكومـي لِمِصـر لأن الأخير خَشـي أن يَقبل بما رَفضه سَـعد فيُكتب عند الناس مُتهاونًا في طلب الاستقلال.

أمـا الإنجليز فكان عليهم إنجاح المُفاوضـات، بأي ثمن، للحَد من فُرصة حُدوث ثورة مِثل التي حدثت في مارس ١٩١٩، العقبة الوحيدة لم تكن سـوى سـعد العنيد وشـعبيته، سَـاقوا إليه أصدقاءه قبل الأعداء يُنذرونـه ويهدِّدونه مَغبـة تصليب رأيه فأبـى، ضَيَّقوا عليـه حُرِّيته للحَد من إثارته للنفوس ضِد الاسـتقلال المنقوص الذين يُروجون له قبل أن يَضطـروا إلـى نفيه مرَّة أخرى إلي جزيرة سيشـل، فطالما بقى سَـعد في مصر فإن السياسيين «المعتدلين» سيخشون الاتفاق مع إنجلترا.

وعمَّت الإضرابات مِصر مرة أخرى.

ثـورة ثانية أكثر نضجًا، استـعملت المُقاطعة فيهـا للمَرة الأولى ضِد كل مـا هـو إنجليزي، مَحلات، بنوك، سُفُن، شـركات تأميـن وتجارة، بدايات عِصيان مَدني عَجَّلت باسـتقالة وزارة عدلي باشا يكن ولـم يَقبل أحـد بعده أن يشـكل وزارة، فالقبـول يَعني التفريط فيمـا أجمَعَت عليه القوى الوطنية.

التفريط في سَعد زغلول.

مَع الضَغط الشـعبي كان على البريطانيين عَقـد صَفقة.. تصريح من طـرف واحد لم يَجـرؤ على توقيعه إلا سُـلطان أراد أن يُصبِح ملِكًا وأن تُصبِح الولاية في ذرِّيته بَعدما رُزِق بذكر.. تصريح ٢٨ فبراير ١٩٢٢م.. وبنـوده إلغـاء الحِمايـة علـى مِصـر والاعتراف بهـا دَولة مُسـتقلة ذات سِـيادة، إلغاء الأحكام العرفية، تهيئة البلاد لحياة دسـتورية برلمانية عَن طريق وضـع دسـتور للبلاد وإجـراء انتخابات برلمانيـة.. مع الاحتفاظ بتحفظات أربعة تقضي على كل ما فات:

- الحق في تأمين مُواصلات الإمبراطورية البريطانية في مِصر.
- الحق في الدفاع عن مصر ضد أي اعتداءات أو تدخلات خارجية.
- الحق في حماية المصالح الأجنبية في مصر وحماية الأقليات.
- الحق في التصرف في السودان.

تحفظـات أرجعـت البلاد إلـى حالة ما قبـل الحرب «مقابـل» عَلم أخضر جَديد بهلال واحِد بَدلًا من الأحمر العُثماني بأهلَّته الثلاثة، لقب مَملكة بَدلًا من سَـلطنة، دسـتور تم تمريره بسلاسـة في غياب المُزعِج سـعد، ومادة في نظام الأسـرة المالكـة تُبقي العرش في ذريـة أكبر أبناء جلالة ملك مصر وسيد النوبة وكردفان ودارفور.. «فؤاد».

سـعِد «فـؤاد» بإعـلان اسـتقلال بِـلاده فأقـام احتفـالات - قاطعها

الشعب - وتوافدت رُسل الدِّول الأجنبية لتقديم التهاني، قابل الملك الرجال وأرسل السيِّدات إلى الحَرملك لتهنئة المَلكة «نازلي»، جِذع نَخره السُّوس من الداخل وترك الوجه بملامِح دُمية رُسِمت على شفتيها ابتسامة مزمنة لن تتغيَّر حتى ولو أُلقيت من نافذة، تقف في القاعة البيزنطية بقصر عابدين مُنتصبة هَادئة والتاج الجَديد منغرز في رأسها، تُحيِّي السيِّدات الرَّاكِعات بكلِمات مَحفوظة وتلقي كُل بضع دقائق نظرة على صَغيرها النائِم بين يَد مُربِّيته مِسز تايلور لتراه المَدعوات، تنتهي المَراسِم لتخلع زينتها وتنتزِع تاجها وتستلقي على فراشها واجمة قبل أن تسمع خطواته قادمة، يَخلع طربوشه وبدلة التشريفة والخاتم ليَسقط بثقله فوقها بدون كلمة، تنغرز سلسلة حرف الـ N في مَنابت صَدرها، ببطء، بألم، بصُعوبة وبين لَحظات الصُّعود والهبوط فوقها تَسحب لرئتيها نفسًا يُبقيها في مَنطِقة الوَعي وتتذكَّر لحظة أهداها أحمد السلسلة، تراه وهو يُخرجها بسحره من وراء أذنها، أصابعهما المتشابكة في شارع عماد الدين، قُبلة قَصر البارون خلف التمثال الرخامي، ثم تفيق على خوار في وَجهها يحمل عَبَق تبغ ملكي، ينفث شهوته ثم ينتهي فيَرتمي فوق صَدرها كالقتيل، يَذهب في سِنة قبل أن يوقِظه شَخيره بالكاد قبل أن يتوقف قلبها بلحظات! يفيق فينظر إليها كأنه يَراها لأوَّل مرَّة، ثم يتَدارك نفسه فيقوم ليُشعِل غليونه.. بلا كلمة.. تغمض عَينيها مُقاوِمة التقيؤ من بقايا رائحته وتتكوم على نفسها كالجنين حتى يَخرج إلى غُرفته فتقوم إلى الحمَّام، تفتح مِياه الدُّش فوق رأسها دَهرًا، تغسل بَصمَاته وصَفعاته قبل أن تشعِل سِيجارة، تتأمل من بين دُخَّانها صُورتها المُبهمة في المِرآة، تمسح البُخار لترى وَجهًا، عينين، وجُروح غرز التاج في جَبهة.. وخيوط بيت العنكبوت!

١٦ سبتمبر ١٩٢٣م

«إلحق يا جدع.. إلحق يا جدع.. عودة سَعد باشا زغلول غدًا.. عَودة الباشا ورِفاقه إلى مَصر غدًا.. إلحق يا جَدع».

مَا إن نطقها الطِفل النحيل حتَّى هَجم الناس عليه يتخطَّفون الجَريدة منه ليتأكدوا الخَبر.

> **«أبحَر سَعد باشا يوم ١٢ سبتمبر من ميناء مَارسيليا على ظهر الباخرة «لوتس» قاصدًا مِصر، تصحَبه حرمه المَصون السيدة صَفيَّة زغلول وبصُحبتها السيدة هُدى شَعراوي وبَعض إخوانه مِن أعضاء الوفد».**

في اليوم التالي وَصلت البَاخرة التي تقل سَعد إلى الإسكندرية، استقبله الشَّعب استقبالًا فاق استقباله بعد نفيه الأول، طَافوا بمَوكبه شوارع الإسكندرية يتأمل الجموع من سيارته يُحييهم ويتلقى الورود والهتافات حتى نزل في فندق كلاريدج، استراح حتى العَاشرة مَساءً قبل أن يتوجَّه إلى قصر المُنتزه حيث كان المَلك فؤاد في انتظاره..

دَخَل سَعد باشا مُتوكئًا عَلى عَصَاته أكثر مِن ذي قبل، مُقاومًا آلام عظام ورَعشة في أصَابعه تليق برَجل في الثانية والسَّبعين، استقبله تشريفاتي القصر والمُوظفون بحفاوة وحَماس قبل أن يَدخل غرفة المَكتب التي

تعمَّـد فـؤاد أن يترُكه فيها لعَشـر دَقائق قبـل أن يفتح التشـريفاتي الباب ليُعلِـن أن جلالة الملك في الطرقة فقام سـعد، التقطت أذناه الخُطوات الواثِقة قبل أن يدلف من الباب وجه منتفخ متورِّد وشارب آنف، تقابلت الأيدي تحت النَّجفة الكَبيرة.

- سَعد بَاشا.

- جَلالة المَلِك.

- أصبحت عجوزًا يا صَديقي!

قالهـا فـؤاد بالفرنسـية فأجابـه سـعد بمثلهـا: من لـم يَمُـت صَغيرا يتحمل كثيرًا.

- لن تتخيَّل مَدى اشـتياقي لسَهرة من سَهرات كلوب محمد عَلي.. أفتقد تلك الأيام بشدَّة.. كنت أكيل لك الهزيمة وراء الهزيمة.

- كانت أيامًا جميلة يا جلالة الملك.

استويا على كُرسيين مُتقابلين أمام تِمثال نِصفي للخديوي إسماعيل، والد المَلك، استأذن التشـريفاتي لدُخول صِينية تحمِل الشَّاي، وَضَعها السُّفرجي ثم أغلق الباب عليهما، أشعل فؤاد غليونه بهدوء ثم تكلَّم:

- كيف كَانت رِحلة العَودة؟

- مُجهِدة.. لكن استقبال الناس جَعلها هيِّنة على قلبي.

- أتمنى أن تكون آخر رَحلات النفي.

- أتمنى.. ولو أنني لا أظن!

ضحك فؤاد: ومن سينفيك غيري بَعدما حَصلنا على الاستقلال؟

- جَلالة الملك! الإنجليز ما زالوا يَرتعون في شوارِعنا.

- بنود الاستقلال تعطيهم الحق في الدفاع عن مصر ضد أي اعتداءات أو تدخلات خارجية.

- جلالتك.. إنني أحفظ جيدًا بنود الاستقلال المَنقوص.

رمقه فؤاد لثوانٍ ثم هز رأسه: لم تخيِّب ظنِّي يا صديقي القديم.. سعد هو سعد.. عنيد لا تغيِّره الأيام ولا تزيده التجارب خِبرة.

- جَلالتك تسمِّي المُطالبة بالاستقلال التام قلَّة خبرة؟!

- بل وقِلة بصيرة.. يَبدو أن الجموع التي هتفت باسمك.. وأتكلم هنا عن الجُموع التي يُموِّلها رجالك من التبرعات.. قد حَجَبَت عَنك حقيقة جَلية.. حقيقة أن ذلك الشعب لا يَعنيه استقلال تام أو يشعر باختلاف إذا اختفى الإنجليز من الوجود.. ذلك الشعب الطيب يُريد حَياة مُستقرة هادئة.. حياة أفسدتها أنت عليه منذ أربع سنوات حين جلبت موضة الثورة إليه.

- الثورة ليست موضة.

قام فؤاد مُحتدًّا: بل مُوضة من لا مَنصب له.. من يفتقر للاهتمام.. من فشل من قبل وراء عُرابي.. من انزوى عن المناصب فأراد أن يُشعل الشوارع ليُضيء دُنياه المُظلمة غير عَابئ بالعواقِب.

قام سعد: جلالتك.. إن الثمن الذي ندفعه من دمائنا هو الذي سيحقق لنا الحُرِّية في النهاية.

- حرِّية!!!

تمشى فؤاد حتى النافذة ونظر من خلالها لثوان قبل أن يلتفت لسعد.. قال بهدوء:

- هل تعلم أن أبي الخديوي إسماعيل كان ينوي إعلان استقلال مِصر في الوليمة الكبرى التي أقامها بمناسبة حفل افتتاح قناة السويس والتي دُعي إليها ملوك وملكات العالم؟

- سمِعت تلك الرواية.

- أتعرف لِمَ تراجع؟ خوفًا من كَلمة دمائنا التي تنطقها ولا تعرف ثمنها.. خوفًا على مصر.. والآن وبعد خمس وخمسين سنة وصلنا إلى عقد مُعاهدة مع إنجلترا فيها فائدة للفريقين.. فيكون لهم ما يريدونه في القناة ويكون لنا حُكم البلاد.. فتأتي أنت لتقول دماؤنا ستحقق الحرية!!

- أنا لا أنوي إشعال الشوارع أو إراقة الدماء.

- وماذا ستفعل إذن؟ الثورات لا يُراق فيها ماء الورد.

- سأدخل الانتخابات البرلمانية.

ضحك فؤاد: لقد عرفت جميع أنواع الناس، أمراء، عُمَّالًا، سائقي المركبات، فلاحي الحقول، جنودًا وقوَّادًا، عرفت الفقر، وأعرف أن ما تنوي فعله لا يمُت بصِلة للمَصلحة العَامة، بدلًا من أن ننهض ونبني تريد أنت أن تُشعِل ثورتك الجديدة في البرلمان.

- فلندع الشَّعب يقول كَلمته.

قام فؤاد منهيًا المُقابلة: لن تصل للبرلمان طالما كنت أنا فوق ذلك الكُرسي.

- فليمـدُد اللـه في عُمـر جلالتك.. أسـتأذن مَـولاي فـي الرَّحيل.. جسدي في حاجة إلى راحة من عناء السفر.

لم يُعقِّب فؤاد، أشاح بوجهه واتجه إلى الشُّرفة، فتح بابها وخرج إلى الهواء، خرج سَعد مـن الغرفة فاستقبله التشريفاتي ليُوصله إلى سيَّارته، مَشـى طرقة طويلة حتى التقطت أذناه وقع أقدام أنثى تقترب، وصيفة من وصيفات القصر همست في أذن سَعد:

- جَلالـة المَلكـة باعته رِسـالة.. وبتعتـذر لمَعاليك إنهـا مَا قدرتش تيجي لظروف خارجة عن إرادتها.

دسَّ سَعد الرسَالة في جَيبه وخَرَج إلى مَمشى رَكِب في نهايته سَيَّارة فيما كَانت نازلي تُتابعه مِن وَراء سَتائر شُرفة بَعيدة عَالية، تحركت السيارة ففتح الرسالة، لم يكن مَكتوب فيها غير كَلِمَات قليلة بدون إمضاء:

«بابا.. حَمد الله على السَّلامة.. ادعي لي.. وسامحني».

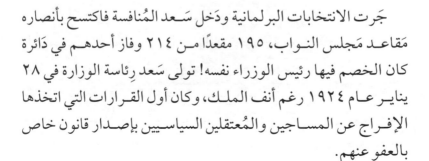

جَرت الانتخابات البرلمانية ودَخل سَعد المُنافسة فاكتسح بأنصاره مَقاعد مَجلس النواب، ١٩٥ مقعدًا من ٢١٤ وفاز أحدهم في دَائرة كان الخصم فيها رئيس الوزراء نفسه! تولى سَعد رِئاسة الوزارة في ٢٨ يناير عام ١٩٢٤ رغم أنف الملك، وكان أول القرارات التي اتخذها الإفراج عن المساجين والمُعتقلين السياسيين بإصدار قانون خاص بالعفو عنهم.

سِجن قرَّة مِيدان.. القلعة

- يَاسين.. يَاسين...

انتبـه فـي مُنتصف النِّداء الثالث فقام من فـوق البلاط البارد واقترب من الباب المَفتوح.

- أنت اتطرشت؟!

- ...

- إفراج.

- هه!!

- إفراج.. عفو.. هاتخرج.. هاتروَّح على بلدك...

هزَّ رأسَـه ولـم يُعقِّب، سَـحَبه الحَـارس خَـارج الزنزانـة فرَفع أمام الشَّـمس يَـدًا يَحجبها، أنهوا إجـراءات خُروجه مع عَدد مـن المُعتقلين قبـل أن يَلفظوهـم في شَـارع، لم تكـن مَعه نقـود حين اعتقلـوه فوَقف سَاعتين يُحملق في الفراغ قبل أن يمشي، ليومين مُتواصلين! نام ليلة في مَسجد وأخرى علـى رَصيـف وفـي الثالثة استلقى فـوق ظَهـر قِطـار «قشَّـاش» يترجـرج به في رتابة، يتابع سـماء تمر فوقه وسـحابًا مُختلطًا بدُخـان الفَحـم، ويَجتر شـهورًا مَضت، شـهورًا لـم يُغمِض فيهـا عينيه لحظـة، ازداد نحافـة وهـزالًا، وجَمع في ظهره توقيعات سـياط مصرية

بجانب السياط الإنجليزية، بحثوا تحت جلده عن مَعلومة لا يملكها ووراء عَينيه عن آخر يدَّعيه حتى يَئسوا منه فألقوه في زنزانة ضَيِّقة خَالية ما لبثت أن ازدَحَمَت برفاقه الذين قتلتهم يَداه! في الأيام الأولى اكتفوا بالنظر إليه صَامتين، قبل أن يَبدأ الهَمس بينهم، وَسوَسة رَفيعة تخرُج من بين شفاههم وتتعالى، وَسوَسة لم يفلح معها سد أذن ولا صراخ، قام يدفعهم ويَخبط الباب بقوَّة حتى أتى الحُراس فكبَّلوه وكمَّموه ثم ألقوه ثانية في الزنزانة، مع رِفاقه، ظل صَامتًا يتأملهم برعب وهم يقتربون حتى باتوا على بُعد سنتيمترات من أذنيه قبل أن يصرخوا كلهم في وقت واحد، صَرخة رفيعة حادة شقَّت عقله وقلبه وحررت مَثانة البول بين قدميه، مِن يومها لم يعد يتكلم أو يَصرخ، فقط يُحملق في الجدران من حوله كالأصم الأبكم.

حين وصل القطار المنيا ترك السَّماء ونزل، هام حتَّى وَصَل قريته أبشاق الغزال، استقبلته أمه وإخوته ببُكاء وتساؤلات لم يجب عنها، قبل أن يُسأل عن دولت التي لم تُسمع أخبارها منذ رَحلَت، ربتت أمه على كَتفه وهمست: دولت يا ياسين.. أختك.. وين راحت يا ولدي؟ بجالها تلات سنين لا حس ولا خبر! بَكت بُكاءً مَريرًا تحول لعويل قبل أن تصرُخ وتضرب صَدره بكل قوَّتها تُريد أن تُحيي قلبًا كفَّ عن الخفقان، لم يُقاوم، تركها تَضربه حتَّى خَارت قواها فنظر إليها بصَمت ثم دَخَل غُرفته، نام يومًا كَاملًا حتَّى حسبته أمه قد مات قبل أن يَقوم بلا كلمة، تمثال من تماثيل المساخيط يسير بلا أقدام، اتَّجه إلى أرضه فحَرث وبَذر ورَوى ثم اختار مَجلسًا جلس فيه وسط حقله، خيال مآتة يُفزِع الطيور، قبل الغروب قام فجأة حين لَمَح في الشَّمس وَجهًا، وَجه دَولت، لم ينفض يده أو يسوي جلبابه، فقط اتجه إلى محطة القطار.

مَكتب مُصطفى باشا النحَّاس بمَقر رئاسة الوزراء

انقضت نِصف سَاعة من الانتظار قبل أن يَخرُج السِّكرتير مِن الغُرفة ويَقترب مِن عبد القادر ونجيب الأهواني اللذين قاما من كُرسيهما.

- آسف يا أفندية أنتم أكيد مقدرين المَشغوليات.. مُصطفى باشا في انتظاركم.

زرَّر الأهواني سُترته وعَدل طربوشه ثم نظر لعبد القادر الذي فقد عدة كيلوجرامات، ابتسم فغمزه الأخير بعَينيه ثم دَلفا إلى الغُرفة الواسِعة المَكسوة بالسجَّاد، مصطفى باشا النحاس كَان على كُرسيه خلف مَكتب عَريض يُنهي مُكالمة، قام من مقعده فهرول الأهواني إليه مَادًّا يدًا ومن ورائه عبد القادر، سَلَّم عَليهما بود ثم أشار إليهما ليجلسا قبل أن يُنهي مُكالمته بعُجالة ويلتفت إليهما مُبتسمًا:

- آسف على إنكم انتظرتم برَّه كتير.

ابتسم الأهواني: يا باشا إحنا انتظرنا اللحظة دي سنين في اللومان.. مَعقول ما ننتظرش سعادتك.. دايمًا كنت أقول لزميلي إن فرج ربنا هاييجي على إيد سعد باشا.. والله...

- الله يخلِّيك يا نجيب أفندي ده برضه العشم.. أهلًا يا عبد القادر.. حَمد الله على سلامتك يا ابني.

أردف عبد القادر: الله يسلمك يا سعادة الباشا.

ضَغَط النحَّاس جَرسًا تحت مكتبه ثم استطرد بابتسامة:

- أنا عَاوز أقول لكم إن تقديم المُساعدة المُمكنة من أهم أولويات سَعد بَاشا من ساعة ما تولى الوزارة.

أردف الأهواني: الله يكون في العُون ويخلي لنا الباشوات كلهم.

دَخَل سَاعٍ فأمره النحَّاس أن يتولى طَلبات ضيفيه فطلبا على استحياء شايًا.. استغل النحاس الدقيقة المُهدرة وأخرج من درج مَكتبه ظرفين وضعهما أمامه ثم أردف حين أُغلِق الباب:

- للأسف وقتي مَحدود أنتو عارفين مشغوليات الوزارة، وطَبعًا أنا برضه مَقدَّر إنكم لسَّة خارجين ومحتاجين تقضُّوا وقت مع العائلة الكريمة والأقارب، فأنا هاكون مُختصر في كلامي لغاية ما يكون لينا لقاءات تانية بإذن الله، طبعًا عايزكم تعرفوا إن سَعد باشا مُهتم جدًّا بكل الناس اللي حَطُّوا كفنهم على أكتافهم وقت الثورة وما بَعدها.. و...

قاطعه الأهواني: يا باشا إحنا رقبينا فدا مصر وسعد باشا.

ابتسم النحاس بود: أنت قضيت كام سنة في السجن يا نجيب أفندي؟

- ٩ سنين وسِت شهور.. أنا بلا فخر صَاحب أخطر مُحاولة اغتيال بعد اغتيال بطرس غالي رئيس الوزارة سنة عشرة.. الوحيد اللي واجه حَرَس السُّلطان والوحيد اللي...

قاطعـه النحـاس بعدما لمح سَـاعة الحائِـط: مفهـوم مفهـوم طبعًا.. وأنت يا عبد القادر أفندي؟

- أربع سنين يا باشا.

دفـع النحـاس الظرفين بلُطـف ناحية ضَيفيه: إحنـا مَحضرين ظرف لكل مِنكم فيه إعانة بَسيطة، طبعًا مش قد المقام ومش أجر التضحيات لكـن أهِـه حاجـة تسـاعد فـي المَصاريـف لغاية مـا تستلموا عمل في أقرب وقت.

رَمَقه الأهواني في صمت قبل أن يبتسم:

وهي إيه طبيعة المَنصب اللي هاستلمه يا باشا؟

- بالنسـبة لك يا نجيب أفندي إحنا محضَّريـن لك وظيفة كاتب في بنك مصر.

أظلم وجه الأهواني: كاتب!

- فـي بنك مَصـر.. بمَاهية تمانية جنيه في الشَّـهر.. طبعًا ده عشـان بداية التعيين لكن في أقرب وقت...

- تمانية جنيه!! أنا...!! أنا ضحِّيت بروحي سنة خمستاشر يا سعادة الباشا!! ضحيت وما ذكرتش اسم حد من زملاتي.

- للأسف يا نجيب أفندي أنت ما تملكش غير شهادة التوجيهية...

قاطعـه الأهوانـي: يـا سـعادة الباشـا... هو واحـد زيِّـي المفروض يتعيِّن بشهادته؟ أنا ما كملتش في الطب بس ليا تاريخ... بقول لسعادتك ضحِّيت بنفسي..

- ما حدِّش أنكر تضحيتك يا نجيب أفندي.. إنما... كفاءتك في العَمل مَربوطة بخبرتك وشهادتك اللي حصلت عليها وطبعًا أنت بقى لك فترة في السجن.. وتدرجك الوظيفي لازم يكون...

- يَعني ما عنتش أنفعش؟! يَعني اللي ركبوا الكراسي أنضف مِنِّي!

- العمل الفدائي شيء والكفاءة شيء تاني يا نجيب أفندي.. سياسة العمل العام ليها مَطالبها وأنت راجل وفاهم إن...

قاطعه الأهواني كأن لم يَسمعه: يَعني مَحمد توفيق نسيم اللي كان بيلم أعضاء الوفد في اللومان يِمسك المالية! ومحمد سعيد اللي كان ماسك الوزارة سَاعة الثورة يِمسك المعارف! وأنا أخرج أشتغل كاتب! ليه؟ عشان صُباعي مقطوع؟

- يا نجيب أفندي أنت كنت مُنتظر تخرج من السِّجن تِمسك وزارة؟

قام الأهواني من مَكانه فتوتر عبد القادر وقام هو الآخر محاولًا تهدئة الموقف.

- مَا سَعد باشا اتسجن واتنفى وخرج ع الوزارة.. وسعادتك اتنفيت ورجعت وزير مُواصلات!

اقترب عبد القادر من زميله وهَمَس: اهدى يا نجيب أمَّال.

نظر إليه النحاس بهدوء ولم يُعقِّب.. أردف الأهواني: يَعني إيه يضيع من عُمري تسع سنين وبَعدين اللي خانونا يركبوا الكراسي.. طب ودم

الشُّهدا؟ الناس اللـي راحوا في ١٩؟ وصُباعـي اللـي طـار ده.. بـح؟! أنا عَاوز أقابل سَعد باشا.

- صَلِّي ع النَّبي يا نجيب... مش كِده يا جَدع...

- سيبني يا عبد القادر.. سيبني أتكلِّم.. أنا مش غلطان.. لو ما قابلتش سعد باشا هاعمل نِصيبة هِنا...

قـام النحاس: من فضلك يـا حضرة.. أنا مقـدَّر محنتك لكن حافظ على كلامك إحنا في وزارة مش في اللومان.

- بتعايرنـي سـعادتك باللومـان؟! اللومـان اللـي ضـاع فيـه عُمري عشانكم.

- عُمـرك راح عَشـان الاسـتقلال.. عشـان مَصر.. مـش المفروض يا أفندي تكون مُنتظر أجر عن الوطنية.

- دَه كَلام إنشا ينفع في المَدارس.. كُل اللي عَملوا ثورات رِكبوها.. كانوا دايمًا أولى من اللي اتخاذل ورفض يشارك.

أمسَـك النحاس بالظرف وأشـار بـه إلى الأهواني: يـا نجيب أفندي اللـي اختـار العُنف مش أحسـن من اللـي اختار الحـوار.. كلنا بنحاول والكل على طريقته.. اسـتلم وظيفتـك دلوقت وأوعدك أوصَّل صُوتك لسعد باشا...

- سعد باشا خلاص.. لبس توب الأفوكاتو من تاني.

قالها ورَحَـل تاركًا يَد النحَّاس مَمدودة.. فتح الباب بعُنف فتأسَّـف

عبد القادر للوَزير بكَلمات مُرطِّبة ووجه مُستعطِف قبل أن يَلحق بزميله الثائر على السلَّم.. أمسَك مِرفقه ليوقفه: أنت اتجنِّيت في عقلك يا جَدَع أنت؟ إيه اللي أنت عملته مع النحاس باشا ده؟!

- حاطين لنا حسنة في ظرف ووظيفة كُحِّيتي؟ دي دَقَّة النقص مع الأبطال الحقيقيين.. أنت أكمنَّك قضيت أربع سنين مش حاسِس باللي شفته.. مراتك ما سابتكش.. حياتك ما انتهتش.. هو ده اللي قلت لك عليه.. المحتل مش بيغلبنا بسلاح.. بيغلبنا بالرجَّالة اللي استعمر روحهم.

- أنا حاسس بيك يا نجيب بس مش كِده.. الكلام أخد وعطا والراجل ما اتأخرش.

- أنت هاتعوم على عُومه! البَلد دي مَديونة لي بعمر راح.. عمر راح يا عبد القادر.

قالها وابتعد.. رَمقه عبد القادر حتى اختفى قبل أن يَصعَد السلَّم مُجددًا في مُحاولة لرأب الصدع مع الوزير حين وجد رجلًا يقف في انتظاره.

- عبد القادر شِحَاتة.

رمقه عبد القادر بجهل: مين سعادتك؟

- أنا صَديق عزيز.. لأحمد كِيرة.. مِحتاجين نتكلم.

استويا على كُرسيهما في محل جروبي بميدان سليمان باشا.. طلبا القهوة وأشعلا السجائر.

- عَدم اللامؤاخذة سَعادتك تبقى...؟

- عبد الرحمن فهمي.. رَئيس الاتحاد العَام لنقابات عُمَّال وادي النيل حاليًا.

قاطعه عبد القادر: سَعادتك تِعرف مَكان أحمد؟

- مش بالظبط.

- ... طب هو سعادتك... الرجل الكبير؟

- رجل كبير إيه يا ابني هو إحنا عِصابة! ما تسألش كتير واسمعني كويس.. أحمد هِرب لإسطنبول من أربع سنين تقريبًا.. مِن بَعد عَملية الظابط آرثر.

رَمَقه عبد القادر بذهول.. أردف الرَّجل: كَان حَصَل بيننا اتصال مُختصر وأنا في السِّجن واضطرينا نتوقَّف عَشان المُراقبة.. من سَاعتها ما أعرفش أي خبر عنَّه.. كل اللي أعرفه إنه في إسطنبول.

- وليه يا باشا ما يِرجعش بعد ما سعد باشا...؟

قاطعه الرَّجل: الموضوع مُعقَّد.. مِش مَعنى إن سَعد باشا تولَّى الوزارة إن كل الأطراف مُوافقة.. الإنجليز مش متقبلين وجوده.. ساكتين على مضض بسبب حُب الناس.. وطبعًا الملك حَاسس بتهديد وإهانة إن غريمه يتولى كرسي الوزارة بأغلبية البرلمان.. ده غير طبقة الأثرياء اللي مِش عَاجبهم سعد باشا اللي قوِّم ثورة وهدد مَصالحهم..

وطبعًا مش مِحتاج تفهم إن كل الوزراء وأولهم سَعد باشا مَحطوطين تحت مُراقبة صَارمة.

- طب وأحمد... ؟

- طبعًا لو الظروف عادية كنا بعتنا جبناه رسميًّا وتحت حراسة.. لكن ده دلوقتِ مُستحيل.. الإنجليز حَاطينه على قوايم التصَفية مِش الاعتقال لأن التار شَخصي بعد قتل وكيل الداخلية آرثر.. عُيونهم في كل حتة مُنتظرة ظهوره.. لولا أحمد بَارع في التخفِّي وما بيآمنش لحد كان زمانهم قتلوه.

- وسعد باشا ما يكلمش حد من حبايبه في إسطنبول؟

- لو اتعرف إن فيه صِلة بين الوفد وأحمد كيرة هاتبقى فضيحة تروح فيها الوزارة كلها.. ده غير إن الاتجاه دلوقتِ جوة الوزارة هو التخلي عن العنف والسير في المفاوضات.

- عشان كِده معاليك رَئيس اتحاد نقابات النيل مش وزير؟

رَمقه عبد الرحمن فهمي في صمت ثم أردف: مُمكن نخلينا في مَوضوعنا؟ الوفد مش هايقدر يتورط في رجوعه.. وأحمد بالشكل ده مِش هايعرف يرجع تاني أبدًا.. إلا إذا.. وفَّرت له هويَّة جديدة تساعده يِرجع.. وطبعًا يوصلها له حَد بيثق فيه ومن خارج الوفد.

رَمقه عبد القادر للحظات ثم أردف: أنا؟

- أعتقد إن أحمد يستحق محاولة إننا نرجَّعه بلده...

- طبعًا.. بس إزَّاي هلاقيه هناك؟

- إزَّاي دي ما لكش دعوة بيها دلوقت.. حَضَّر نفسك وفي خِلال يُومين هاتوصلك وَثيقة سَفَر لإسطنبول وتذكرة مركب.. توصل لأحمد وترجعوا مَع بَعض.

هز عبد القادر رأسَه مُوافقة: رقبتي....

قام الرجل مُنهيًا المقابلة حين استدركه عبد القادر: لامؤاخذة.. كنت عاوز أسأل سيادتك على.. دولت... أصلها كانت بتزوروني في طُرة وفجأة انقطعت زيارتها.. سَألت عليها أول ما خرجت في المدرسة وعرفت إنها...

أكمَل الرجل جُملته: سَابت المَدرسة مِن بَعد شهادتها مَعاك.. مُديرة المدرسة طردتها بسبب سُوء السلوك.

طأطأ عبد القادر رأسه قبل أن يختنق صَوته: عَارف يا بيه... أنا لمَّا دَخلت الفدا كُنت فاكر نفسي دَكَر.. ابن الفتوة العِترة.. وبَعدين اكتشفت إن فيه حَواليا ناس أجدع وأشجع مني ميت مرَّة.. أحمد اتشرد عشاني.. ودَولت ضَحِّت بسُمعتها وشغلها.. ما كنتش عَارف إن البلد دي غالية أوي كِده.. دلوقتِ وبعد أربع سِنين في اللومان فهمت.

ابتسم عبد الرحمن وربت على كتفه ثم أخرج ورقة وقلمًا.

- دَولت بتشتغل في فابريقة مَلابس في وسط البلد.. شارع إبراهيم باشا.. ده تليفون المكان.

التقط عبد القادر الورقة فتهلل وجهه قبل أن يقوم ليَحتضن الرجل بعفوية: ربنا يجبر بخاطرك يا بيه.

مَدرسة الهِلال

قضـى دقائق الانتظار مُتيبِّسًـا أمام الباب الذي اعتُقِـل عنده منذ أربع سـنوات حتى أتته نَاظرة المَدرسة، سيِّدة بَدينة في العقد الخامس تأملت جِلبابًا يأوي الهزال وعينين ذاهلتين: أهلًا وسهلًا.. خير؟

سَأل بعد لحظات: دَولت عبد الحفيظ.. وينها؟

تبدَّل الفضول ضِيقًا: حَضرتك مين؟

- أنا أخوها.

- ممـم.. دَولت ما عَادتش بتشـتغل هِنـا يا حَضرِة مِـن ييجي تلات سِنين.. هي ما رجعتش البلد؟

عَبَس وَجهه قلقًا: لا.. مَا رِجعِتش.

- مش هاقدر أفيدك.. أنا آسفة.

همَـت السَّـيدة أن ترحل فأمسـك رسـغها وسـط ذهـول الطالبات، التفتـت إليه باسـتنكار وهمَّت أن تصيح فرأت في عَينيه ما أسـكتها قبل أن يُعيد سؤاله:

- وينها راحت؟

- إدارة المَدرسـة اسـتغنت عَنهـا.. مـن سَـاعة فضيحـة الشـاب بتاع القنبلة.

- ...!!!

- الشاب اللي كَانت... على عَلاقة بيه.

لمست ناظرة المدرسة ذهوله فابتعدت بحذر وأشارت لبواب المَدرسة أن يُخرجه من حيث أتى، رَمَق باب المَدرسة حيث قابل دولت آخر مَرَّة فتذكَّر الشاب المُصاب الذي استقبلته وأسندت مرفقه قبل أن تُغلِق الباب في وجهه...

تحرَّكت سَاقاه خروجًا قبل أن تناديه طَالبة التقط فضولها المُحادثة منذ جَذب ياسين ذراع الناظرة:

- يافندي.. يافندي.

لم يُعرها اهتمامًا فاقتربت منه وهَمَست: أنا أعرف مكان أبلة دولت...

قضى الأهواني ما يقرب من ثلاث ساعات في القَهوة، شَرب خمسة أكواب قهوة وأحرَق عشرين سيجَارة وهو يتابع المَارة في شرود مُحاولًا إطفاء بُركان بداخله، لم يُوقِظه سوى بائع جَرائد يَصيح، التقط جَريدة «السياسة»، تصفَّحها فتوقف عِند مَقال بعُنوان «الأُلعُبان» فوقه صُورة لسَعد باشا.. قرأ:

«سَعد الذي يريد اليوم أن يمنع جريدتنا من حضور جلسة البرلمان، هو سعد الذي بطش بالصحف حين كان وزيرًا للحقانية في عهد الخديوي، أما سعد الذي ظهر بين هذا وذاك.. سعد الذي كان يمجد الحرية ويدعو إلى حمايتها، فقد كان رجلًا آخر أنشأته المُعارضة حين كان مُعارضًا.. وقد ترك المُعارضة فترك معها خِصال المعارضين وعاد إلى طبيعته الأولى.. الألعبان».

بتـر القراءة ونزلت عيناه على مَقال كتبته حليفة سـابقة.. هُدى هانم شعراوي!! قالت فيه:

«لا يوجد خطر على القضية المِصرية أكبر من أن يتولى المفاوضات مع إنجلترا رجل يَعترف عَلانية بأنه عاجز عن تنفيذ ما عاهد به الأمة قبل وعند توليته الحكم».

لم يقرأ بقية المقالات، قرأ ما وراءها، قرأ أن جريدة السياسة - وهي صـوت القصـر الملكـي - حين تشِـن حملة على سـعد زغلـول فالكفَّة سـتميل حتمًـا مَيلًا عظيمًـا، إنجليز، ملـك، أصدقاء سَـابقون وصُحف موجَّهـة، كل هؤلاء في كفَّـة، وفي الكفة الأخرى، ثائر سَـابق، ثائر ظن يومًـا أن إدارة البـلاد تشـبه مَائِـدة المفاوضـات، سـاحة قتال وسـجالًا نظريًـا، غالبًا ومَغلوبًا، لم يعرف أن السياسـة هي فـن.. فن المَصلَحة.. فن الانحياز للأقوى.

نـادى لمُلمع الأحذيـة ورفع قدمَه علـى صُندوقه الخشـبي، اطمأن علـى كرافتته وشـعره في مرآة تكسـو عَامـودًا من أعمـدة القهوة قبل أن يَدفع حسـابه ويرحـل، رَكِـب سـوارس أوصلته بَيته الخالـي من الرفاق والأحبة وفي رأسه فِكرة واحِدة تتضخَّم:

- سـأرحل عنـكِ يـا مَـن خَذلتنِـي.. يـا مَـن واجهـتُ المَـوت مـن أجـل أرضـك.. أرضـك ناكـرة الجميـل.. لـن أعـود لك مـا دام يَحكُمك الأشقياء.

شارع المناخ.. وَسط البلد

الهَديـر كَان طَاغيًـا فـي الفابريقـة، عشـرون مَاكينـة سـينجر تخُـز الأقمشـة، سِيقان ناعِمة تتحرَّك بانتظام فوق بدَّالات حديدية، وعشرون رأسًـا مُطأطئون على النحور وعيون تضيق لمُتابعة الإبرات السَّـريعة.. مُلاحِظ الفتيات كَان يَدور في رتابة بينهن، يُشرف على إخراج الفساتين بالمواصفـات اللائِقـة، يَزجُر من تُخطئ ويَخصم مـن الماهية، ويكتفي بالصمت إذا أحسنَّ فهو واجبهن.

دولـت كانت في الصف الأخير، فقـدت كيلوجرامات قليلة أبرزت عِظام وجنتيها وكتفيها، شَعرها لم يعُد لطوله الذي كان قبل شهادتها مع عبد القادر، وعَيناها فقدتا بريقًا كان يُغرِقه، أميرة فرعونية تتحنَّط ببطء.

اقترب الملاحِظ مِن أذنيها ليُسـمِعها من بين ضجيج الماكينات: فيه واحد مِستنيكي برَّه يا دولت.

هـزَّت رأسـها وأطفـأت ماكينتهـا وخرجت، حيـن لمحتـه واقفًا لم تُصـدِّق عينيها، فتحت شـفتيها ولم تنبس بكلمة فابتسـم واقترب، بَات علـى مَسـافة تسـمَح بتأمُّـل عَينيهـا.. خصلة فاحمـة تتسـلل من تحت وشـاحها الأزرق ويديـن ليـس فيهمـا دبلـة ذهبيـة، رمقهـا فـي صمت ثم هَمَس:

– ده نفس الإيشارب اللي كنتِ بتيجي تزوريني بيه؟

هزَّت رأسها إيجابًا.. أردف: أنت ما عندكيش غيره ولَّا إيه؟

ابتسمت: باحب اللون الأزرق.

ابتسم: اتأخرت عليكِ؟

– خرجت إمتى؟

– من يومين.. دوَّرت عليكِ زي المَجنون.. ليه اختفيتِ عنِّي؟

– ظروف.

– عاوزين نتكلم.

استأذنت رَب العَمل في سَاعة غِياب فقبل على مَضض.. تِراس فندق شبرد كان الأقرب إلى الفابريقة.. جلسا وسط الأثرياء وكان مظهرهما مُلفتًا.. طلب شايًا وطلبت عَصيرًا.. لم ينزل عينيه عن عينيها يتأمل ضوء الشمس وهو ينحني فوق وجنتيها حتى ابتسمت:

– حمد الله على سلامتك.. كان لازمته إيه المكان الغالي ده؟

– هو أنا بشوفك كل يوم؟ أنا قلت أتجوزتِ عشان كِده بطَّلتِ تزوريني.

– أنا ما اتجوِّزتش.. الدنيا بقت صعبة.

– أنا عارف إنك سبتي المدرسة بسبب شهادتك ليا.

– بلاش نتحدث بكلام يعكنن علينا فرحة خروجك.

– أنا عاوز أسمعك.

اتخذ الأمر منها دقيقة لتتحدث:

- الدُّنيـا لما بتقفـل بتقفل مرَّة واحدة.. ما كنتـش برضى أحكي لك في السِّجن عشان ما أزودش هَمَّك.. أحمد أفندي سافر من ساعة عملية آرثر وانقطعت أخباره ييجي من سـنتين.. عم إسـحاق كتَّر خيره هو الوحيد اللي بيسـأل عني بس كبر يا عيني والسُّكَّر أكَلُه.. ومن ساعة أحمد ما سافر عِطِل وبطل يشتغل.

- وأنتِ؟

- أنا.. شهادتي في المحكمة خلِّت المدرسة تستصدر قرار برفتي.. لفيت بوَرقي مديريات التعليم كُلَّها ومَفيش حَد قِبِل يشغلني لغاية مـا لقيـت الفابريقـة.. بيطلع منها سـتة جنيه ونـص يدوبك يكفوا الأكل وشـقة إيجـار مـع تلات زميـلات معايـا.. وطبعًـا المنيا ما أقدرش أهوِّبها.. ياسـين أخويا اختفى من يوم التنفيذ ومش قادرة أروح البلد.

- كُل ده بسببي.

- إوعـى تقول كِده.. أنا بطَّلـت أزورك لمَّا حسِّـيت إن زيارتي ليك مـش هاتبقى زيارة... مع الوقت هاتفرَّج عليك بتكبر قدَّام عيني.. تِدبـل وتنحني.. وأنـا كَمان هاكبر.. هانمـوت بالبطيء زي الزرع اللـي ما بيتسـقيش.. فكَّرت إن اختفائي مـن قدَّامك ممكن يكون أرحم.. ليك وليا.. يمكن تكرهني.. ويمكن تنساني.

- وأنتِ كمان كنتِ هاتكرهيني؟

- أنا أكرهك.. أنت ما تعرفش مَعزِّتك عندي.

أمسَـك يَدها واقترب: أقسـم بالله يا دولـت لأعوَّضِك عن كل اللي اتسببت فيه.. هانسيكي كل لحظة ألم في السنين اللي فاتت.. هاتعيشي مَعايا سُلطانة.. مش هاتشوفي وجع تاني ولا مخلوق هايمِس طرفك.

فلتت منها ابتسامة ودموع.. أردف: على فكرة وحشتني عينيكي..

- لازِم أرجع الفابريقة.. هاشوفك تاني؟

- عندي دين لازِم أسدده الأول.

- لمين؟

- لأحمد.

- هو رجِع؟

- رايح أجيبه.. لازِم يكون شاهِد على فرحنا.. هو وعم إسحاق.. هو ينفع نصراني يشهد على عقد جواز؟

ضحكت حتى بانت نواجذها.. أردف:

- أنـا بحبـك.. ومش قادر أنسـى... البوسـة اللـي أخدتهـا وأنا في التحقيق لغاية دلوقتِ.

وضعت أصابعها أمام فمها ونظرت في عينيه:

- ولا أنا... هاتغيب؟

- أسبوع بالكتير.

فـي مَقابلة مُقتضبة استـلم عبد القادر من عَبد الرَّحمـن فهمي وَثيقة سَـفر مُزورة، صَعَد علـى المَركب وجلس في قمرتـه يُراجع التعليمات التـي تلقاهـا منه.. أحمد يـزور مقهى «كبادوكيا» الذي يطل على جِسـر «جلاطة» ليلة واحدة في كل أسـبوع، يوم الأربعاء مِن السَّـاعة التاسـعة إلـى العاشـرة مَسـاءً، تلـك هي وَسـيلة الاتصـال الوَحيـدة الباقيـة بينه وبيـن المنظمة، يجـب أن يصل عبد القادر في الميعاد وإلا سـيضطر أن ينتظر أسبوعًا.

- طب وأنا هاعرفه إزَّاي؟ مش يمكن ما ألمحوش؟

- ما ترهقش روحك.. أحمد هو اللي هيلاقيك.

انتهى عبد القادر من المُراجعة فاطمأن على المُسـدس تحت سُترته والنقـود فـي جيبـه، خَرَج بَعدها إلى سَـطحِ المَركب وأشـعل سـيجَارة وهـو يتأمل الرُّكَّاب، قضى دقائق قبل أن يلمح وجهًا يَعرفه يجلس فوق مقعـد، منزويًا شـاردًا يتابع المِيـاه الجَارية في حُزن، اقتـرب عبد القـادر ووَضع يَده عَلى كتفه فالتفت مَفزوعًا.

- إيه اللي جَابك هنا يا أهواني؟!

- إيه اللي جَابك أنت هنا يا عبد القادر؟!

جلس عبد القادر بجانبه على المقعد قبل أن يستطرد:

- أنا رايح إسطنبول شُغل.. وأنت؟

- شُغل برضُه بس في فابريكة سجاد.

- بقـة هانـت عليـك عِشـرة اللومـان؟ مـن يـوم مُصطفـى النحَّاس ولا حِس ولا خَبر كِده!

- مـا غيِّبنيش عنَّك غير الغُلب.. وما تفكرنيش باليوم ده الله يخليك آديني فايته ورايح آخر بلاد الله.

- أنت ما استلمتش الوَظيفة؟

- وظيفـة!!! وظيفة إيه يا عبد القادر؟ أنت عـارف كيلو اللحمة بقى بكام؟ عَاوزني أشحَت الحياة الكريمة بعد ما عِشت تسع سنين في تربة؟! عَاوزني ينتهي بيا الحال كاتب ولَّا باشـكاتب في بنك بعد ما شُـفت المُوت عشـان ناس ما تسـتحقش تعيش؟ أقبض تمانية جنيه شـهري وعيِّل مَواليد ألف وتُسـعومية يقبض لـه بتاع أربعين جنيه!! لا يا صَاحبي.. الأهواني ما يتهانش الإهانة دي.

- أنا مقدر كلامك.. بس يعني مش مقابلة مع مسئول واحِد تخلِّيك...

قاطعه الأهواني بعصبيَّة: دي مش مُقابلة.. دي السياسة الجديدة اللي هاتمشـي.. الوفـد بيقفِّل مَلفاتـه القديمة وعاوز يبـدأ صَفحة جديدة مع بتوع المفاوضـات اللي ما بيقلعوش البِدَل الأفرنجي.. قلَّة قيمة وعـدم تقديـر وتجاهُل لـكل اللـي صوابعهـم اتعاصـت دم.. ولَّا اتقطعت! يا عبد القـادر أنـا لـو كنـت قعدت يـوم كَمَان كنـت هاعيـا.. هاموت.. أنا من بعد السجن مَاليش حَد.. لا مَرة ولا عيِّل أبكي عليهم.. ودلوقتِ ولا حتى وظيفة عِدلة.. آل إيه ما تنتظرش أجر لوطنيتك.. ماشي.. آكُل أنا بقة وطنية بالدِّمعة.. وطنية بالملوخية...!

- لو صوتك وصل لسعد باشا...

قاطعه: وسـعد باشـا نفسـه هايقع.. أنت ما بتقراش جرايد أصلك.. الهُجوم عليه سُـخن.. القصر شـغال له من تحت لتحت.. والإنجليز..

دي حتَّى هُدى شعراوي صديقة مراته قلبوها عليه!! فوق يا صاحبي دي مسألة وقت.

شرد عبد القادر في كلماته قبل أن يسأله الأهواني: ألّا بالحق أنت كانوا عاوزين يوظَّفوك إيه؟

- مُحصِّل في المَالية.. تمانية جنيه برضه.. عشان كِده قلت أجرَّب حَظي.

- وجودك ع المركب دا أحسن قرار أخدته.. وعُمومًا أنا فيه واحد مَعرفة مستنيني في إسطنبول.. ورِزقي ورِزقك على الله يا صاحبي.

- ربنا يِكرم.

قضى عبد القادر ثلاث ليالٍ إضافية مع رفيق الزنزانة قبل أن يتوه عَنه «عنوة» في زِحام النازلين إلى الميناء.. «سامحني يا أهواني».. استأجر غُرفة في نُزل صَغيرة تطل على الجسر العتيق قبل أن يذهب في اليوم التالي في تمام التاسِعة مَساءً إلى المقهى.

«كبادوكيا» كان مَقهى واسِعًا يطل على مَضيق البوسفور الذي يعبر فوقه جسر «جلاطة» الرابط بين الجانبين الأوربي والآسيوي لتركيا، ترسو بالقرب مِنه العبَّارات التجارية ويقع أمامه مَسجد «يني كامي» العظيم ومن بعيد تظهر المآذن البديعة لمسجد «آيا صوفيا».. استقر عبد القادر على كرسي في ركن يَكشف المكان من حوله ثم رفع يَده لنادل لا يتكلم إلا التركية، بالكاد أفهمه أنه يريد شَايًا ثم أخذ يفرز الحاضرين بحثًا عن أحمد.. قَضى السَّاعة في قرض أظافره ومَسح

القادمين ومُراقبة عَقرب سَاعة معلَّقة على الحائِط، يكاد يجزِم أن الوقت في تركيا يمُر ببُطء عن مصر، حين دنت العقارب من العاشرة تأكد من خطأ الحِسابات، أحمد لن يأتي، أو أنه لم يعد يأتي، كَان ذلك قبل أن يَميل عليه عَجوز جَالس بجانبه مُنذ سَاعة ويهمِس:

- إزَّيك يا عبد القادر؟

انتفض حين سمع الصوت.. رمق العجوز ذا الشعر الأبيض والذقن الكثيف والجسد النحيل المَحني.

- أحمد!!!

همس: ششش.. وطِّي صوتك.. حاسب ع المشاريب وقوم بعدي بدقيقتين.. امشي يمين على الكورنيش لغاية ما تلاقي سفينة اسمها «آرجو».. استناني عندها.

قالها العجوز وقام يرتعش، ترك نقوده على المَائدة وخرج.. تابعه عبد القادر حتى اختفى مقاومًا ضحكة تكاد تفِر من بين شفتيه.. **«يا ابن القردة»**.. مَشى بعدها على رصيف الميناء حتى قرأ كلمة «آرجو» على جسم سفينة شحن كبيرة، وقف أمامها دقائق إضافية قبل أن يقترب مِنه أحمد، وقف بجانبه فهجم عليه عبد القادر احتضانًا، لم يملك أحمد سوى الابتسام، بادله الحضن ثم أردف:

- خلاص لا يفتكرونا لوَّاطين.

ابتعد عبد القادر فأشعل أحمد سيجارة وناوله واحدة:

- آخر واحِد كُنت أتوقع أشوفه في إسطنبول!

- يا ابن اللذينا!! مش مصدَّق إني قعدت جنبك سَاعة وما عِرفتكش!!

- كان لازِم أتأكِّد إنك مش مَقطور.

- مين بيدوَّر عليك هنا؟

- المُخابرات الإنجليزي مِسيِّبة عليا كِلابها.. كل واحِد ماشي وصورتي في جيبه.. بغيَّر سَكني كل يُومين تلاتة بالكتير.

- عاوزين مِنك إيه ولاد الرَّفضي؟

- التار مش بس في الصِّعيد يا عبد القادر.. أنا قاتل منهم عدد.

- بس حكاية آرثر هي اللي مخلياهم سخنين عليك.

- أنا مش ندمان على أي طلقة طِلعت من مسدَّسي.

- أنا جاي عشان أرجَّعك.. معايا ورق جديد باسم جديد.

- أنا مش راجِع.

- يعني إيه مش راجِع؟

- أرجع أعمل إيه؟

- ترجع عَشان البلد.. عشان أمَّك.. عَشان ورد.

- ورد... ورد بقت راهبة يا عبد القادر.. وأمي ماتت من سنتين.

- لا إله إلا الله... البقية في حياتك... أنا...

قاطعه أحمد: أنا ما عنديش حاجة تخليني أروح للإنجليز برجلي.

- البلد لسَّة مِحتاجة وقفتك.

- اللي زيي يا عبد القادر بيبقى عَامل زي طلقة الرُّصاص.. ما ينفعش بَعد المَعركة تستخدمها في حاجة.. لازم تبات في الدولاب لغاية مَعركة جِديدة.

- المعركة ما خلصتش.

- المَعركة دلوقتي على الورق.. غَلطة إن سَعد باشا قِبل الوزارة.. هايحطوه في قالب ويحاصروه بمَشاكِل البلد لغاية ما تتوه القضيَّة ويفقد شعبيته.. هايدمروه.. رئيس وزارة في الآخر يَعني مُستخدم من مُستخدمين المَلك.

- خَلاص.. غُربة بغُربة ترجع بَلدك باسم جديد وحياة جديدة.

- أنا هِنا عَايش مِلك نفسي.

- ولو عِتروا عليك؟

- هاسافر.. ألمانيا.. إيطاليا.. فرنسا.. أرض الله واسعة.

- المُخابرات البريطانية موجُودة في كُل حتَّة.. مستهيأ لي هاتكون موجودة في الجنة كمان!

- إزَّاي عبد الرحمن بيه؟ وعم إسحاق.. ودولت؟

- كلهم بخير.. مستنيينك.. ودولت.. أول ما أرجع هاكتب كتابي عليها.

- ربنا يوفقك يا عبد القادر.. خد بالك منها.. البت دي بمِيت راجل.

- ما تاخُدنيش في دوكة يا أحمد.. أنت لازمن ترجع معايا.

ساد الصمت قبل أن يُردِف أحمد: سِيبني أفكَّر.. وبكرة نتقابل في نفس الوقت في نفس المكان.

- وبَعدين رَهبنة إيه اللي رايحة تشتغلها البت دي! ده كلام ما يخُشش عَقل.. اسألني أنا نجَّار حَريم.. البت اللي ما تلاقيش راجل يشاغلها تفرُك زي المِعزة الحرنانة.. وبعدين تعمل مشغولة.. يا ترمي بقة على مُظاهرات وإشي استقلال وماستقلالش.. يا تحبس نفسها في دير ولّا في قلاية وتعمِل فيها سانت كاترين.. عارف البت دي بمجرد ما تشوفك هـ...

قطع عبد القادر كلامه حين نظر بجانبه فوجد الرصيف خاليًا.. رحل أحمد ولم يشعُر به فوضع يديه في جيبيه وقفل عائدًا للنُّزُل.

نُزُل قَريب

دَلَف من الباب الكبير فالتقط المفتاح من صَاحبة الفندق قبل أن يَصعَد السَّلالم، في الدور الثالث فتح بَاب غرفته ففوجئ بالإنجليزي يَصُب الشاي السَّاخِن من الإبريق إلى كوبين فارغين، تيبَّس للحظات قبل أن يُغلِق الباب وراءه:

- كم ملعقة سُكَّر؟

أجابه بالإنجليزية: ثلاث ملاعِق.

نظر إليه الإنجليزي ثم ابتسم: ما لك تنظُر لي كأنك ترى شبحًا؟

- ... أنا فقط... تفاجأت.

– هل رأيته؟

– .... نعم.

لَمِعت عينا الإنجليزي فاقترب.. ناولـه كوب الشاي ثم سأل: هل أنت متأكِّد؟

– نعم.. رغم تنكره لكنني لا أخطئ صديق عُمْر.

– أين رأيته؟

– في مقهى «كبادوكيا» القريب من الجسر.

– التقى بعبد القادر؟

– نعم.

– هل تتبَّعته لتعرف أين يَسكُن؟

– لـم أستطع مُجاراتـه.. أحمـد سَريع الاختفـاء ومُـدرَّب على كشف المُراقبة.

رمقه الإنجليزي بغضب: لا بُد أنك تمزح.. ذهبت إلى المَكتب رقم خَمسة[1] وطلبت مُكافأة عَشرة آلاف جنيه وجِئت بنا مِن القاهرة مُدعيًا أنك تملك مَعلومة عَن أحمد كيرة ثم تفقد أثره بتلك البساطة!!

– عبد القادر دفع أجر ثلاث ليالٍ مقدَّمًا في النُّزل المجاور.. لقد سألت.. هم يحضِّران لعملية كبيرة.. أحمَد سيعود غدًا.. وعيناي لن تُفارقا عبد القادر حتى يَلقاه.

_____

(١) مبنى المخابرات البريطانية، وكان يقع في منطقة جاردن سيتي بالقاهرة.

– وإذا لم يلقاه؟

– لن آخذ الأموال التي طلبتها.

– هـذا أمر مَفروغ منـه.. وتذكَّر.. لن تكون مشكلتك الوحيدة عدم تحصيل أموالك.

ارتشـف الإنجليـزي آخـر كُوبه وتركه علـى المنضدة بوقـع عالٍ ثم اتجه إلى الباب وفتحه قبل أن يتوقف ويلتفت:

– قـل لـي يا أهوانـي.. لِماذا كيرة؟ لقد ذكرت أنه كان صديق عُمْر!

رفـع الأهوانـي كفًّا فيها أربع أصابـع وإبهام مقطوعـة: لأنه مِثلهم.. نسيني في الظلام ونَعِم بالحياة وَحدَه.

في السَّـابعة مَسـاءً انفتح باب الفابريقة فخَرَجَت الفتيات من الأَسْر، مُتدثـرات بجرائد وأوشـحة تقي رءوسـهن مَطرًا لم يتوقـف منذ نِصف سَـاعة، بينهـن خرَجـت دولـت تلتحِف وشـاحها الأزرق، نظـرت إلى يَسـارها تبتغي عَربة سَـوارس أو حنطـورًا يُوصلها شـقَّتها قبل أن تلمح علـى الرصيف المُقابل شـبحًا، شـبحًا وقـف في مَكانه منذ بـدأ المطر، التصق جِلبابه بهزاله فبرزت عِظامه وغارت عيناه فلم يعد فيهما بياض، تيبسـت حيـن رأته، كمـا تتيبس الفراشـات أمـام النار تظنها ضـوءًا، لم يُمهلها وقتًا، مرَّت بينهما عربة حنطور فوجدته أمامها...

- ياسين!

لـم يجبهـا.. مَـد كفًّا مَعروقـة إلى عَضدهـا فقبض عليـه.. تألمت.. نظرت في عَينيه:

- ياسين...!!

أجابهـا بسِـكين حَـاد أخـرج نِصفه مـن جَيب سـيَّالته ثم أشـار إلى حنطـور قـادِم.. توقف فدفعها برفق.. جَلَسَـت على الكنبـة الخلفية في ذهول وجلس بجانبها.. قال للسائس:

- مَحطَّة الجطر.

ترجرج القطار بهما حتى المنيا.. نزلا فأركبها حِمارًا استأجره ومَشى بجَانبها يَسحَب مقوده ويتكئ على عَصا جافة.. أرض وَعِرة سلكها ياسين ابتعادًا عن الأعين.. رِحلة قاسية وقف فيها مَرَّة واحِدة تحت ظِل شجرة جميز ليُريح الحِمار.. هناك بدأت تتحدَّث.. أقسمَتْ إنها عذراء.. طَاهرة نقية بلا دَنس.. وإن ما قالته في التحقيق كَان من أجل إنقاذ رَجل من الموت.. اتهمها بالعشق فأقسمت بالنفي.. ثم حَكَت ثانية فلم تخترق كلماتها الطين المَالئ أذنيه.. أصم لم يلتفت.. لم ينفعِل.. ولمَّا أراد أن يُسكِتها أوقف حِماره وجَذبها من ذراعها لتركبه.. جرت منه مُحاوِلة الفرار فركض وَراءها.. أسقطها أرضًا وكمَّم فمها قبل أن يَضربها في مَعدتها ضَربة ثنت جذعها ألمًا وأخرست صرختها.. أوثق يَديها بحَبل الحِمار ثم حَمَلها ووَضَعها فوقه دَامية الشفتين وجذب وشاحها الأزرق ليغطِّي وجهها.. دَخلا أبشاق الغزال مع نسمَات الفجر فرفع الفلاحون أيديهم من الطين ليشهدوا المشهد الغريب.. المَيِّت الحَي عَائد ومَعه سيدة فوق حِمار.. اقترب من أرضه فأنزلها.. جرَّها جرًّا إلى الزريبة وأوثقها إلى مِزود أغنام قبل أن يُغلق الباب.. في باحة المنزل كانت أمه جالسة على الأرض.. جلس بجانبها في صمت قبل أن يهمس: دَولت في الزريبة.

بدهشة سألته: دولت عادت!! في الزريبة!!! ليش؟!! عملت إيه يا ياسين؟؟؟ إنطج!!!

- فَجرت.. عِشجِت.. فضيحتها في مصر على كل لسان.

بهتت المرأة.. انسَحبت الألوان من وَجهها.. ارتعشت شفتاها ثم خبطت رأسها بيديها قبل أن تقف.. نظرت لشعاع الشمس المتسلل من

بين سَعف النخيل المتراص في السقف.. دقائق.. قبل أن تدخل غرفتها ثم تعود بسِكين مشحوذ.. التقطت يَد ياسين ووضعته فيه بحزم مقاومة أمومة تتحجَّر وأسًى يتوغَّل في شغاف القلب.

خرج ياسين مِن الزريبة يجُر دولت ومن ورائهما أمُّه.. تسير حَافية على بُعد أمتار من ابنَي رَحمها.. ابتعدا حتى الجِهة الغربية حيث المَقابر المهجورة التي لعبا فيها صِغارًا.. حيث تماثيل المَساخيط التي تخافها دولت.. ألقاها ياسين على الأرض مكمومة الفم مَكتوفة اليدين والرجلين.. ترمق أمَّها الواقفة على بُعد في فزع وتضرُّع.. تصرخ بلا صوت يُسمع.. ثم تنظر إلى ياسين الذي يَضرب بفأسه الأرض مبعثرًا التراب.. يَصنع حُفرة كبيرة.. حُفرة تكفيها.. دقائق وتوقَّف.. تحجَّر.. اقتربت أمُّه فنظرت إليها دولت في استغاثة.. لم تلتفت.. نظرت إلى ياسين قبل أن تصفعه صفعة مدوية:

- خلِّيك راجل.. اغسل عارك.

تلقَّى ياسين الأمر فجمُدت عَيناه.. جمُدت كما جمدت من قبل أمام رءوس أقرانه.. نظر لأمِّه ثواني قبل أن يُزيحها جَانبًا.. انحنى على دولت فمزَّق وشاحها الأزرق.. جذبها من شعرها وقرَّبها من حافة الحُفرة.. طرحها على وجهها وغرز قدمه في منتصف ظهرها ليمنعها من الحركة.. دَارت برأسها فرأته يستل سكينًا فنظرت لأمِّها التي رَكعَت على الأرض في ترقب.. بحثت عن النظرة التي كانت تقابلها بها حين كانت تجري إلى حضنها خوفًا من تماثيل المساخيط فلم تجدها.. أغمضت عينيها وكفَّت عن المقاومة في اللحظة التي قبض فيها ياسين على مُقدِّمة شعر رأسها.. جذبه فأوجعها.. قبل أن يمرر السكين على

رقبتهـا ليشـقها.. نَحَرَهـا.. اختلطت الدمـاء بالتراب قبـل أن تخبو عينا دَولـت وتنطفئ حَركتهـا.. ارتخت بين يَديه كدُمية قطنية فحرر شـعرها الفاحـم من بين أصابعـه ووقع النصل منه.. تابع أصابـع أخته التي تبث ارتجافـات خافتة ثم التفـت لأمِّه فوجدها جاثية كما هي لا تتحرَّك وفي عينيها خواء وعدم.. نظر في الفراغ حتى سالت ريالته قبل أن تنزل قدماه في الحفرة التـي حفرها.. غاص في الوحل الممزوج بالدم.. ركَع.. ثم تكوَّم كالجنين.

في اليوم التالي جَلَس عبد القادر في مَقهى «كابادوكيـا» كَما اتُّفِق، طَلَـب شَـايًا وأشـعل سـيجَارة حيـن مـرَّ به بائـع جائـل.. أشـار إليه أن يقترب.. عَاين ما مَعه من بضاعة حتى التقط وشاحًا أزرق وخَاتمًا فضِّيًّا يُحيـط حَجرًا فيروزيًّا.. تذكَّر حُب دولت للأزرق فاشـتراهما واشـترى من أجلهما علبة خشبية منقوشة.

نِصـف سَـاعة حتَّى أشـار له بحَّـار أن يتبعه، مَشـى وراءه إلى جسـر جَلاطـة قبل أن يتخلل صُفوف الحناطير المُتراصة ليهبِطا بقُرب ضِفاف البوسـفور حيث أكشاك بيع الأسـماك المغلقة ومَراكب النقل الصَّغيرة التي تتمايل فوق المياه الهادئة.

- فكَّرت يا أحمد؟

أخرج أحمَد من جَيبه ظرفًا أبيض مُغلقًا يَحوي ورقة وشيئًا صلبًا لم يميزه عبد القادر حين وُضِع في كفِّه.

- إيه ده؟ سأل عبد القادر.

- دي رسالة عاوزك توصَّلها لورد.

- ورد!!

- عنوانها مَكتوب في ضهر الظَّرف.

- دي... رسالة وداع؟

سَكَت أحمد للحظات قبل أن يُردِف: وُصول الجواب ده هايفرق مَعايا كتير يا عبد القادر.

- ارجع مَعايا وادِّيها الجواب بنفسك يا أحمد.

- لو رِجعت مش هايكون مَعاك.. وُجودنا مع بعض هايعرضنا إحنا الاتنين للخطر.. عُيون الإنجليز في كُل المخارج.

- خلاص.. نسافر كل واحِد لوحده.

- سيب لي أوراق الهوية الجديدة وأنا لمَّا أنوي هاتصرف.

- ده آخر كلام؟

- وَصَّل الرِّسَالة لورد ما تنساش.

سَاد الصَّمت للحَظات.. دسَّ عبد القادر الرِّسالة في جَيبه لما لم يجد ما يُقال وأشعل سيجارة.. كان يعرف عناد أحمد.. لن يستجيب لإلحاح إذا ما قرَّرت نفسه أمرًا.. تمنَّى لو يَستطيع خَطفه وإلقاءه في مَركب يُجدِّف به من البوسفور حتى شواطئ مِصر.. مصر التي لم يعُد لصديقه فيها أحد!

- وَحشتني يا صَاحبي.

لم يكن ذلك عبد القادر.. أو أحمد.. الصَّوت كان آتيًا من خلفهما.. بحَرَكة لاإرادية حَررا مُسدسيهما والتفتا خلفهما.. رَفَع نجيب الأهواني ذِراعيه في توتر:

- صَلُّوا عَ اللي هايشفع فيكم.

صَاح عبد القادر: نَجِيب!!! إيه اللي جَابك هِنا؟؟

احتاج أحمد لحظات ليستوعِب الشبح الماثل أمامه.. شَبَحًا لم يَره منذ تِسع سِنين.

- أهواني!

- بقى بعد تِسع سِنين تبقى دي المُقابلة؟ مَا تقول حَاجة يا عبد القادر...

أرخَى عبد القادر مُسدَّسه ثم نظر إلى أحمد: ما لِحقتش أحكي لك إمبارح إننا تقابلنا في السِّجن.. حَكَى لي عن صداقتكما القديمة..

لم يُنزِل أحمد مسدَّسه: بتعمل إيه هِنا يا نجيب؟

- هانتكلم وأنت مرفَّعني كِده؟ مش كفاية قطعت زيارة.. الدنيا تلاهي فعلًا.

كاد أحمد أن ينزل مسدَّسه حين شعر بحَرَكة بَعيدة.. التفت حَوله فلَمَح عن يمينه رَجلين وعَن شِماله ثلاثة يَسدُّون من بَعيد طريق الهُروب.. بغَضَب رمق الأهواني الذي أردف بهدوء: أنا جاي عشان أساعدك يا صاحبي.

- تساعدني؟ ولَّا تسلِّمني؟

رفع عبد القادر مسدَّسه ثانية: يا ابن الوسخة...!

حدجه الأهواني بغَضَب: حافظ على ألفاظك يا عبد القادر.

ثم التفت إلى أحمد: نزِّل سلاحك واعقل.. خلينا نفكَّر بهدوء.

نَظر أحمَد للمُحاصِرين قبل أن يُرخى سِلاحه بجانبه.. اقترب الأهواني.

- في سُورة الكهف.. ليه العبد الصَّالِح خرق السفينة قدام موسى؟ عشان المَلك ما يصَادِرهاش.. وليه قتل الواد الصُّغيَّر؟ عَشان كان هايكبر.. ويطلع دين أم أبوه وأمه.. القدر يا صَاحبي صَعب يشرح أفعاله.. والناس متعوِّدة لو ما فهمتش في سَاعتها.. تزرجن.. أنا طول عمري براهن على ذكائك.

- وأنت بقة العبد الصَّالِح؟ ولَّا القدر؟

- أنا جيت عشان أنقذ صَاحب من مَصير اسود مستنيه.. زي ما أنقذتك من تسع سنين وما جبتش سيرتك في تحقيقات القضية.. ولَّا نسيت؟

- قبضت كام يا أهواني؟ سأل أحمد.

طأطأ الأهواني رأسه إلى الأرض في صمت.. ابتسم قبل أن يضحك.. ثم هدأ: عَشَر تلاف جنيه.. تعويض عن سنين طُرة يا صاحبي.

زفر عبد القادر بعَصبيَّة مَكتومة: يا ابن الوسخة..!!

اقترب منه الأهواني حتَّى بات على مَسافة سنتيمترات من وَجهه:

- عبد القادر... مش عارف أحمد اختارك إزَّاي عشان تكون واحد من اليد السودا!! اسمع واتعلِّم.. صاحبنا العزيز مَطلوب حيّ أو ميِّت.. ومع مخابرات بريطانية مَسألة وقت لغاية ما يعرفوا مكانه.. أنا أقنعتهم نمشيها حي.. يقضِّي له كام سنة في السجن ويخرج صاغ سليم.. قَرْصة ودن.. ومش عيب ألهف من الكفَّار فلوس طالما باحافظ على صَاحبي.. أما بالنسبة لك أنت فأنا متأكد إنَّك مش مطلوب.. لكن طلقة بتلاتة صاغ مش هاتفرق مع اللي هناك دول.. مَاشي يا عبد القادر؟

لم يجب عبد القادر سؤاله.. فقط رَجع خُطوة ثم صَكَّ فكَّيه بلَكمة صاعِدة أسقطته أرضًا.

وانهمر الرَّصاص ناحيتهما من كل صَوب.

جَرى كُل مِنهما عَكس اتجاه الآخر لتشتيت المُهاجمين قبل أن يُصاب عبد القادر بطلقة في كتفه.. تحَامل حتى استتر وراء مَركب راسٍ وجذب زناد مسدَّسه في اللحظة التي تزحلق فيها أحمد خلف كشك أسماك مُغلق.. أفاق الأهواني من لكمة عبد القادر فزحَف على بَطنه مُتقيًا الرصاص قبل أن يستتر وراء مَركب عَريض مربوط بحبل إلى عامود.. اقترب المُهاجمون ببُطء يضيِّقون الدائرة.. اثنان من ناحية عبد القادر وثلاثة يطوقون موقع أحمد الذي خرَج بغتة وأطلق على أقربهم رَصاصة أصابت مَعدته فسقط.. استغل أحمد المفاجأة وضَرب المَصابيح الغازية القريبة وكذلك فعل عبد القادر حتى أعتمت الدائرة

التـي تحتويهـم.. سـادت الظلمة فتحـرك عبد القادر زحفًا مُغيـرًا مَكانه إلـى ما وراء مَركب آخر.. بعينين جاحظتين عَبَر الإنجليزي الأول بقُربه فصَرَعه عبد القادر بطلقة استقرَّت في رأسه قبل أن يُباغت الثاني بواحِدة أخطأتـه ولضيق المَسَـافة انقض عليـه فأوقعه أرضًا.. غَـرز الإنجليزي أصَابعـه في جـرح عبد القادر فصَـرَخ بألم قبل أن يلتـفَّ ويجثم فوقه.. قبض على عنقه ودفعه حتَّى انغرز رأسـه فـي الوحل.. أذنيه.. وجنتيه.. عَينيه.. يقاوم الاختناق بذراع واحِدة.. ثم اسـتخرج الإنجليزي سِـكينًا مَربوطًـا فـي حزامـه.. رفعه ليهوي به علـى عُنق عبد القـادر الذي تلقى الضربـة بيـن أصابعـه قبل أن يَضـرب ظَهـر الإنجليزي بركبتـه.. ثلاث ضَربـات حرَّرت الأخيرة عُنقه قبل أن يلتقط حَجرًا ويضرب به وجهه.. تلقـى الإنجليـزي الخبطة فوقـع جانبًا.. اعتـدل عبد القـادر وثبَّت اليد المُمسكة بالسكين ثم تحامل على الذراع المصابة وهوى بالحجر على رأس الإنجليـزي.. ضربتين أصدر من بعدهما خوارًا خفت مع الضربة الثالثة قبل أن يسقط عبد القادر بجانبه في إعياء.

قبلهـا بدقيقة اقترب الإنجليزيان المتبقيان من الكشـك الذي يسـتتر خلفـه أحمـد.. طوقـاه يَمينًا ويَسـارًا في كَمَّاشـة مُحكمة قبـل أن يتلقى الأول رَصاصـة مـن أعلـى الكشـك حيث صَعـد أحمد.. انفجر رأسـه فسـقط قبل أن يَضغط أحمد زنـاده تجاه الآخر.. أصدر المُسـدس تكَّة فـراغ الخزنة قبل أن يتلقى رَصاصة في سـاقه مـن الإنجليزي المتبقي.. وقع على سطح الكشك فضرب الإنجليزي باب الكشك بقدمه.. دخل ورفع مُسدسـه إلى السقف الخَشَبي وأطلق عِدَّة أعيرة في أمَاكن مُتفرقة حتـى تلقى صَمتًا.. لحظات وانغرزت حربة صيد في رقبة الإنجليزي..

جحظت عَيناه اللتان رأتا وجه أحمد للحظة قبل أن يَسقط بجانب قدميه جُثَّة هامدة.. تحَامل أحمد وخرج من الكشك الخشبي.. بحث عن عبد القادر حتى رآه يقوم من فوق جثَّة مهشَّمة الجمجمة ويلقي بحَجر مُضرج بالدِّماء بجانبه.. بَحَث بعينيه عن الأهواني حتى لَمَح آثار زحفه على الطين.. ناحية المركب المربوط.. ألقى الحربة والتقط مُسدس الإنجليزي الذي انفجر رأسه واقترب بحذر يتحامل على جراحه حتى بَات قرب المَركب.

- نجيب...

نادى أحمد ولم يتلق إجابة فنادى ثانية حين صاح عبد القادر من بعيد: أحمااااااد.

كان ذلك قبل أن يتلقى أحمد طعنة نافذة.. سِكين اخترق أسفل الضلوع اليسرى ونفذت إلى الطحال.. لم يصرخ.. فقط أنَّ في خفوت واستدار.. دَار السِّكين نصف دورة ثم خرج ليسمح للهواء بالدخول.. قبض على عَضد الأهواني الذي استمسك بفوهة مُسدس أحمد ثم جَذبه بمقاومة تهِنُ حتى انتزعه.. ششششش.. همس في أذن أحمد الذي سقط على رُكبتيه.. نَظَر للأهواني في عَينيه غير مصدِّق ثم هوى على الأرض.. انغرز خدُّه في الطين حين صَرخ عبد القادر من بعيد: لأاااااا.. أحمد... جَرَى ناحية الأهواني شاهرًا سكين الإنجليزي في يَده فرَفَع الأهواني مُسدسه بالكف ناقصة الإبهام وأسندها باليَد الأخرى ثم صَوَّب.. حين اقترب عبد القادر لمسافة لا تسمح بالخطأ، أطلق رَصاصة.. أصابت أعلى صدر عبد القادر تحت الترقوة.. ارتد إلى الوراء بألم قبل أن يتمَالك نفسه ويتقدم ثانية.. تلقى واحِدة أخرى في

كتفه الأخرى فارتد ووقع على رُكبته... ثم قام.. ضَغَط الأهواني الزناد ثانية فسَمِع تكَّة فراغ.. ثم تكَّة.. قبل أن يتلقى في رقبته نَصلًا مزَّق وريد الرقبة السُّباتي وانغرز في عِظام الرَّقبة.. نظر عبد القادر في عينيه حتى توقفت الرَّعشة.. ثم هَوَى الأهواني بجانبه كالحَجر.. فانكفأ عبد القادر على صَديقه:

- أحمد.. أحمد!

نظر إليه أحمد ثم أردف: أنا مش عاوز أموت.

- ساعدني.. قوم معايا.

التقط عبد القادر جلبة قادمة فقام بصُعوبة وانحنى على أحمد.. التقط ذراعه ثم شهق وحَمَله.. أصدر الاثنان صَرخة هائلة قبل أن يَستوي أحمد على كتفه.. مشى به أمتارًا ينظر ناحية الساحل المقابل بحثًا عن مخرج قبل أن يَضَع أحمد في قارِب دفعه إلى المِياه وقفز.. قطع جُزءًا من قميصه كَبَسَه على جرح أحمد وأمره أن يضغط عليه ثم التقط مِجدافًا ضَرَب به المياه حتَّى ابتعدا عن الشاطئ ببطء.

- اثبت يا أحمد.

نظر له أحمد بوَهَن ولم يُعقِّب.

- الشط قرَّب.. اثبت.

بذراع واحِدة جدَّف.. بصَدر مَثقوب تنفَّس.. في رُبع مضيق البوسفور الواسِع شَعَر عبد القادر بالإجهاد ومَبادئ هُبوط في الدورة الدَّموية.. توقف للحظات ليلتقط أنفاسه.. تأمل نزيفه الذي اختلط بدماء

أحمد التي زحفت حتى قدميه.. نظر إلى صديقه ثم ناداه.. مرَّة ثم مرَّة..
لم يستجِب فترك المِجداف وقام.. هزَّ جسده.. ضرب وجنتيه بهلع..
بـرودة.. ارتخاء.. زرقة تعلو البشـرة.. بلَّل يَده في المياه ومَسـح شـعر
أحمـد ووجهه: أحمد! أحمـد!!! بكى.. اختلطت الميـاه المالحة على
وجـه أحمد بدموعه.. أحمـد!!!! وَضَع أذنه على القلب فسَمِع خواءً..
نظـر في العَينين المُتيبستين ينتظرهما أن يَرمشـا.. أن يلمعـا مثلما كانتا
تلمعان..... تسلل اليقين إليه بالوفاة فأجهش.. نَحَب.. تشنَّج.. احتضن
أحمد قبل أن يصرخ في عَويل طويل مزَّق حنجرته وسكون الليل.

أسبل عينَي صَديقه ثم استلقى بِجانبه واحتضنه.

في مَركب لن تأخذهما من البوسفور حتى شواطئ مِصر.

بعد يَومين

٨:٢٤ صَباحًا.. قصر عَابدين

تخللت الشـمس أفرع الأشجار حتَّى سقطت على كُشك المُوسيقى المُواجِه لحمَّام السِّـباحة الكَبير، نِصـف دَائرة من الأعمِدة الرُّخامية في طَرفيهـا بُرجـان يظللان نافورتيـن، في المُنتصف حَـوض زهور يحوي نباتـات نادرة تقـف وراءه «فينـوس» إلهة الجمال عِنـد الإغريق، تمثال بالحجـم الطبيعي يظنه خَدَم القَصر لعَشـيقة من عشـيقات الملك فؤاد، قطع ذراعيها من العَضد حين اكتشف خيانتها، ثم خلَّدها لحُزنه عليها!

لحـن «Poco Allegretto» لبرامـز كَان ينسـاب مِـن فونوغـراف نُحاسـي وُضِع في الجانب الأيسَر من الكُشـك، أسطوانة تسمعها يَوميًّا نازلي الجَالسـة بجانب الملـك خلف مِنضدة تحمل شـاي الصَّباح في فنجانيـن منقـوش فوقهما حـرف «F» ذهبي، يُدخِّن غليونـه وهو يُطالع جرائد اليوم، وتضرب الهَواء بمَروحة ريشـية وهي تتصفَّح مجلة موضة فرنسـية وترفع عينيها كل بضـع ثوانٍ لتراقب المُربيـات اللاتي يُلاطِفن الأميـر الصَّغيـر فـاروق وأختـه الوسـطى فوزيَّة قـرب حمَّام السِّـباحة والمُصـوِّر الذي ينحنـي ليلتقِط لهما صـورة تذكارية، أمَّـا آخر العنقود فايزة فتنام بجَانبها عَلى كُرسي هزاز مَنقوش بالمَلائِكة والطيور ومُغطى بناموسية حَريرية.

مِن بَعيد اقترب رجل من أفراد السكرتارية، يَحمِل في يَده مَلفًّا أصفَر مُغلقًا، اقترب من الكشك ثم توقف قبل أن يُشير إليه فؤاد بعد دقائق أن يقترب، صَعد الرَّجل السلالِم في خشوع قبل أن ينحني ويضع الملف بجانب الملك:

- جلالتك.. نشرة الداخلية.

قالها الرجل ثم رَجع خُطوتين إلى الوراء فأشار إليه فؤاد أن ينصرف، فتح ختم التقرير وأخرج الأوراق المَكتوبة بخط كبير ليستطيع قراءتها، دَارت عَيناه في الورقة الأولى قبل أن يضحك ثم قال بالفرنسية:

- أعتقد أن صديقنا سَعد يحتاج أن يقرأ ذلك الخبر القادِم من الهِند.

دون أن ترفع عَينيها عن المجلَّة سألت: أي خَبر؟

قرأ فؤاد: «غاندي يَدخل في صِيام عن الطعام لمدَّة واحد وعشرين يَومًا تطهيرًا لنفسه واستعادة لقوَّته في التعامل مع الشعب».

- الهندي بدأ يصوم من أجل استعادة قوَّته.. بداية الإفلاس السياسي.. لا أعرف أيهما يقلِّد الآخر سعد أم غاندي.. لكنهما حتمًا سيفشلان في النهاية.

لم تُعقِّب نازلي، فقط ازدادت سُرعة اهتزاز ساقيها فوَضع فؤاد الورقة على المنضدة بينهما وأكمل قراءة تقريره، أنهى الورقة الثانية فوضعها فوق الأولى، نظرت إليها نازلي فلَمَحَت عنوانها، مُلخص مقال يُهاجم الوزارة بقلم طه حسين، عَبث الهواء بالورقة فكادت أن تطير قبل أن يَضع فؤاد فوقها ورقة ثالثة تحمل عبارة مُقتضبة:

«تم تأكيد مَقتل الشقي «أحمد عبد الحي كيرة» في إسطنبول.. عُثِر على جُثته في قارب على ضِفاف البوسفور وتم دفنه في مَقابر القديس «هاكوب» للأرمن لعدم تعرُّف السُّلطات على هويته».

توقفت المروحة ووقع فنجان الشَّاي.. انكسر بصوت لم تسمعه.. فقط موسيقى برامز التي تذكِّرها بليلة قصر البارون ظلَّت تعلو وتعلو حتى باتت كالرعد.. نظر إليها فؤاد فلمح ذقنًا يرتعش وعينين مُحتقنتين.. هز رأسه في استخفاف وأكمل القراءة قبل أن تقوم لتنزِل السلالم بخطوات سريعة وتسير بين الأشجار مبتعدة.. تضم بين أصابعها سلسلة تحمل حرف «N».

بعد شهر.. وسط البلد

تحت قُبَّعتِه احتمى من الشمس، ومن الناس، يَسير ببطء متوكئًا على عَصا تخفِّف من العَرج الواضِح في خطواته، عصا كانت يومًا نبوتًا قبل أن يشذب أطرافها، يمسك في يده علبة خشبية ملفوفة بشريط أزرق، اقترب من الفابريقة وقرَع الجَرس ففتحت له سيِّدة.

- آنسة دَولت مَوجودة؟

- دولت بقى لها أزيد من شهر ما بتجيش.

بقلق سألها: عَيَّانة؟

- لأ.. سابت شقّتها كمان.

- سافرت البلد؟

- صاحب الفابريقة سافر وسأل عنها.. أهلها بيقولوا إنها ما جاتش من أربع سنين.

- يعني إيه؟ بلَّغتوا البوليس؟

- عملنا بلاغ ومفيش رد.

- ...!!! طيب.. مُتشكِّر.

همَّ بالرحيل قبل أن يستدرك الفتاة: «**من فضلك**».. أخرج من جَيبه قلمًا وورقة أسندها على راحته وكتب رقمًا:

- ده رقم تليفون القهوة اللي باقعُد فيها.. اسمها متاتيا.. لو ظَهَرِت بلَّغيها تِكلمني.. ضروري لو سمحتِ.

أغلقت الباب فتيبَّس للحظات محاولًا استيعاب اختفاء دولت ثم أوقف عَربة سَوارس، جَلس عَلى المِقعد الخشبي شاردًا يَسترجِع صَحوته في عرض البوسفور، على المركب، تجديفه اليائس، بكاءه حين اضطر إلى ترك جُثَّة أحمد في القارب، الرجل الطيب الذي التقطه من الشط وأوصله إلى طبيب داوى جراحه ولم يُبلِغ السلطات عنه تعاطُفًا حين عرف أنه مِصري، قضَى في عِيادته خمسة أيام حتى ذَهبت الحُمَّى عنه ثم أخبره الطبيب بسر تعاطُفه، فهو أرمني مُتخفٍّ هو الآخر من الأتراك من بعد المذابح.. مَا إن هَدأت حَركة البوليس وعيون الإنجليز حتى أقرضه الطبيب مَبلغًا رَكِب به مَركبًا حتى قبرص، ثم مر بميناء صيدا بسوريا قبل أن يصل إلى ميناء دمياط بمصر.

أفاق عبد القادر من غفلته حين صَاح سائق العَربة: «**عِماد الدين يا أفندية**» تمشَّى حتى العنوان المَكتوب خلف الظرف الأبيض،

«الجمعيـة الخيرية الأرمنية»، دَلَف إلى السـاحة يتأمل جُمُوع الجائعين وطالبـي الإعانـة الواقفين في طوابير لا تنتهي، كانـت تقف مع زميلتيها خلـف المائدة، اقترب حتى رأته، رَمَقته بقلق قبل أن تخلعَ المَريلة التي ترتديها وتقترب إلى أن صَارت أمامه، تأملته للحظات ثم تكلمت:

- أحمد.. وينه؟

فتح عبد القادر شفتيه ولم يتكلَّم، ثم أخرج الظَّرف الأبيض المُغلق، مُتَّسِـخًا مـن مَـاء المضيق وطين شـاطئه كما هـو لم يحـاول أن يفتحه، وَضَعـه في راحـة يَدهـا ثم اسـتدار راحِلًا، رَمَقتـه بتوتر حتى اختفى ثم فتحـت الظَّـرف المُهترئ، في رَاحـة يدها أفرغته، قـلادة تحمل أيقونة مسـتديرة عليها نقش لصـورة «كاترينا فون بورا» زوجـة «مَارتن لوثر»، الرَّاهـب الألمانـي الذي طالب بإصلاح الكنيسـة واعتـرض على فكرة صكـوك الغفران، كانـت كاترينا راهبـة آمنت بفكرته فهربـت من الدير ثائرة، قبل أن تتزوجه.

رمقـت القـلادة باسـتغراب ثـم فتَحـت الورقـة.. كان مكتوبًـا فيها كلمتان فقط:

«الحياة قصيرة»

- استمرت وَزارة سَعد زغلول لسَنة واحِدة فقط، استقال في ٢٤ نوفمبر ١٩٢٤ بَعد حادثة اغتيال سِير «لي ستاك» سِردار الجَيش المِصري وحَاكم السودان على يَد أفراد مُنشقِّين من جَماعة «اليَد السوداء» اعتراضًا على العُقوبات المُجحِفة التي وقَّعها الاحتلال على مِصر.. قال سعد وقتها:

«إن هذه الجريمة قد أصابت مِصر، وأصابتني شَخصِيًّا».

- قضت تلك الحادثة على آمال الأمَّة في الاستقلال الحقيقي وساهمت في إعادة إحكام قبضة الإنجليز على البلاد.

- مَات سَعد زغلول في ٢٣ أغسطس من عام ١٩٢٧.

- أسس عبد الرحمن فهمي أول اتحاد للنقابات في مصر قبل أن يُسجن ثانية في قضية مقتل السردار.. خرج من السِّجن مَريضًا فاعتزل الحياة السياسية والنقابية، فانهار اتحاد العمال ليرثه الانتهازيون، ثم اهتزت مَكانته كثيرًا بعدما حدثت وقيعة بينه وبين سعد زغلول أسفرت عن انشقاقه عن الوفد.

- مَات عبد الرحمن فهمي عام ١٩٤٦ بعد أن عاش سنينًا في طي النسيان.

- عَاشت الملكة نازلي حَبيسة جدران الحَرَملِك حتى تُوفِّي المَلك فؤاد في عام ١٩٣٦.

- تولى الأمير فاروق الحُكم من بعد أبيه فانطلقت نازلي إلى الحَيَاة تبتغي حَصَاد ما حُرِمت منه خلال زواجها الذي استمر سبعة عشر عامًا مِما وسَّع الهوَّة بينها وبَين ابنها فاروق بسبب تصرفاتها الطائِشة الغريبة.

- حَاول المَلك فاروق كَبح جِماح نزوات أمِّه قبل أن يكتشف زواجها السري برئيس دِيوانه أحمد حسنين باشا.

- توفي أحمد حسنين باشا في حادث سيارة سنة ١٩٤٦ فلم تطِق نازلي البقاء في مصر، سَافرت مع ابنتيها فايقة وفتحية إلى الولايات المتحدة الأمريكية حيث ازدادت جنونًا وعِنادًا، طَلب فاروق منها الرجوع أكثر من مرَّة فرَفَضت، قبل أن يحجُر على أموالها ثم يُصدِر قرارًا مَلكيًّا بتجريدها مِن لقب المَلِكة الأم.

- اعتنقت نازلي المسيحية ثم توفيت فى مايو من عام ١٩٧٨ في لوس أنجلوس بأمريكا عن عُمر يناهز ٨٤ عامًا.

- عاش عبد القادر شحاتة حتَّى عَاصَر جَلاء الإنجليز عن مِصر سنة ١٩٥٤ ولم ينسَ يومًا دولت.. أو يعرف مَصيرها.

- لسنين طويلة انتظرت ورد ظهور أحمد.. تركت الرهبنة في مُنتصف الثلاثينيات قبل أن تُغادِر مِصر إلى مكان غير مَعلوم.

- مقبرة «القديس يعقوب» التي دُفِن فيها جسد أحمد عبد الحي كيرة تم هدمها عام ١٩٢٨ وأقيم على أنقاضها ميدان «تقسيم» الشهير بإسطنبول.

النهاية

شكر خاص

فاطمة الزهراء زكي.

مُصطفى عبيد.

حسن كمال.

لينا النابلسي.

هيرانت ميناس.

موفق بيومي.

شيرين راشد.

مي مراد.

مروان حامد.

نرمين نعمان.

رشا محمد.

محمد السيد.

محمود حسيب.

رِهام راضي.

إيمان أسامة.